MAGELLAN

UNE COLLECTION DIRIGÉE PAR STÉPHANIE DURAND

■ **NAVIGATEUR** portugais dont l'expédition réalisa le premier tour du monde. ■ **SONDE SPATIALE** ayant cartographié la planète Vénus. ■ **COLLECTION** des Éditions Québec Amérique dont les romans invitent à l'exploration de tous les possibles.

De la même auteure chez Québec Amérique

Après la poussière, Tome 1 – Déviants, coll. Magellan, 2014.

APRÈS LA POUSSIÈRE

TOME 2 - CONFORMITÉ

Projet dirigé par Stéphanie Durand, éditrice

Traduction : Lori Saint-Martin et Paul Gagné
Conception graphique : Sara Tétreault
Mise en pages : Andréa Joseph [pagexpress@videotron.ca]
Révision linguistique : Sophie Sainte-Marie et Chantale Landry
En couverture : Réalisé à partir d'œuvres photographiques de
    © fakegraphic/Dollar Photo Club, de © tobago77/Dollar Photo Club
et de © Pan Xunbin/shutterstock.com

Québec Amérique
329, rue de la Commune Ouest, 3ᵉ étage
Montréal (Québec) Canada H2Y 2E1
Téléphone : 514 499-3000, télécopieur : 514 499-3010

Nous reconnaissons l'aide financière du gouvernement du Canada par
l'entremise du Fonds du livre du Canada pour nos activités d'édition.

Nous remercions le Conseil des arts du Canada de son soutien. L'an
dernier, le Conseil a investi 157 millions de dollars pour mettre de l'art
dans la vie des Canadiennes et des Canadiens de tout le pays.

Nous tenons également à remercier la SODEC pour son appui finan-
cier. Gouvernement du Québec – Programme de crédit d'impôt pour
l'édition de livres – Gestion SODEC.

Nous reconnaissons l'aide financière du gouvernement du Canada par
l'entremise du Programme national de traduction pour l'édition du livre,
une initiative de la *Feuille de route pour les langues officielles du Canada
2013-2018 : éducation, immigration, communautés*, pour nos activités de
traduction.

Canadä

**Catalogage avant publication de Bibliothèque et Archives nationales
du Québec et Bibliothèque et Archives Canada**

McGowan, Maureen
[Dust chronicles. Français]
Après la poussière
(Magellan)
Traduction de : The dust chronicles.
Sommaire : t. 2. Conformité.
Pour les jeunes.
ISBN 978-2-7644-2976-1 (Version imprimée)
ISBN 978-2-7644-3020-0 (PDF)
ISBN 978-2-7644-3021-7 (ePub)
I. Saint-Martin, Lori. II. Gagné, Paul. III. McGowan, Maureen.
Compliance. Français. IV. Titre. V. Titre : Dust chronicles. Français.
VI. Titre : Conformité. VII. Collection : Magellan (Éditions Québec
Amérique).
PS8625.G69D4814 2014   jC813'.6   C2014-941785-3
PS9625.G69D4814 2014

Dépôt légal, Bibliothèque et Archives nationales du Québec, 2015
Dépôt légal, Bibliothèque et Archives du Canada, 2015

Imprimé au Québec

MAUREEN McGOWAN

Traduction de Lori Saint-Martin et Paul Gagné

APRÈS LA POUSSIÈRE

TOME 2 - CONFORMITÉ

QuébecAmérique

CHAPITRE
PREMIER

Les yeux d'Arabella brillent cent fois plus que le clair de lune projeté contre le ciel. Désormais, j'ai du mal à appeler «ciel» la face interne du dôme ou «lune» la lumière synthétique, mais je n'ai pas le choix. Personne ne doit savoir que j'ai vu l'Extérieur.

Je guide Arabella le long de la ruelle étroite, bordée de hauts immeubles sombres. La lumière qui émane de son regard, bien qu'utile, représente un danger. Si on nous voit, elle sera expulsée du dôme et taillée en pièces par les Déchiqueteurs. Et moi aussi.

Je m'arrête.

— Prends de profondes respirations, lui dis-je. Calme-toi.

— Excuse-moi, Glory, répond-elle d'une voix fluette et tremblante. Quand j'ai peur, mes yeux sont encore plus brillants.

Elle ne fait pas ses treize ans, et son souffle, s'accélérant, soulève sa poitrine. Des larmes d'un vert phosphorescent jaillissent de ses yeux et pâlissent en glissant sur ses joues.

— Je suis une vraie *freak.*

Pour la rassurer, je serre son corps frêle dans mes bras. Malgré sa petite taille, ses vêtements sont trop serrés et sa chemise tissée grossièrement a besoin d'un bon raccommodage à l'épaule.

— Tu n'es pas une *freak*, lui dis-je. Là où tu vas, ce ne sont pas les Élus qui manquent.

— Les Élus?

— C'est un autre nom donné aux Déviants. Tu ne trouves pas que ça sonne mieux?

Et, dans le cas d'Arabella, il convient parfaitement.

Ma Déviance à moi, en revanche, est une malédiction, et je ne m'en servirai plus jamais. Pas pour tuer, en tout cas.

Les épaules d'Arabella s'affaissent.

— Si je suis une Élue, pourquoi mes parents m'ont-ils cachée? Pourquoi la Direction veut-elle me tuer?

— Les gens ont peur de ce qu'ils ne comprennent pas, expliqué-je en essuyant une larme sur sa joue. Combien de tes amis peuvent se déplacer dans l'obscurité sans torche?

Elle baisse les yeux.

— Je n'ai pas d'amis.

Ma gorge se contracte.

— Ne t'inquiète pas. Là où tu vas, tu t'en feras des tas.

Et j'espère aussi qu'elle trouvera quelqu'un pour s'occuper d'elle, maintenant que je l'ai arrachée à ses parents.

Pendant un moment, je regrette de ne pas l'accompagner, de ne pas réintégrer la sécurité de la Colonie, où je pourrais renouer avec mon père et mon frère. C'est impossible. D'ailleurs, je sauve des vies, ici. Agissant dans la clandestinité pour le compte de l'Armée de libération, j'aide des Déviants à sortir du Havre et à se réfugier en lieu sûr.

Jetant un coup d'œil entre deux usines qui se touchent presque, je penche la tête pour mieux voir. Les cheminées crachent des gaz qui s'élèvent au-dessus de nous et se tortillent, en quête d'une issue. Sans doute les bouches d'aération sont-elles en panne. Malgré la fumée, j'aperçois les panneaux bleus tout délavés du ciel. Dans cette portion du Havre, ils sont très inclinés. Si j'en juge par l'angle de la clarté lunaire, nous risquons d'arriver en retard à notre rendez-vous avec Clayton.

Je suis de retour au Havre depuis trois mois, et Arabella est le trente-septième Déviant que je sauve. Mon dossier est parfait, et je n'ai nulle intention d'échouer maintenant.

— C'est terrifiant, je sais, dis-je. Mais tu seras bientôt en sécurité. Promis.

Arabella secoue la tête, et ses cheveux presque blancs balaient ses épaules fragiles. Je la serre une fois de plus dans mes bras en prenant de longues inspirations mesurées, dans l'espoir de lui communiquer un sentiment de calme. Lorsque je l'ai trouvée, la jeune fille logeait, dans un coin du minuscule appartement de ses parents, derrière un faux mur, où elle pouvait à peine bouger. Quand ils avaient découvert sa Déviance, peu après son douzième anniversaire, ses parents l'avaient casée à cet endroit, et tout indique qu'ils ne lui donnaient presque rien à manger.

Quand je leur ai dit que je pouvais les aider, leur soulagement a été palpable. Ils n'ont posé que très peu de questions avant de confier leur fille à l'inconnue qui les libérait de l'obligation de disposer de son cadavre.

Je suis injuste. Sans doute leur ai-je offert une première lueur d'espoir depuis le jour où la Déviance d'Arabella s'est manifestée, celui qui a marqué le début de son année de captivité. Avant notre départ, ils lui ont dit qu'ils l'aimaient. S'ils semblaient soulagés, c'est plutôt parce que je leur épargnais la douleur de la voir mourir.

— J'avais treize ans quand j'ai perdu mes parents, moi aussi, dis-je en la relâchant. C'était il y a trois ans et demi.

Elle lève les yeux et l'éclat vert de son regard s'estompe.

— Ils sont morts ?

— Ma mère, oui.

Mon cœur se serre, mais je chasse ce souvenir en jetant un coup d'œil au mur de briques en ruine qui se dresse à côté de nous.

— Mon père vit toujours, mais, pendant trois ans, j'ai cru qu'il était mort. Mon frère et moi étions convaincus qu'il avait péri en même temps que notre mère.

C'est assez. Elle n'a pas besoin de tous les détails.

— Ton frère et toi, vous avez vécu tout seuls pendant *trois ans* ? Sans parents ?

Je hoche la tête.

— Pourquoi ton père est-il parti ? Où est-il allé ?

— Là où tu vas, dis-je en lui caressant le dos. Il s'appelle Hector Solis. Salue-le de ma part, d'accord ?

— Comment as-tu réussi à survivre sans tes parents ? demande-t-elle d'une voix étranglée.

— Je me suis débrouillée, c'est tout. Toi aussi, tu verras.

Je vérifie la position de la lune. Nous devons nous mettre en marche.

— Comment ton frère s'appelle-t-il ?

— Drake, dis-je en parcourant la ruelle du regard. C'est un Élu, lui aussi.

— Ton frère est Déviant ? s'écrie-t-elle en écarquillant les yeux. Il a été liquidé ?

— Non. Il se porte comme un charme.

En tout cas, il y a trois mois, c'était le cas.

— Je l'ai aidé, de la même façon que je t'aide, toi.

— Tu es Déviante, toi aussi ?

Sa voix est plus forte, ses yeux moins scintillants.

— En route.

Je feins de ne pas avoir entendu la question.

— Si tu t'accroches à ma chemise, dis-je en lui en tendant l'ourlet, peux-tu avancer les yeux mi-clos ?

Elle hoche la tête.

— Je ne maîtrise pas ma Déviance. Excuse-moi.

— Ne t'excuse pas. Elle est *cool*, ta Déviance. J'aimerais bien voir devant moi dans le noir.

— Vraiment ?

Un demi-sourire se peint sur son visage triste et terrifié.

— Oui. Mais, en ce moment, tes yeux attirent trop l'attention.

Je m'assure qu'elle tient bien ma chemise. Nous nous engageons dans la ruelle, d'abord lentement, puis de plus en plus vite : Arabella s'habitue à marcher à l'aveuglette. Je dois à tout prix éviter qu'on me suive. Si on découvrait le lieu du rendez-vous, Clay devrait en trouver un autre. Entre-temps, je ne pourrais aider personne.

Demain soir, Clay me remettra une nouvelle liste de cibles, et je suis impatiente de la voir. Il ne reste qu'un nom sur celle que j'ai en main, et je n'ai pas réussi à repérer cette personne.

Les yeux d'Arabella étincellent, illuminant la rue. Je grimace, mais elle baisse vite le regard, et je ralentis, consciente de la terreur qu'elle ressent sans doute.

Nous atteignons enfin l'endroit convenu. Devant nous, Clay sort sa tête chauve par la bouche d'égout qui, avant la poussière, se trouvait au milieu d'une rue très large. Le couvercle métallique circulaire occupe désormais le tiers de la voie.

Je sens la tension s'échapper de moi. Nous arrivons juste à temps.

En nous voyant, Clay disparaît. Je me tourne vers Arabella.

— Tu dois descendre par cette échelle, dis-je en désignant le trou.

Elle secoue frénétiquement la tête et ses yeux scintillent, baignant toute la ruelle dans une lueur verte.

— Je t'accompagne.

En principe, je ne dois pas descendre. La manœuvre va obliger Clay à laisser le trou ouvert plus longtemps que d'habitude. Mais, de toutes les personnes que j'ai secourues, Arabella est la plus fragile, la plus terrifiée.

Par les épaules, je l'oriente vers l'ouverture et, me penchant avec elle, je l'aide à prendre pied sur l'échelle. Elle tremble, et j'ignore si elle est assez forte pour descendre toute seule. Je la prends sous les bras et je mets mon pied sur le même échelon qu'elle.

— Je vais t'aider. Pose ton pied sur le mien.

Elle s'exécute. Comme elle est légère! Je descends mon autre pied.

— L'autre, maintenant.

Elle obéit. Mes bras sous les siens, je laisse mes mains courir sur la surface de la rue. Regrettant de ne pas pouvoir m'accrocher aux échelons, je descends à mon tour, son pied au-dessus du mien. Le bord du trou érafle mon dos penché.

Nous glissons. Son corps se raidit. J'attrape le haut de l'échelle juste à temps.

— Ne crains rien, lui dis-je. Je te retiens. Tu ne vas pas tomber.

Elle s'agrippe aux barreaux sans que je le lui dise, et nous descendons ensemble.

— Droite, gauche, droite, chuchoté-je pour préparer chaque pas et synchroniser nos mouvements.

Lorsque nous touchons le sol, Clay brandit une torche, puis il s'avance et regarde l'échelle.

— Ça devient trop dangereux, dit-il.

Dans la lueur du regard d'Arabella, je constate qu'il est aussi impressionné qu'irrité que je sois descendue. Au contact de l'air frais et humide, mes bras se couvrent de chair de poule.

— Arabella, dis-je, je te présente Clayton. C'est lui qui va t'emmener.

Les yeux de la jeune fille s'embrasent.

— Ne t'inquiète pas. Il a sauvé beaucoup d'enfants comme toi.

Clay a sans doute senti la peur de la petite, car son visage tanné se fend d'un sourire. Ses dents luisent dans l'éclat des yeux d'Arabella.

— Mes parents m'ont r-r-recommandé de ne pas parler aux inconnus avant même que je devienne Déviante, bégaie-t-elle.

Je pose mes mains sur ses épaules.

— Mes parents m'ont répété la même chose, et j'ai eu de la difficulté à faire confiance au garçon qui est venu nous chercher, mon frère et moi. Mais tu sais ce que j'ai compris ?

Elle secoue la tête, ses yeux exorbités et éclatants.

— J'ai compris qu'on peut être à la fois prudent et confiant.

Elle a beau hocher la tête, ses yeux trahissent toujours une inquiétude phosphorescente.

— Tu as confiance en moi ? lui demandé-je.

— Je… je pense que oui, répond-elle en plissant le nez. Mes parents m'ont donné la permission de partir avec toi. Ils n'ont parlé de personne d'autre.

— Clayton a toute ma confiance. Tu peux donc te fier à lui, toi aussi.

— D-d-d'accord.

Clayton s'avance vers nous.

— Tu peux marcher toute seule ? demande-t-il.

Arabella fait signe que oui.

— Génial. Repose-toi un moment. Nous devons discuter, Glory et moi.

Elle s'adosse au mur et se laisse glisser sur le sol. Les genoux contre la poitrine, elle referme ses bras fluets autour de ses tibias.

Clayton se tourne vers moi et murmure :

— Tu n'aurais pas dû descendre.

— Maintenant que je suis là, tu as ma nouvelle liste ?

J'ai besoin de noms, de Déviants à secourir. Depuis le début, j'espère trouver les enfants de mon ami Gage sur la liste en même temps que je redoute ce moment. Gage a été liquidé le jour où j'ai fui le Havre. Si ses enfants sont Déviants, je compte les sauver.

Clayton secoue la tête.

— Rolph nous a donné l'ordre de ralentir.

Mes épaules se projettent vers l'arrière, comme si j'avais reçu une gifle.

— Pourquoi ? Il n'apprécie pas mon travail ?

Lorsque Rolph, le chef de l'AL, m'a proposé de réintégrer le Havre pour prêter assistance à d'autres Déviants, je me suis laissé rapidement convaincre.

— Tu cours trop de risques, explique Clayton.

— Je suis prudente, dis-je en relevant le menton. Et je serais prête à courir des risques encore plus grands pour sauver plus de Déviants.

Clay pose la main sur mon épaule.

— En ce qui concerne les extractions, nous allons mettre la pédale douce pendant un moment.

— Mais pourquoi ?

— Rolph a appris que tu suivais une formation de Conf. C'est trop dangereux.

Mes joues s'enflamment.

— Rolph lui-même m'a demandé de travailler dans la clandestinité. Ce n'était pas dangereux, peut-être?

— Il a cru que tu obtiendrais une affectation discrète. Rien d'aussi visible que le Programme de formation des agents de conformité. J'aurais dû lui en parler plus tôt.

Clay se frotte le nez.

— Il n'y a pas de meilleure affectation que le PFAC pour moi, protesté-je en resserrant le bout de ficelle qui retient ma queue de cheval. Je profite d'un meilleur accès, d'une marge de manœuvre beaucoup plus grande. Je ne suis pas capable de m'introduire dans le Système comme toi, mais, dans mes cours, j'ai accès aux bases de données des RH. En plus, je m'initie aux techniques de combat et je gagne en force.

Clayton fronce les sourcils.

— C'est justement ça, le danger.

— Ça, comme tu dis, me permet de mieux travailler.

Ma gorge se serre. Il faut que je le persuade. À quoi bon rester ici, si ce n'est pour sauver d'autres Déviants? À quoi bon vivre loin de ma famille?

Et comment expier tout le mal que j'ai fait?

Clay fronce de nouveau les sourcils.

— Il n'y a pas que toi qui cours des risques. Ça vaut pour nous tous.

Il carre les épaules.

— C'est décidé. Rolph a donné des ordres. Tu es relevée de tes fonctions jusqu'à nouvel ordre.

Je l'agrippe par le bras.

— Défends-moi. Dis-lui qu'il se trompe.

Il secoue la tête.

— Les Confs resserrent les mesures de sécurité en prévision de l'Anniversaire du Président. Ils ont installé de nouvelles caméras de surveillance, et nous aurons besoin de temps pour distinguer celles qui sont vraiment fonctionnelles. Je pense que Rolph a raison. Ta participation aux extractions est beaucoup trop risquée.

— Quoi?

Malgré la fraîcheur de l'air, ma peau se couvre de sueur.

— Combien t'ai-je amené de Déviants après les avoir repérés?

Il fait craquer ses jointures.

— Une trentaine, j'imagine.

— Trente-sept, si on compte Arabella.

— Trop de monde, Glory. Trop rapide.

— C'est parce que je n'ai pas réussi à trouver Adele Parry?

Parmi tous ceux dont Clay m'a communiqué le nom, Adele est la seule qui manque encore à l'appel. C'est aussi l'une des seules adultes. En général, les dons des Déviants apparaissent à l'adolescence. La plupart de ceux que j'ai secourus étaient donc jeunes. Comme mon frère.

— Tu as d'autres informations sur Parry? Elle n'était ni à l'adresse ni au travail que tu m'as indiqués, mais je vais la trouver. Promis.

Il secoue la tête.

— Rolph l'a confiée à quelqu'un d'autre.

— Qui? m'écrié-je, l'estomac retourné. L'AL n'a pas d'autre soldat muni d'un numéro d'employé valide dans tout le Havre. Personne ne se déplace plus librement que moi. C'est à moi de la trouver, de les trouver tous.

— Ne t'en mêle pas, Glory. Tu n'es plus responsable d'elle.

— Mais je peux y arriver.

Je suis ici pour sauver des Déviants. Mon unique raison d'être, mon unique identité.

— Glory, dit-il en mettant une main sur mon épaule. Rolph et moi ne sommes pas les seuls à nous faire du souci pour toi. Ton père est mort d'inquiétude, lui aussi.

Je retiens mon souffle.

— Comment va-t-il? Il m'a envoyé un message? Et Drake?

Depuis la dernière fois que je l'ai vu, mon frère a célébré son quatorzième anniversaire.

— Ils vont bien. Drake a grandi. Il compte désormais parmi les coureurs les plus rapides de la Colonie. Gage le devance toujours, évidemment.

La Déviance de Gage: il est vif comme l'éclair.

— Je n'en reviens pas.

Hors du Havre, mon frère, paraplégique pendant trois ans, a recouvré l'usage de ses jambes au contact de la poussière, mortelle pour la plupart des humains.

Clay se frotte le sourcil.

— Drake m'a supplié de te ramener à la maison.

Ma gorge se serre. Revoir ma famille est mon vœu le plus cher, mais, si je quitte de nouveau le Havre, je ne pourrai plus jamais y remettre les pieds. Et il y a encore trop des nôtres à sauver.

— C'est impossible. Mais dis-lui que je le regrette.

Dans la ruelle, au-dessus de nos têtes, un faisceau lumineux brille. Des voix résonnent.

Les Confs.

CHAPITRE DEUX

— Nous devons y aller, dit Clay.

Je fais signe à Arabella de se mettre debout.

— Bonne chance.

Elle fonce vers moi et me serre avec une force dont j'aurais cru ses bras grêles incapables.

— Merci.

Je l'aide à grimper sur le dos de Clay. Puis il secoue la tête et lève les yeux sur l'échelle.

— Crotte de rat, jure-t-il.

Il doit remettre le couvercle en place. Moi, je suis trop petite. Il libère les jambes d'Arabella, qui se laisse glisser.

— Rentre avec nous, Glory. Quitte le Havre. Tu en as assez fait. L'heure de la retraite a sonné.

— Non, dis-je en hissant de nouveau Arabella sur son dos. Filez. Je vais remonter et éloigner les Confs de cette galerie. Je trouverai bien le moyen de remettre le couvercle en place. Je créerai une diversion. Ne crains rien.

Je fais un dernier câlin à Arabella.

— À bientôt.

Ses yeux brillent.

— On se reverra ?

— Un jour.

Un jour, j'espère quitter le Havre et retrouver ma famille, mais j'ai du mal à imaginer que je vivrai assez longtemps pour que ce rêve se réalise.

— Rentre avec nous, répète Clay d'une voix dure, sévère.

Une autre lumière scintille au-dessus de nos têtes. Les Confs ne tarderont pas à découvrir la bouche d'égout ouverte.

Je bondis sur l'échelle et commence à grimper. Près du sommet, elle vibre entre mes mains, et je baisse les yeux. Clay.

— Viens, articule-t-il en silence.

Je secoue la tête et jette un coup d'œil aux environs. Un faisceau lumineux balaie la ruelle et rate la bouche d'égout de quelques centimètres. Me mettant à plat ventre, je regarde de nouveau en bas dans l'intention d'ordonner à Clayton de détaler. Il a déjà disparu. La lueur des yeux d'Arabella s'est éclipsée.

Je pousse le lourd couvercle en métal. Il ne bouge pas. Le faisceau lumineux balaie le mur du fond, à un ou deux mètres de hauteur.

Il passe. S'arrête. Revient.

Le communicateur d'un Conf bourdonne, mais je ne distingue pas les mots. Je me retourne sur le dos et, arc-boutée contre le mur, je pousse de toutes mes forces avec mes pieds, grognant, le visage ruisselant de sueur. Le couvercle se remet en place avec un bruit métallique.

Au bout de la ruelle, une lumière s'allume.

— Halte ! Agent de conformité ! beugle un Conf.

Je m'élance.

Plus je m'éloignerai, moins ils risquent de comprendre que l'une des bouches d'égout s'ouvre. Au coin, je me retourne pour jeter un coup d'œil par-dessus mon épaule.

Un seul Conf me poursuit, son armure grinçant et résonnant à chaque pas. Il a déjà dépassé la bouche d'égout et tire avec son pistolet foudroyeur. Je disparais au carrefour et les électrodes fendent l'air.

Devant, une corde descend du haut d'un toit. Je m'y accroche et grimpe, une main après l'autre, malgré les oscillations que j'ai créées en sautant. Je me cramponne au rebord d'une fenêtre et je remonte la corde pour que mon poursuivant ne la remarque pas.

Trop tard. Son foudroyeur crache des électrodes, mais je m'esquive. J'enroule la corde torsadée autour d'une poutre apparente, non loin de la fenêtre. L'absence de corde ralentira peut-être le Conf.

Il utilise son communicateur. Bientôt, je serai encerclée. Ma participation au PFAC ne me tirera pas de ce pétrin. Mon statut d'apprentie Conf ne m'autorise pas à quitter la caserne au milieu de la nuit.

Clay a raison sur un point : j'ai effectivement couru des risques. Mais j'ai effectué des dizaines de sorties nocturnes, et jamais encore on ne m'a prise en chasse.

J'escalade la corde en vitesse. Mes épaules et mon dos se raidissent en parfaite harmonie. Pour un peu, mon visage tendu esquisserait un sourire. Je n'aurais pas choisi le PFAC de mon plein gré, mais l'entraînement a eu pour effet secondaire de décupler mes forces.

D'aussi loin que je me souvienne, je sais monter à une corde. La différence, c'est que je suis maintenant beaucoup plus rapide. Et, désormais, rien ne m'oblige à m'en re-mettre à mon sens de l'observation ou à mon intuition pour connaître les protocoles et les procédures des Confs. Dans ces conditions, à la nuit tombée, je peux écumer le Havre sans me faire remarquer.

Je sais avec précision combien de Confs sont affectés à ce secteur, cette nuit. Trois. Il y en a moins dans la zone industrielle que dans la zone résidentielle, même dans les Mans, où j'ai grandi. D'autres Confs accourront si mon poursuivant lance une alerte jaune, mais j'aurai le temps de m'échapper avant qu'ils m'aient encerclée, à condition de choisir le bon itinéraire.

Au sommet de la corde, je balaie le toit du regard. Au-cune trace des Confs. Je roule sur la surface dure et me précipite sur l'échelle qui monte vers un immeuble voisin. Six ou sept mètres plus haut, une fenêtre est ouverte à environ deux mètres de l'échelle. Hors de portée, donc.

Parvenue à la hauteur de la fenêtre, j'examine le mur, fait de briques qui s'effritent. Malgré le danger, c'est ma seule chance. M'approchant du bord de l'échelle, je m'étire, mais je rate la première prise visible. D'un coup de reins, je regagne ma position initiale. À la deuxième tentative, mes doigts trouvent un point d'appui.

Quittant l'échelle, je transfère mon poids sur le bout de mes doigts. Mon pied se cale sur le rebord d'une brique usée, et je pose l'autre juste derrière. Enfonçant mes doigts dans l'infime fissure, je cherche une nouvelle prise avec mon autre main.

Je glisse. Le bout de ma chaussure racle les briques, fait tomber de minuscules morceaux de mortier et d'ar-gile séchée sur le toit en contrebas. Mon pied, cependant, trouve prise, et je m'avance vers une autre fissure, le bout des doigts éraflé, douloureux.

J'étire ma jambe et touche au rebord de la fenêtre ouverte. Je l'appuie solidement, pendant que mes doigts cherchent un autre endroit où s'accrocher. Enfin assez proche, je me faufile dans l'immeuble.

La pièce est plongée dans l'obscurité. Et grande. Je cligne des paupières, intime à mes yeux l'ordre de s'acclimater à la pénombre. Je n'ose pas utiliser la petite torche à manivelle que j'ai glissée dans la poche de mon blouson. Mes narines détectent une forte odeur de produits chimiques, et je distingue, dans l'obscurité, les silhouettes de ce que je crois être des machines. Par chance, la nuit, personne ne travaille dans cette usine. Tout est tranquille, et les Confs ne m'ont pas trouvée. Du moins pas encore.

Je traverse la pièce et découvre un trou béant au centre duquel court un câble en acier. Après avoir actionné ma torche, j'éclaire le puits, dans lequel le câble court vers le haut, à perte de vue. En bas, il y a une impasse à une quinzaine de mètres, au niveau de la rue, sans doute.

C'est un ascenseur (on nous en a parlé lors du cours consacré à la structure des bâtiments) qui doit servir à déplacer des matériaux. Avant la poussière, on les mettait à la disposition des personnes trop paresseuses pour utiliser les escaliers, les cordes ou les échelles dans les immeubles de logements et de bureaux ; depuis, la plupart des puits d'ascenseur d'ALP ont été convertis en espaces habitables. Dans mes séances de formation pratique, je n'en ai pas encore vu, lacune qui sera sûrement corrigée avant que j'obtienne mon diplôme.

Inutile de descendre : pour moi, les toits sont moins dangereux que les rues. En effet, je dois m'orienter et

planifier un itinéraire pour regagner la caserne. En grim-
pant, je suis certaine de trouver une autre ouverture,
quelque part dans le puits, sinon sur le toit, qui permet
peut-être de gagner un autre immeuble.

J'éteins ma torche, je la case dans mon blouson et je
saute sur le câble. Mes doigts éraflés par les briques pro-
testent, et je serre mes pieds sur le câble pour me faciliter
la tâche. Puis je grimpe, une main après l'autre. Les ténèbres se referment sur moi, et je franchis ce que j'estime
être une dizaine d'étages sans entrevoir la moindre ouverture. Toutes sont scellées.

À environ six mètres de ce qui me semble être la fin du
puits, je joue enfin de chance. Une issue. Dans la faible
lueur, j'aperçois, à l'autre bout de la pièce, un escalier. Un
accès au toit.

Les bottes des Confs résonnent au-dessus de ma tête.
Ils se déploient sur cet immeuble.

Je me laisse descendre jusqu'à disparaître dans le puits
de l'ascenseur et j'attends.

En vertu du protocole, les Confs ne passeront pas plus
de vingt minutes à me chercher. Ils doivent patrouiller
dans trop d'endroits pour perdre un temps précieux à
pourchasser une fille qui ne respecte pas le couvre-feu.

Mes mains et mes pieds sont fatigués et endoloris, mes
jambes tremblent, mais je me concentre, prends de profondes inspirations jusqu'à ce que la souffrance s'intègre
à mon être. Je m'imagine dans un endroit sûr, quelque
part à l'Extérieur. Je m'imagine dans un lac, entourée d'eau
fraîche, un soleil chaud dans le ciel, mes cheveux flottant
en éventail autour de mon visage souriant.

Les employés du Havre ne se doutent pas de l'existence de tels lieux. Moi, je les ai fréquentés. Avec Burn.

Quand je pense à lui, je me sens plus courageuse, plus forte. Je me rappelle mes capacités et mes raisons de survivre. Je dois sauver des Déviants, comme Burn a sauvé Drake.

Si Clay refuse de me communiquer d'autres noms, je chercherai des Déviants par mes propres moyens.

Peu importe combien j'en secourrai, je ne réussirai jamais à effacer mon plus grand regret, ma honte, le sentiment de culpabilité qui m'habite à cause de ma mère.

Quinze minutes avant que résonne l'alarme qui signale que nous disposons de six minutes pour nous présenter à la course matinale, je ne dors toujours pas. Et je n'ai surtout pas besoin de courir. Je sue à grosses gouttes, et mon cœur refuse de se calmer. Sur la couchette inférieure, Stacy, ma camarade de chambre et la seule autre fille inscrite au PFAC, ronfle. Souvent, la nuit, elle m'empêche de fermer l'œil. L'avantage, c'est que, grâce à son sommeil profond, je peux aller et venir en toute liberté.

Mon corps est meurtri et raidi, et je m'étire pour chasser l'acide lactique et forcer mes muscles à se détendre. Aujourd'hui, nous allons simuler une poursuite, et je dois dormir un peu. Derrière mes paupières closes, j'imagine l'expression d'Arabella lorsqu'elle verra le vrai soleil, un lac, un arbre. J'imagine le sourire qui illuminera son visage lorsqu'elle apercevra la Colonie pour la première fois, là où les Déviants côtoient les Normaux, à l'abri des Déchiqueteurs.

Puis les visages déformés par la douleur d'autres Déviants, torturés par les Déchiqueteurs, effacent cette scène idyllique. C'est le sort qui attendait les miens si je ne les avais pas retrouvés avant qu'ils soient liquidés.

Peu importe comment, je réussirai à convaincre Rolph de me laisser reprendre du service. Ce soir, je me présenterai à ma rencontre avec Clayton, comme si de rien n'était. Je dois trouver Adele Parry. Je leur montrerai qu'ils ne peuvent pas se passer de moi.

Je dérive, à deux doigts du sommeil, puis, enfin, mes muscles se détendent, je m'enfonce dans le matelas, immatérielle, liquide. Je tombe…

L'alarme résonne.

Les lumières s'allument et révèlent la tache d'eau brune au-dessus de ma tête. Sur la couchette inférieure, Stacy grogne et, en se retournant, ébranle nos lits superposés.

Je m'étire une dernière fois avant de me contorsionner pour descendre de mon perchoir.

Cette nuit, j'ai accompli une bonne action. J'ai sauvé une jeune fille et je lui ai donné une chance de vivre en sécurité à l'Extérieur. Combien faudra-t-il que j'en sauve encore pour racheter mon passé?

Je n'aurai pas assez de toute une vie pour réparer le mal que j'ai fait.

CHAPITRE
TROIS

Les appareils de ventilation vomissent un air dense, et des panaches de vapeur s'étirent en serpentant dans le ciel. Adossée à la paroi métallique d'un évent, je sens la chaleur pénétrer ma peau, roussir mes poumons. Là-haut, l'air est si épais que je suis incapable de respirer à fond. Mais si je quitte ce coin discret, je risque d'être capturée.

Dans le cadre de l'exercice d'aujourd'hui, je joue une Déviante. Quelle ironie !

La porte de la cage d'escalier s'ouvre brusquement, et les apprentis Confs arrivent en trombe. Leurs uniformes blindés reflètent la faible lumière, tandis que leurs lourdes bottes font crisser le gravier et ébranlent le toit. Les projecteurs sondent les ténèbres, leur lumière bientôt réfléchie par le ciel, six ou sept mètres au-dessus de moi.

Je me raidis et, prête à bondir, j'élabore ma stratégie. Les Confs ont l'avantage de porter des lunettes de vision nocturne. Je n'ai aucune chance de passer inaperçue. Je dois courir.

— Là-bas ! crie l'un d'eux. La Déviante ! Je la vois !

Je me faufile entre deux évents. Une douleur aiguë, accompagnée de l'odeur de la peau brûlée, m'arrache une grimace. Le point rouge du laser d'un Conf m'atteint au bras. Je m'enfonce dans le trou. Les électrodes du pistolet frappent le métal, où elles ricochent en laissant une empreinte profonde. L'un des Confs heurte l'évent derrière lequel je me cache et les vibrations me traversent de part en part au moment où, de l'autre côté, j'émerge sur le toit, à découvert.

Bref, plus de cachette. Mais, avant de pouvoir tirer, ils devront contourner l'imposante structure en métal du côté opposé. Je dispose de quelques secondes.

Mue par l'adrénaline, je cours jusqu'au bord du toit et je m'élance.

Mes jambes s'étirent au-dessus du vide, cherchent un endroit où atterrir. L'immeuble voisin est trop éloigné. J'ai mal jugé la distance.

Seize ans, c'est trop jeune pour mourir. Je ne suis pas prête.

La semelle de ma chaussure effleure l'extrémité du toit, puis je chute en tendant les bras dans l'espoir d'agripper un objet, n'importe quoi. Mes doigts s'accrochent au bord de la toiture et, par miracle, mon pied gauche se pose sur quelque chose de dur, de solide, peut-être les moulures d'une fenêtre. Peu importe, d'ailleurs : ce support me permet de mieux m'accrocher.

Poussant avec mon pied et mes bras, je tente, au prix de torsions et de contorsions, de me hisser sur le toit. J'y suis presque.

Une botte, celle d'un Conf, se pose entre mes bras, et je lâche prise. Je bascule, essaie de poser mon pied sur le même rebord. Deux mains couvertes de lourds gants me saisissent sous les bras.

Attrapée.

Je refuse de me rendre. Dès que, grâce au Conf, je suis assez éloignée du bord pour ne pas risquer de tomber de nouveau, je me dégage et je roule sur le dos.

En saisissant ses bottes pour exercer un effet de levier, je me plie à la taille et je le frappe en plein ventre avec mes pieds.

Il titube, plus surpris qu'ébranlé, et la douleur provoquée par le contact de mes fines chaussures contre son armure se répercute de la plante de mes pieds jusqu'à ma colonne vertébrale. Toujours sur le dos, je me retourne pour lui faire face. Il se penche vers moi, mais, un pied contre sa poitrine, j'utilise l'autre pour le frapper en regrettant l'absence de défauts dans ces armures. Au moins, le mouvement l'empêche de se saisir de moi. Il lui reste son pistolet, évidemment.

— Ça suffit, Glory, ordonne le Conf.

— Cal?

Mes jambes se posent sur le sol, et je me relève. Avec leur casque sombre muni d'une visière, tous les Confs se ressemblent. Y compris mon petit ami attitré, approuvé par le bureau des RH.

— Pourquoi n'es-tu pas avec les autres?

D'un geste, je désigne le toit opposé, où les autres recrues du PFAC s'engouffrent dans l'immeuble. Manifestement, mes camarades ont décidé de ne pas suivre mon exemple en sautant. Ils emprunteront plutôt l'une des nombreuses passerelles qui, aux étages inférieurs, relient les bâtiments entre eux.

— Pourquoi es-tu venu ici? lui demandé-je.

Il remonte sa visière et, à la vue de son beau visage, mon cœur tressaille.

— Je te connais.

Il sourit, et ses yeux bleus illuminent le monde sordide des toits du Havre.

— Je me suis dit que tu ne serais pas montée jusqu'ici sans savoir par où t'enfuir. Je n'ai eu qu'à vérifier les hauteurs relatives des immeubles avoisinants pour deviner tes intentions. Mais, ajoute-t-il en s'approchant du bord pour jeter un coup d'œil en bas, c'était un peu limite, tu ne trouves pas ?

— Je ne suis jamais venue ici. Je croyais que c'était moins loin.

Il se retourne vivement.

— Tu as improvisé ce saut ?

Sa voix se casse.

— Tu aurais pu te tuer.

Lors de la dernière simulation, l'un de nos camarades a perdu la vie. Deux autres ont « débarrassé » ou, en d'autres termes, ont quitté le programme.

— Pourquoi courir un risque aussi insensé ? C'est seulement un exercice.

Ce danger-là n'est rien à côté de ceux que j'affronte jour après jour. Je me mords le côté de la lèvre pour dissimuler un sourire de satisfaction.

— Tu ne me marques pas avec ton pistolet ?

— À ce stade-ci, c'est une simple formalité, dit-il en souriant largement. Je t'ai eue.

Il ne m'a pas encore eue. Il doit d'abord utiliser le pistolet à impulsion électrique d'exercice, aussi appelé «foudroyeur», qu'il tient mollement le long de son corps. Je pourrais le vaincre.

Je n'aurais qu'à donner un coup de pied sur la base du pistolet, à m'en emparer d'un geste fulgurant, à viser sa poitrine et à appuyer sur la gâchette. Son armure porterait alors la marque de la honte. On lui enlèverait une douzaine de points, et je prendrais sa place à la tête de notre classe du PFAC. Étant donné tous mes secrets, il serait bête d'attirer autant d'attention sur moi. Je me contenterai de savoir que je *pourrais* être la meilleure.

— Tu devrais tirer, dis-je en riant. Tu n'es pas au courant? Je suis Déviante. Dangereuse. Soupçonnée de terrorisme.

Par chance, Cal ignore que c'est la plus stricte vérité. Au moins en partie.

— Tu veux dire que tu es une véritable Déviante?

Cal soulève sa main libre et l'agite.

— Je tremble dans mes bottes.

Il sourit doucement et avance ses doigts vers mon visage.

J'ai un mouvement de recul.

La douleur se lit dans ses yeux, et son expression se transforme. Je sens le regret grimper le long de mon échine. J'aime bien Cal, je l'ai toujours bien aimé. Mais je ne suis plus certaine de l'aimer tout court. Pas comme ça. Pas depuis ce qui s'est passé entre Burn et moi. D'ailleurs, je n'ai pas le temps de penser aux garçons.

Je lève les mains au-dessus de ma tête.

— Vas-y. Tire.

— Glory, je…

Il pose une main gantée sur mon épaule et baisse les yeux sur moi.

— Tu as subi de rudes épreuves, d'accord. Mais combien de temps faudra-t-il que j'attende pour que les choses redeviennent comme avant ton enlèvement? On risque de mettre en doute notre permis.

— Désolée.

La grave inquiétude que trahit son regard me submerge, et je me sens à la fois heureuse et coupable. Il ne sait pas le dixième de ce qui m'est arrivé. J'aimerais pouvoir lui dire que je n'ai pas été enlevée, que Burn m'a aidée à mettre mon frère en sécurité. Mais si, au Havre, quelqu'un découvrait la vérité… Je ne veux pas y penser. Mes émotions montent, et j'ai des picotements dans les yeux, signe avant-coureur de l'apparition de ma Déviance.

Je baisse la tête avant de causer un malheur.

Un bruit retentit, et Cal sursaute. Les autres recrues débarquent.

— Tire, articulé-je en silence en levant mes bras de côté. Sinon Larsson va être furieux.

Comme je suis mêlée à l'affaire, il sera furieux, de toute façon.

Cal recule de cinq ou six pas pour amoindrir la violence de l'impact, puis il vise ma cuisse et appuie sur la gâchette. Les électrodes jaillissent. Je grince des dents sous l'effet de la douleur cuisante. Je m'agenouille, les doigts croisés derrière la tête en signe de reddition. Des centaines de minuscules barbillons pointus transpercent mon pantalon léger et s'accrochent. Je vais avoir un bleu.

Les autres membres de notre groupe forment un demi-cercle et me mettent en joue. Des points laser parcourent ma poitrine. On dirait que j'ai la variole.

— Ça suffit, vous autres, dis-je en baissant les mains. Vous m'avez eue.

— Oh, la petite fille a peur, me taquine Thor. Si c'est trop dur pour toi, débarrasse.

La plupart des membres du groupe baissent leur arme, mais un foudroyeur fait feu et un projectile d'exercice, me frappant en pleine poitrine, me renverse et me coupe le souffle. Je sens la panique monter en moi. L'impact a été si violent que j'ai peine à respirer. Qui m'a tiré dessus ?

Une imposante silhouette se plante devant moi, un pied me lance quelques pierres au visage.

Larsson, notre capitaine recruteur, s'accroupit. Je ferme les paupières. Le coup est venu de lui, évidemment.

Respire. Respire.

Il me saisit par le menton, sans ménagement.

— Regarde-moi.

J'ouvre les yeux, je les braque sur le bas de son visage.

— Je t'ai donné l'ordre de me regarder !

Je plonge mon regard dans le sien, d'un vert glacial. J'ai des bourdonnements dans les oreilles et des picotements dans les yeux. Ma Déviance se manifeste, et je suis incapable de la maîtriser. Ma poitrine se serre. C'est mauvais. Très mauvais.

Si j'inflige de la douleur au capitaine, si je cause ne fût-ce qu'un pincement à l'un de ses organes internes, l'exercice n'en sera plus un. Il saura que je suis une Déviante, et je serai liquidée. Je sens un frisson de terreur à la pensée des Déchiqueteurs qui font la loi en dehors du dôme.

— Qu'est-ce qui ne va pas, princesse ?

Avec un sourire moqueur, Larsson lève la main et appuie à l'endroit sensible où le projectile m'a atteinte. Mes joues brûlent de fureur.

Pour réprimer mes émotions, je frotte mon doigt, là où se trouvait l'alliance de ma mère avant que je la jette au loin dans un élan de culpabilité et d'apitoiement sur moi-même.

— C'est trop pour toi ? demande Larsson. Un Conf doit être coriace.

— Je suis coriace.

— Pas assez.

D'un geste, il soulève mon dos du toit.

— Tu as tellement la trouille que tu n'oses même pas me regarder dans les yeux.

Malgré les signes de ma Déviance qui s'affirment de plus en plus, je me tourne vers lui. Puisque frotter mon doigt ne donne rien, je compte dans ma tête, révise les tables de multiplication, récite des articles du manuel des P et P. Je remplis ma tête de détails anodins pour faire écran à mes émotions et juguler leur puissance mortelle.

— J'avais bien dit à Belando que c'était une erreur de t'admettre, lance Larsson. Tu es déjà prête à débarrasser ?

— Non, monsieur.

Je ne peux pas abandonner le PFAC. Je tremble et je m'efforce de tenir mes émotions en échec. Je peux plus efficacement sauver des Déviants de l'intérieur du PFAC, quoi qu'en pensent Rolph et Clay. Si je travaillais quatorze heures par jour dans une usine, comme mon amie Jayma, je n'aurais pas trouvé le quart des jeunes que j'ai secourus.

Sans compter que, chassée du programme, je ne serais plus d'aucune utilité pour M. Belando.

Je ne vais pas abandonner.

Si tout marche comme prévu, une fois diplômée, je travaillerai clandestinement pour M. Belando, vice-président adjoint de la Conformité. Il estime que, en raison du temps que j'ai passé en compagnie de mon ravisseur, je possède des informations privilégiées sur les Déviants qui conspirent contre la Direction. Il veut que je les infiltre et que je les trahisse. Je ne prête aucune foi aux raisons que M. Belando a invoquées pour me choisir comme espionne, et jamais je ne ferai ce qu'il attend de moi, mais ce n'est pas comme s'il m'avait donné le choix.

Si je le déçois, il possède, dit-il, des preuves que mon ravisseur m'a convertie à sa cause et que je suis favorable aux droits des Déviants. J'ignore s'il connaît la vérité (je n'ai pas été enlevée, j'ai séjourné à l'Extérieur, je suis bel et bien une Déviante). Par contre, je ne doute pas un instant qu'il soit capable de mettre sa menace à exécution. Si je quitte le PFAC, il me fera liquider.

— Tu n'es pas de taille, lance Larsson en me jetant par terre. Même si tu survis à la formation, tu ne tiendras pas une semaine comme Conf.

J'ai le souffle coupé. Encore heureux, parce que je voudrais lui crier de cesser de passer ses frustrations sur moi. Le capitaine Larsson ne tolère pas ma présence au sein du PFAC et digère mal que son supérieur, M. Belando, l'ait obligé à m'y intégrer.

Cal s'avance d'un pas.

— Glory fera une bonne Conf, malgré sa petite taille.

— Pardon ?

Larsson bondit, agrippe Cal par sa ceinture utilitaire et le propulse vers le bord du toit.

— Tu as bien bouclé ton ceinturon, le bleu? crie Larsson en postillonnant. Si tu tombes, ta princesse n'aura plus personne pour l'aider à progresser en trichant.

— Ouais, renchérit Thor en poussant un de nos camarades du coude. Elle triche, c'est sûr. Sinon comment une fille pourrait-elle être au deuxième rang de notre classe?

Cal serre les mâchoires et plisse les yeux.

— Glory ne triche pas.

Je m'efforce de reprendre mon souffle, tandis que Larsson tire sur la ceinture de Cal.

Mon petit ami agite un bras pour garder son équilibre.

— Le bleu a-t-il le sentiment d'en savoir plus que son capitaine? demande Larsson.

— Non, monsieur, répond Cal d'une voix grave et forte.

Un mince filet de transpiration va de son front à son œil gauche.

— Je parie que le bleu est un Déviant, poursuit Larsson en se tournant vers le reste du groupe. S'il n'a pas peur de tomber, c'est peut-être parce qu'il sait voler. Je gage qu'il a une queue capable de s'agripper au bord du toit. Ou une lance qui va lui sortir du ventre pour m'empaler. Si je le laisse tomber, il va s'arranger pour ne pas être le seul à mourir.

La mâchoire de Cal tremble. Son pied glisse, et je tends la main vers lui. Je voudrais crier, mais je ne parviens toujours pas à produire un son.

— C'est ça, le bleu? hurle Larsson d'une voix retentissante et hideuse. Tu es Déviant? Un de ces *freaks* qui se sont donné pour but de détruire le Havre, de nous déposséder de notre chez-nous?

— Non, monsieur.

— Quoi?

— Non, monsieur. Je ne suis pas Déviant, monsieur.

— Et rappelle-moi ce qu'on fait avec les Déviants, le bleu?

— On les traque, on les liquide, on les tue, monsieur.

De sa main libre, Larsson gesticule de mon côté.

— Quel rôle cette recrue a-t-elle joué dans l'exercice d'aujourd'hui?

— Celui d'une Déviante, monsieur.

— Tu penses qu'on doit traiter les Déviants avec clémence, le bleu?

— Non, monsieur.

— Tu sympathises avec les Déviants?

— Non, monsieur.

Larsson tire Cal vers lui. Celui-ci titube, puis se stabilise.

— Qu'avons-nous appris aujourd'hui? demande Larsson au groupe.

— Que Glory triche, dit Thor.

Quelques rires retentissent.

Larsson fronce les sourcils.

— N'oubliez jamais, affirme-t-il cette fois sur le ton d'un instructeur, que les Déviants ne sont pas toujours faciles à identifier. Certains ne révèlent leur Déviance que s'ils se sentent menacés ou sous pression. Si ces deux-là étaient Déviants, ils se seraient montrés sous leur vrai jour.

Tout indique que Cal vient de réussir une épreuve. Moi aussi.

Cal ramasse son pistolet et se redresse. Respirant mieux désormais, je me lève, et Larsson montre les électrodes toujours fichées dans ma jambe.

— La blessure n'est pas mortelle, dit-il à Cal. En situation réelle, cette Déviante aurait encore pu te tuer. Avec l'Anniversaire du Président dans moins de deux semaines, nous devons nous montrer particulièrement vigilants. Pas de points, aujourd'hui.

Cal m'a épinglée, et il a droit à ces points. Nulle part dans les règlements n'indique-t-on que les coups doivent être mortels.

À l'intérieur du Havre, les Confs ne sont armés que de pistolets à induction électrique. Ils sont efficaces à condition que les électrodes traversent les vêtements. Or, ils pénètrent tous les tissus utilisés pour la fabrication des habits, sauf le cuir, matériau rare au Havre.

Larsson défie la logique de son propre exercice. Il punit Cal d'avoir osé lui tenir tête, d'être mon petit ami.

— Tu y vois un inconvénient? demande Larsson à Cal.

— Non, monsieur.

Une violente explosion résonne dans nos oreilles et dans tout notre corps. Mes bras enveloppent ma tête. Nous nous penchons tous.

On entend des cris et des hurlements, au loin, et Larsson pose la main sur son oreille, sans doute pour allumer son communicateur.

— Attaque terroriste, annonce-t-il. Une usine du secteur ES4 a été touchée.

Mon cœur s'emballe. Jayma travaille là-bas.

— À la caserne ! crie Larsson. Plus vite que ça !

La plupart des membres du groupe foncent vers la porte de la cage d'escalier. Moi, je me retourne dans l'espoir de repérer l'endroit où l'explosion a eu lieu. Par le passé, les attaques terroristes étaient rares, mais celle-ci est la onzième en trois mois. Pourvu que Jayma n'ait rien !

Cal m'attrape par le bras et m'entraîne à la suite des autres.

— Ces satanés Déviants, dit-il. Ils méritent tous de mourir.

CHAPITRE QUATRE

Sans cesse aux aguets, Cal jette un coup d'œil par-dessus son épaule. Nous avons tous deux grandi dans les mansardes, où s'entassent les familles pauvres. De retour à l'étage supérieur de cet immeuble résidentiel surpeuplé, je me sens à la fois triste et en sécurité. L'odeur de la viande de rat grillée se mêle à celle, forte et piquante, de gens qui vivent les uns sur les autres de même qu'aux relents chimiques qui, dans les Mans, s'accrochent au ciel.

— Détends-toi, dis-je en effleurant la manche du t-shirt de Cal. Personne ne nous a vus sortir de la caserne.

— Tu as raison, acquiesce-t-il en posant la main sur mon épaule. Tous les Confs encore debout à cette heure s'occupent du bombardement terroriste. Nous disposons d'au moins une ou deux heures.

Au moins, en effet. Cal ignore combien de fois je sors la nuit.

— De toute façon, je n'aurais pas réussi à fermer l'œil sans savoir si Jayma et Scout sont en sécurité, dis-je.

— Moi non plus, avoue-t-il en avalant sa salive. Allons jeter un coup d'œil sur le toit.

Au bout du couloir, je passe la main par le trou pour m'assurer que la corde qui conduit au toit n'a été ni découverte ni déplacée depuis notre dernière visite. Les simples employés, en particulier ceux qui vivent dans les mansardes, n'ont pas accès aux notes électroniques. Pour avoir des nouvelles de Jayma et de Scout, nous devions donc venir jusqu'ici. J'ai entendu dire qu'il y a déjà eu un écran système dans cet immeuble, mais que, jugé superflu, il a été converti à un autre usage avant ma naissance.

Cal glisse ses doigts dans ses cheveux coupés ras. J'ai la nostalgie de la frange blonde qui, autrefois, tombait sur son front et s'arrêtait juste au-dessus de ses yeux. Malgré ses cheveux courts, Cal est indéniablement séduisant. Il se tourne, et la lumière qui filtre par la fenêtre se reflète sur son visage. J'ai très envie de toucher les poils sur sa mâchoire anguleuse.

Repoussant ces pensées, je me penche, j'agrippe la corde et je grimpe. Elle se tend derrière moi lorsque Cal entreprend l'ascension à son tour. Tout en haut, je jette un coup d'œil au bord du toit et j'aperçois Scout et Jayma… en train de se peloter.

Leurs corps entremêlés exsudent la passion, et Scout, en se retournant, serre Jayma plus fort. Mes joues s'embrasent, et je sens le désir monter en moi. Feignant de n'avoir rien vu, les yeux baissés, je me racle la gorge et j'émerge sur le toit.

— Glory! s'exclame Jayma en bondissant sur ses pieds.

Penchée pour éviter de se cogner la tête sur le ciel, elle court vers moi et me gratifie d'un énorme câlin. À son nouveau poste, elle travaille trop fort et brûle plus de calories qu'elle en ingère. Sous mes doigts, ses côtes forment des arêtes dures.

— Je ne m'attendais pas à te voir avant la Journée libre de la fin du trimestre.

Cal et son frère s'étreignent en se tapant dans le dos.

— Vous êtes en congé ? demande Scout. Vous vous la coulez drôlement douce, au PFAC. Ce soir, la JLFT, l'Anniversaire du Président… Tout ça en moins de deux semaines… Wow.

— Nous ne sommes pas exactement en congé, avoue Cal.

Je lui lance un regard de travers. Mieux vaut que Jayma et Scout ignorent quel genre d'ennuis nous aurons si on nous surprend en dehors de la caserne.

— Nous sommes juste venus vous saluer.

Cal se redresse le plus possible et pose la main sur une poutre en s'avançant entre le toit et le ciel.

— Et nous serons sans doute en service pour l'Anniversaire du Président. Nous n'avons pas tant de congés que ça.

— Nous sommes venus à cause de l'explosion, dis-je à Jayma. Nous voulions nous assurer que vous en étiez sortis indemnes.

— C'était affreux, raconte Jayma, dont les yeux se remplissent de larmes. C'est arrivé à deux bâtiments de celui où je travaille. Tout a tremblé. Et l'odeur…

Scout s'approche de Jayma et passe son bras autour de ses épaules. Le bracelet de fréquentation fourni par les RH scintille dans un rayon de lumière, tandis que la main de mon amie remonte sur la poitrine de Scout.

Cal s'avance vers moi. Il lève le bras dans l'intention de suivre l'exemple de son frère, mais je l'en empêche en m'écartant. Reconnaissante de sa patience, je fais tourner mon bracelet autour de mon poignet.

En me renvoyant au Havre, le commandant de l'AL m'a donné l'ordre de garder mon permis de fréquentation. Selon le raisonnement de Rolph, tout changement dans ma vie personnelle risquerait d'éveiller les soupçons de la Direction et de laisser planer des doutes sur l'histoire que j'ai inventée de toutes pièces pour expliquer mon enlèvement et mes dix-neuf jours d'absence. Impossible de savoir si Rolph a vu juste, mais il serait dangereux de mettre sa théorie à l'épreuve. Je dois donc continuer de fréquenter Cal.

— Tu connais des gens qui ont été blessés dans l'explosion ? demande Cal à Scout.

— Non, mais quel gâchis ! répond-il. Cinq employés sont morts et dix-sept autres ont été amenés à l'hôpital.

Scout secoue la tête.

— Autant dire qu'ils sont morts.

— De simples racontars. Personne ne sait ce qui se passe à l'hôpital.

Jayma fronce les sourcils.

— La formation t'a changé.

— Non, c'est faux, proteste Cal en secouant la tête.

— Je n'arrive toujours pas à croire que vous vous êtes joints à l'ennemi, dit Scout. Les Confs et la Direction, c'est presque du pareil au même.

— Il faut bien que quelqu'un assure la sécurité du Havre, réplique Cal en carrant les épaules. Sans les Confs, qui capturerait les terroristes et les Déviants ?

— Sauf que les Confs ne se contentent pas d'attraper des terroristes et des Déviants, lance Jayma, le visage rouge de colère. Je ne comprends pas ce qui vous a pris de vous joindre à eux. La Direction ne nous a pas déjà assez nui comme ça ?

Elle baisse les yeux sur ses pieds.

— Vous avez oublié comment nous vivons, ici, dans les Mans.

— Tout ce que je dis, explique Cal en s'appuyant sur la poutre au-dessus de sa tête (geste qui entraîne le gonflement de ses pectoraux sous sa chemise), c'est que vous ne devriez pas croire toutes les rumeurs qui circulent. « Le Havre est synonyme de sécurité. »

Jayma lève la tête, les joues cramoisies.

— Tu scandes des slogans, à présent ! Je n'arrive pas à le croire.

Cal prend une longue inspiration.

— Lorsque nous serons des Confs de plein droit, nous pourrons vous donner un coup de main, Glory et moi. Nous mangerons tous mieux. Nous aurons la vie plus facile.

— Et ça justifie qu'on envoie des innocents à l'hôpital ?

Jayma se tourne vers moi.

— Tu ne dis rien, Glory ? Tu vas défendre l'hôpital et la Direction, toi aussi ?

Ses yeux sondent les miens. J'en ai l'estomac retourné.

Je m'adresse à Cal.

— Tu as déjà entendu parler d'un patient qui a reçu son congé de l'hôpital, toi ?

— Non, mais…

Cal se tortille.

— Il n'y a pas de « non, mais », lance Jayma. J'ignore quel sort on réserve aux malades, dans cet endroit sinistre.

Elle frissonne.

— Je ne suis même pas certaine de vouloir le savoir. Personne n'en sort jamais, et ça me suffit largement.

Le poing fermé, Cal frappe dans sa paume.

— Sans les terroristes déviants, aucun travailleur n'aurait été envoyé à l'hôpital, aujourd'hui.

Mon estomac se contracte.

— Rien ne prouve que les terroristes sont des Déviants, dis-je. Il pourrait tout aussi bien s'agir de Parasites ou même de Normaux mécontents des politiques de la Direction.

— Bien sûr que ce sont des Déviants, lance Cal en se tournant vers moi. Qui d'autre pourrait perpétrer des attentats terroristes ?

Pourquoi les Déviants *en commettraient-ils ?* La question me brûle les lèvres. Je me retiens. Avec tout ce que je cache à Cal, je devrais exploser. J'ignore qui sont les terroristes, mais je ne crois pas que ce soient des Déviants, malgré ce que prétend la Direction. Si ces gens-là comprenaient les Déviants, ils sauraient que nous ne voulons surtout pas attirer l'attention sur nous. Nous préférons rester dans l'ombre.

Blottis l'un contre l'autre, Jayma et Scout s'asseyent sur le toit, comme s'ils ne faisaient qu'un.

— Parlez-moi de la formation des Confs.

La voix de Scout déborde d'excitation.

— Vous avez capturé des Déviants ?

Cal s'assied à son tour et, quand il s'appuie sur ses mains, son torse se bombe. Il a toujours été costaud, mais, depuis le début de la formation, il a pris du muscle, en raison de l'exercice et d'une alimentation plus saine. Il bande ses biceps, et sa chemise se serre sur sa poitrine ferme. J'ai l'impression d'avoir remonté le temps, et les sentiments que j'éprouvais pour Cal se rallument en moi, comme des flammes.

— La formation est dure, mais géniale, dit-il. Glory est une star.

Il tapote le gravier à côté de lui.

Je m'assieds aussi près que je l'ose. Je sens sa chaleur envahir l'espace entre nous.

— Il exagère, leur dis-je. Cal est le premier de la classe. Encore aujourd'hui, pendant un exercice, il a eu le dessus sur moi.

Cal ne me corrige pas et n'ajoute rien. Sans doute mes propos sont-ils conformes à sa vision des choses.

— Tu n'as pas peur ? demande Jayma en me regardant. Et si tu te retrouvais face à un Déviant ? J'ai entendu dire que certains d'entre eux peuvent vous arracher le cœur à main nue, qu'ils sont pires encore que des Déchiqueteurs.

Elle frissonne, et Scout la serre un peu plus fort.

Cal se tourne vers moi, et sa jambe repliée touche ma cuisse.

— Nous sommes bien entraînés, lui explique-t-il. Nous sommes armés et protégés par une armure.

— Et bon nombre de rumeurs ne sont que des racontars, ajouté-je. Des récits. Des contes de fées créés pour effrayer les petits enfants.

Je secoue la tête.

Arracher un cœur? Fou de rage, Burn y arriverait. Mais les autres Déviants que j'ai rencontrés, à supposer qu'ils en soient capables, ne feraient jamais une chose pareille. Sauf peut-être pour se défendre.

— Les Déviants ne sont pas tous dangereux.

Cal pivote vers moi.

— Surtout, que Larsson ne t'entende jamais dire ça. Il va croire que tu es favorable aux droits des Déviants.

Comme je ne réagis pas, il se tourne vers Jayma.

— Ne crains rien. Nous, les Confs, assurons la protection du Havre. J'espère que notre classe sera en service actif pour l'Anniversaire du Président.

Sa main, après avoir frôlé mon dos, se pose bas sur ma hanche.

Une vague de chaleur et de culpabilité me traverse. Même si l'idée de perdre l'amitié de Cal m'est insupportable, je ne veux pas lui laisser croire que notre relation peut reprendre comme avant. Et pourtant, je n'ai ni la volonté ni l'énergie de repousser les sensations qui s'embrasent en moi. Mon corps, avide de réconfort, souhaite revenir en arrière, renouer le contact avec Cal.

Soulevant une jambe, je frappe Jayma du bout du pied.

— Aujourd'hui, ton travail a été plus dangereux que le mien. Je suis si contente que tu n'aies rien.

— J'aimerais tellement que nous ayons la même affectation, elle et moi, dit Scout. Tout de suite après mon quart de travail, j'ai couru la trouver.

Il embrasse Jayma sur le front.

— Si je t'avais perdue…

Scout serre Jayma très fort dans ses bras, tandis que le pouce de Cal, qui me caresse la hanche, inonde mon corps de délicieuses ondes tièdes. En ce moment, je suis prête à tout risquer, à accueillir Cal dans mon cœur, à le laisser se rapprocher. À lui confier mes secrets, à lui avouer qui je suis.

Me ressaisissant, je me mets debout.

— Nous devrions rentrer.

Mes doigts effleurent l'épaule de Cal, et sa main caresse doucement l'arrière de ma cuisse. Je serre Jayma dans mes bras.

— Je suis si heureuse que tu n'aies pas été blessée.

CHAPITRE CINQ

— Quel est le meilleur moyen de tuer un Déchiqueteur ? demande Ansel, assis à l'avant de la classe.

— Couper sa foutue tête, répond Thor.

Quelques-uns de mes camarades ont du mal à réprimer leurs rires.

— Ça suffit, dit M. Shaw, notre professeur de phys-ennemi, avec un geste impatient.

De profondes rides se creusent entre ses sourcils.

— Pas de gros mots dans ma salle de classe. Vous connaissez le règlement.

Thor se cale sur sa chaise, les doigts croisés derrière la tête. Une de ses jambes dépasse sous le petit pupitre. Devant un manque de respect aussi flagrant, les joues de Shaw se couvrent de taches rouges.

— Quelqu'un a-t-il une réponse sérieuse à donner à la recrue Ansel ?

Cal lève la main.

— Un projectile dans le crâne.

Shaw opine du bonnet.

— En effet, c'est souvent une solution efficace.

Pour ma part, j'ai tué un Déchiqueteur en utilisant mes émotions rassemblées pour lui faire exploser le crâne. Prise d'un frisson, je me fais toute petite sur ma chaise. Pourvu que je reste invisible.

Shaw montre l'image projetée sur le mur derrière lui.

— Il arrive que des Déchiqueteurs survivent à de graves blessures à la poitrine et à l'abdomen.

Il agite la main dans l'air, et une autre image apparaît.

À la vue d'un spectacle particulièrement horrible, la moitié des élèves de la classe se tortillent sur leur chaise : un Déchiqueteur est allongé sur une table en métal, le ventre ouvert au milieu. Ses entrailles sont brun foncé, presque noires, et racornies.

Shaw s'éclaircit la voix et montre le cadavre.

— On assiste ici à la dissection d'un Déchiqueteur moins de quinze minutes après sa mort.

Quelques recrues tressaillent, et je me penche pour mieux voir. Le corps semble déshydraté, comme si la mort était beaucoup plus ancienne.

— Les Déchiqueteurs se nourrissent de poussière, poursuit Shaw. Ils absorbent très peu de liquide. Leur sang s'épaissit. Ils se déshydratent.

— Comment peuvent-ils rester en vie ? demande une recrue.

— Nos scientifiques s'emploient à répondre à cette question comme à bien d'autres.

Shaw passe à une nouvelle image sur laquelle on voit un Déchiqueteur enchaîné, étendu, les jambes et les bras écartés. Un Conf portant une armure intégrale lui entaille la poitrine à l'aide d'un énorme couteau.

— *Cool*, s'exclame quelqu'un, au fond.

— C'est pour quand, cet exercice ?

— On devrait réaliser une vivisection.

Mes camarades de classe lancent diverses suggestions, à gauche et à droite, et Shaw montre le même Déchiqueteur. Cette fois, il a un trou béant d'une vingtaine de centimètres au milieu de la poitrine.

— Remarquez l'horodatage de cette image, ordonne Shaw en indiquant le coin inférieur gauche de l'écran.

Il change d'écran.

— Maintenant, observez bien celui-ci.

Quelques recrues laissent entendre un hoquet. La seconde photo a été prise moins de dix minutes après la première. Pourtant, la blessure est presque entièrement cicatrisée. À peine si on distingue une marque noire à l'endroit où le Conf a ouvert la poitrine du Déchiqueteur.

— C'est le même jour ?

J'ignore qui a posé la question et je m'en fiche. J'en sais déjà trop sur les Déchiqueteurs.

— S'ils guérissent si rapidement, dit Cal, comment peut-on être sûr qu'ils sont vraiment morts ?

— Essaie d'en embrasser un, pour voir, suggère Thor en se tournant vers moi. Tu as un faible pour les *freaks*.

— Ça suffit ! hurle Shaw en s'avançant à grandes enjambées vers le bureau de Thor. Ouvrez la bouche une fois de plus et je signale votre comportement au capitaine Larsson.

Thor hausse les épaules. C'est l'un des chouchous de Larsson, et même nos professeurs savent qu'il vaut mieux ne pas soulever l'ire du capitaine.

Cal me gratifie d'un sourire de réconfort, mais la tension de sa mâchoire et de ses épaules m'apprend qu'il se retient à grand-peine de défier Thor. Je conçois que de telles remarques le dérangent. Personnellement, les sarcasmes de Thor me laissent indifférente. Il a raison, je suis une *freak*.

Shaw reprend sa place à l'avant de la classe.

— Passons maintenant au comportement des Déchiqueteurs.

La porte de la classe s'ouvre, et une femme entre. Shaw se tourne vers elle, visiblement surpris. Sur ses joues, les taches rouges s'étendent, virent au violet. Je commence à comprendre pourquoi Shaw est professeur et non membre du service actif. Enseigner, c'est déjà trop stressant pour lui.

L'impeccable manteau blanc de notre visiteuse arrive aux genoux de son pantalon gris. Elle traverse la pièce, ses talons noirs résonnant sur le sol.

Elle adresse un signe de tête à Shaw.

— Surtout, ne vous arrêtez pas pour moi. Continuez, je vous en prie.

Mon estomac se contracte. Il est clair que cette femme appartient à la Direction, et sa seule présence me rend nerveuse, à cran. À première vue, toutefois, elle devrait avoir l'effet opposé. Sa voix est douce, son ton enjoué. Et quand elle se tourne vers nous, son expression est radieuse.

Ses cheveux brun foncé, légèrement plus sombres que les miens, tombent en boucles lustrées autour de son visage. C'est la femme la plus jolie que j'aie vue de ma vie. Elle me regarde, et je me détourne aussitôt.

— Chers élèves, lance Shaw d'une voix qui trahit sa nervosité, dites bonjour à Mme Kalin, vice-présidente de la Santé et de la Sécurité.

Un halètement collectif résonne, et tous, Thor y compris, se redressent.

— Bonjour, madame Kalin, lançons-nous à l'unisson.

Au moins, mon malaise s'explique. J'ai devant moi la VP responsable de l'hôpital.

Mme Kalin parcourt la pièce des yeux. On jurerait qu'elle s'efforce de nous saluer tous à tour de rôle. Son regard croise le mien. Les joues en feu, je fixe mon pupitre. Je suis dans un état d'énervement tel que tout contact visuel est trop risqué.

— Vous permettez que je m'asseye ici ? demande-t-elle à Shaw.

— Évidemment. Oui, je veux dire. Je vous en prie.

Il désigne une chaise au fond, puis s'assène une claque sur le côté de la tête.

— Mais notre sujet d'aujourd'hui est la physionomie des Déchiqueteurs. C'est vous qui devriez terminer le cours.

— Balivernes, dit-elle. Je suis sûre que vous vous en tirerez admirablement.

Elle sourit à Shaw, dont les épaules s'abaissent aussi-tôt, comme si la tension désertait son corps d'un coup.

Mme Kalin laisse traîner son doigt sur le pupitre de toutes les recrues devant qui elle marche. Souriante, elle salue chacun d'entre nous. Comprenant que la seule place libre se trouve juste derrière moi, je fixe la surface égrati-gnée de mon bureau dans l'espoir de passer inaperçue, mais, au passage, elle me frôle l'avant-bras.

Je lève mes yeux vers les siens et, pendant un moment, un courant chaud apaise mes nerfs. Elle me rappelle ma mère.

Je les rebaisse aussitôt. Elle est membre de la Direction.

Shaw poursuit son cours sur les Déchiqueteurs, et je tiens ma langue, même si je sais que certaines des informations qu'il nous fournit sont erronées. Les Déchiqueteurs parlent. Ils sont doués de sensations. Ils planifient leurs actions et vivent en groupe. Je les ai entendus. Je les ai observés.

À la fin de la classe, je m'assure que les autres sont sortis avant de me lever. Près de la porte, Cal m'attend en bavardant avec Quentin.

Shaw s'avance vers moi, les plaques rouges de son visage de nouveau en pleine éruption. *Bon*, me dis-je. *J'ai encore trouvé le moyen d'attirer l'attention sur moi.* Puis je me rappelle que Mme Kalin est assise derrière moi.

Elle repousse sa chaise.

— Merci de m'avoir permis d'assister à votre cours, monsieur Shaw.

— Si vous avez des conseils à me donner…

Pour un peu, Shaw s'inclinerait et embrasserait les chaussures de Mme Kalin.

— Aucun. Vous vous en êtes très bien tiré.

Elle s'interrompt, et Shaw, bouche bée, continue de la contempler, comme fasciné par sa beauté.

— Ne me laissez surtout pas vous retenir, dit-elle.

Shaw secoue la tête, comme s'il émergeait du sommeil, puis il pivote sur ses talons et quitte la classe avec précipitation. Je me lève dans l'espoir de m'éclipser en douce. Je regrette maintenant de ne pas être sortie avec les autres.

— Qu'as-tu pensé du cours? me demande Mme Kalin.

Comme il n'y a plus que moi dans la salle, je m'arrête et me retourne lentement.

— C'était… euh… intéressant.

Je ne sais pas ce qu'elle veut entendre.

Elle s'avance vers moi, et mon regard remonte du bout de ses chaussures noires à son visage.

— Tu crois que les Déchiqueteurs sont des créatures moins primitives que M. Shaw le prétend?

Je plonge mon regard dans ses yeux bruns étincelants et, malgré la question lourde de menaces, la tension abandonne mes épaules. Je les sens se redresser.

— Oui, dis-je. Les Déchiqueteurs sont sans doute capables de parler et de penser.

— Qu'est-ce qui te fait croire ça? demande-t-elle.

— Parce que, après une liquidation, les Déchiqueteurs attaquent. Ils semblent organisés.

— C'est une observation très fine, Glory.

J'incline la tête et étudie son visage, sonde ses yeux dans l'espoir de déceler ses intentions. Comment connaît-elle mon prénom? J'essaie de me rappeler si Shaw l'a utilisé pendant la classe. Quoi qu'il en soit, elle a remarqué quelque chose. Elle m'a remarquée. Mes poumons se gonflent. Je me tiens plus droite.

— La science t'intéresse? demande-t-elle.

Je hoche la tête.

— Je l'aurais parié. À ton âge, je me posais des tas de questions sur la poussière, les Déchiqueteurs, les Déviants. Je sentais qu'on ne nous disait pas toute la vérité en FG.

— N'est-ce pas?

Je me mords la langue. Pourtant, elle ne semble pas avoir été choquée par ma réaction, et j'ai l'impression de pouvoir lui faire confiance. Il y a tant d'années que je n'ai plus confiance en personne… Depuis ce jour fatidique que je préférerais oublier. Bizarre, tout de même, que Mme Kalin m'inspire de tels sentiments. Après tout, elle est membre de la Direction, rien de moins.

— En S et S, nous sommes toujours à la recherche de jeunes personnes brillantes, explique-t-elle en me touchant le haut du bras. Si tu as envie de me parler de tes perspectives de carrière, tu n'as qu'un mot à dire.

Je fais signe que oui, puis je baisse le regard. Je serre les paupières, encore éblouie par son attention. Je m'efforce de chasser les sensations positives et de me concentrer sur l'essentiel.

Je ne peux pas avoir confiance en elle, et il est exclu que je puisse travailler à S et S. C'est carrément impossible. Elle a beau me rappeler ma mère et provoquer en moi un sentiment de bien-être, je ne dois pas oublier qui est cette femme : mon ennemie jurée.

CHAPITRE
SIX

Derrière son bureau, M. Belando, VP adjoint de la Conformité, me signale, sans lever la tête, d'approcher. Sur sa tempe, une bande argentée luit dans sa chevelure toute noire, dont pas une mèche ne bouge. Sans la peur qui me paralyse, je la toucherais pour voir si elle est réelle. Plus tôt dans la journée, ma rencontre avec Mme Kalin a failli me donner de l'espoir, mais M. Belando est là pour me rappeler la vraie nature de la Direction.

En m'asseyant sans y avoir été invitée dans le fauteuil qui lui fait face, je ne peux me retenir de caresser le cuir lisse du meuble et les boutons en laiton qui bordent le siège. Dans les Mans, une telle opulence est impensable. Là où j'ai grandi, rares sont ceux qui disposent d'une chaise, même rudimentaire.

M. Belando tape sur son clavier en projection avec tant de ferveur que je crains qu'il marque son bureau en bois. Je regrette de ne pas avoir été présente au moment où il a saisi son mot de passe. Si Clay a vraiment l'intention de me laisser tomber, je devrai découvrir un nouveau moyen d'identifier des cibles. Le mot de passe de Belando me donnerait accès à toutes les informations dont j'ai besoin. Clay devrait encore aider les jeunes à sortir en douce du Havre, mais je doute qu'il refuse de les prendre sous son aile une fois que je les aurai trouvés.

M. Belando grogne et se cale dans son fauteuil. Je me redresse. Cependant, il continue de taper. Il agit comme s'il avait oublié ma présence, alors que c'est lui qui m'a convoquée.

L'angoisse monte en moi, forme une corde qui descend de ma gorge à mon ventre, et je dois me concentrer sur le tableau derrière sa tête, une scène agricole d'ALP. La grange rouge délavée en moins, le paysage aurait pu être croqué dans la Colonie.

— Un peu d'attention, jeune fille, je te prie, dit M. Belando.

Je sursaute.

— Oui, monsieur!

— Eh bien? demande-t-il en s'appuyant sur son bureau.

Je me tortille, incertaine de ce qu'il veut savoir.

— Monsieur?

— Tu as l'intention de me présenter des excuses?

— Pardon?

J'ai les joues brûlantes. Il affiche une expression suffisante.

— Pourquoi persistes-tu à le provoquer?

— Qui ça, monsieur?

— Le capitaine Larsson, répond-il en pinçant ses lèvres cireuses et en secouant la tête. J'ai tiré toutes sortes de ficelles pour t'épargner les tests d'admission. Je me suis donné un mal de chien pour que le Programme de formation des agents de conformité t'accueille dans ses rangs.

Semer le désordre, c'est ta façon de me remercier, peut-être?

— Le désordre, monsieur?

Sincèrement, je ne vois pas de quoi il veut parler.

Il se rencogne dans son fauteuil.

— Larsson souhaite ton expulsion. Il m'a court-circuité et s'est adressé directement au VP principal, M. Singh. Une telle insubordination chez cette petite crotte de rat…

Il plisse les yeux et se penche vers l'avant.

— Je pense que tu n'apprécies pas à sa juste valeur tout ce que j'ai fait pour toi.

— Au contraire, monsieur.

— Si la formation des agents de conformité est trop exigeante, sois assurée que je demanderai ton retrait.

— Non, monsieur. Ce n'est pas trop exigeant, monsieur.

Je sais bien ce qu'il entend par «retrait»: la liquidation. M. Belando a sans contredit ce pouvoir.

Son fauteuil grince en s'inclinant vers l'arrière, et l'homme pose les pieds sur le bureau, les croise à la hauteur des chevilles. Même les semelles de ses chaussures sont immaculées et lustrées.

— Tu dis comprendre mes attentes, poursuit-il. Pourtant, tu attires l'attention sur toi. Sèmes le désordre. Fais des histoires. Pour survivre au PFAC, tu devras apprendre à ne pas provoquer l'ire du capitaine Larsson.

— Oui, monsieur.

Il se met debout et s'appuie sur le bureau. Au-dessus de son sourcil gauche, une petite veine apparaît, et mon estomac se soulève.

Je bondis.

— Le capitaine Larsson veut m'obliger à abandonner. Je ne céderai pas.

— Non, en effet.

Il contourne son bureau en bois bien poli et pose la main sur mon épaule, près de mon cou.

— J'ai misé gros sur toi, Glory. Mon investissement doit me rapporter. Le problème des Déviants s'aggrave de jour en jour.

Il s'interrompt et j'ai peine à respirer.

Sa main pèse lourd sur mon épaule.

— Des spécialistes du Service de S et S m'assurent que des détails de ton enlèvement te reviendront sous peu en mémoire. Des détails qui t'aideront à remonter jusqu'à ton kidnappeur, puis à entreprendre ton travail d'infiltration. Nous devons les arrêter, tous.

Il approche sa bouche de mon oreille.

— Ton kidnappeur t'a-t-il parlé de ses attaques à la bombe ? Quelle sera sa prochaine cible ?

— Il ne pose pas de bombes.

J'ai répondu sans réfléchir et j'en ai l'estomac retourné.

— Comment le sais-tu ?

Ses doigts s'enfoncent plus profondément dans ma chair, me pincent. Sa voix est dure comme l'acier.

— De quoi te souviens-tu ? Que me caches-tu ?

— Rien, monsieur. Je vous ai dit tout ce que je savais.

Mon cœur bat si vite et si fort qu'il doit l'entendre, le sentir sous sa main. Il reste silencieux pendant une éternité, respire bruyamment à côté de moi. Mon angoisse décuple, tandis que je résiste à l'envie d'étoffer la version que j'ai donnée aux Confs à mon retour au Havre.

Je veux défendre Burn. Jamais il ne ferait de mal à des innocents. Du moins volontairement. Il en va de même pour tous les Déviants et les soldats de l'AL que j'ai rencontrés. Mais si j'ajoute des détails, M. Belando en réclamera d'autres. Ses doutes seront attisés. J'attends donc.

Les doigts de M. Belando pétrissent la base de mon cou.

— Travailles-tu secrètement pour les terroristes ? Est-ce toi qui es responsable de ces attentats ?

Ma poitrine se comprime.

— Non. Jamais.

Il serre davantage, pince. Sous l'effet de la douleur et du stress, ma voix est tendue.

— La dernière explosion a failli coûter la vie à mon amie. Je suis prête à tout pour mettre un terme aux actions des terroristes déviants.

Mon cou se crispe sous la pression des doigts de Belando, et je me demande si je réussirai à tourner la tête lorsqu'il m'aura enfin lâchée. Pourtant, je n'ose pas montrer le moindre signe de douleur.

Son communicateur laisse entendre un bip. Il libère ma nuque et se dirige derrière son bureau, où il glisse la main sous un rayon laser pour activer son écran et son clavier.

Je prends une profonde inspiration en résistant à l'envie de porter la main à mon cou. Il va de nouveau saisir son mot de passe. Il faut que je le mémorise. Le clavier laser se projette sur le bureau. De cet angle, je ne vois que des lignes rouges. Je me déplace jusqu'à ce que des lettres et des chiffres apparaissent sous forme de traits et de points. Si seulement je pouvais m'avancer et me décaler un peu vers la droite…

— Assieds-toi, ordonne-t-il en me toisant d'un air sévère.

Mon cœur bat à tout rompre, le sang afflue à mes oreilles. Je regarde le mur du fond, derrière lui ; du coin de l'œil, j'observe ses mains. Je ne vois pas le clavier, mais je discerne la séquence.

Ses doigts frappent douze fois le bureau : trois lettres, trois chiffres, cinq lettres, un chiffre. J'imprime cette séquence dans mon cerveau. Si j'arrive à découvrir la première lettre, le reste suivra.

Il fronce les sourcils, et des rides se forment sur son front. Jusque-là, je n'aurais pas parié que sa peau avait la faculté de se plier.

Il lève les yeux et je recule.

— Nous vivons des temps difficiles, Glory.

Je hoche la tête.

— L'attentat terroriste d'hier n'est qu'un symptôme de la gangrène qui envahit notre bonne cité. Si on leur en donne l'occasion, les Déviants nous voleront le Havre à nous, Normaux.

— Oui, monsieur.

Mon cœur bat si fort que je suis certaine que M. Belando l'entend. Je n'ose pas le regarder droit dans les yeux. Je me concentre plutôt sur ses lèvres beaucoup trop parfaites.

— Tu sais d'où vient la vraie menace ? demande-t-il.

Je secoue la tête en priant pour qu'il ne mentionne ni l'AL... ni moi.

— De l'intérieur.

Il se penche, et son visage n'est plus qu'à quelques centimètres du mien.

— Des taupes, des espions et des traîtres parmi nous.

Je presse mes semelles sur le sol pour empêcher mes jambes de trembler.

— Il y a un traître au sein du PFAC. Un Déviant, peut-être.

De nouveau, le sang afflue à mes oreilles. Mon estomac se révulse.

— Comment est-ce possible? Tous les candidats sont filtrés, soumis à des tests.

Veut-il parler de moi?

Il plisse les yeux.

— Je viens de recevoir un rapport. Nous avons des preuves de l'implication d'un des membres du programme.

Pour un peu, je ferais le geste de remettre mon cœur dans ma poitrine. M. Belando relève le menton, et sa mâchoire se crispe.

— On a découvert des électrodes d'exercice à l'endroit où les terroristes ont assemblé leur bombe.

— Vous savez où les terroristes se réunissent? Pourquoi n'envoyez-vous pas les Confs les capturer? Si vous avez la possibilité de mettre un terme aux explosions...

Les terroristes sapent les efforts de l'AL, rendent la situation encore plus intenable pour tous les Déviants.

Il tape du poing en se levant.

— Dis-moi, jeune fille, me prendrais-tu pour un imbécile, par hasard ?

Je secoue la tête.

— Les terroristes changent sans cesse de lieu de rencontre, poursuit-il en secouant la tête à son tour. Ils n'utilisent jamais deux fois le même.

— Qu'attendez-vous de moi ?

Lorsque M. Belando m'a proposé de travailler dans la clandestinité, j'ai cru que je ne trouverais jamais un motif pour m'acquitter de cette tâche. Par contre, il vaut beaucoup mieux traquer des terroristes que de trahir des Déviants comme moi. Et même si lui et d'autres ont raison et que certains terroristes sont bel et bien Déviants, je parlerai de l'AL à ceux que je capturerai et je leur donnerai l'assurance qu'il y a de l'espoir, qu'ils ne sont pas seuls, que leurs méthodes violentes ne sont pas la solution. Je peux faire du Havre un endroit plus sûr pour tous.

— Le temps presse, dit M. Belando. Nous devons neutraliser la menace terroriste avant l'Anniversaire du Président, dans moins de deux semaines.

— Pourquoi avant ?

— Trêve de questions, tranche-t-il en agitant la main.

— Qu'attendez-vous de moi ? répété-je.

Une autre question... Cette fois, cependant, il me regarde en face.

— Ouvre grands les yeux et les oreilles, dit-il en avançant ses mains manucurées vers moi sur son bureau. Sois à l'affût des discussions subversives, des propos favorables aux droits des Déviants, des expressions de sympathie envers nos ennemis. Y compris de la part des instructeurs.

— Oui, monsieur.

Je n'arrive pas à concevoir que les Déviants puissent avoir des sympathisants à l'intérieur du PFAC (sauf moi, évidemment), mais je sens mon excitation bouillonner, et j'ai de nouveau le sentiment d'avoir une mission à accomplir.

M. Belando plisse les yeux.

— Maintenant que je t'ai confié une tâche, on ne doit plus nous voir ensemble, dit-il en se frottant le menton. Personne ne doit être au courant de notre accord, au sein du PFAC encore moins qu'ailleurs.

Je hoche la tête. Je préfère ne pas lui rappeler que notre accord est déjà suspect : Larsson, en effet, sait que c'est M. Belando qui a exigé mon admission au sein du PFAC.

— Dorénavant, dit-il, nous devrons prendre plus de précautions. On ne doit plus te voir ici.

Cela ne me pose aucun problème. J'ai horreur de cet endroit.

— Où nous rencontrerons-nous, dans ce cas ?

— Ici, répond-il en me dévisageant comme si j'avais posé une question ridicule. Mais après les heures de bureau.

— Comment ferai-je pour entrer ?

Les procédures établies m'obligent à me présenter à un gardien qui, à la porte, compare mon numéro d'employée à ceux qui figurent dans le cahier de rendez-vous. Dans ces conditions, je ne vois aucun moyen de garder le secret. Tout est versé dans le Système.

M. Belando tend les mains, comme s'il brandissait une sphère de grande taille. Son écran se positionne de façon que je puisse le voir, moi aussi. Il appuie sur une touche, et un mot de passe apparaît à l'écran.

— J'ai désactivé les caméras sur le toit de cet immeuble, explique-t-il. C'est le mot de passe de la porte du toit.

Il lève les yeux sur moi.

— C'est noté ?

Je m'empresse de mémoriser les neuf chiffres, puis je hoche la tête.

— Comment pourrai-je grimper sur le toit et en redescendre sans me faire attraper ?

Il me regarde avec un petit sourire méprisant.

— Pour une apprentie Conf prometteuse et une espionne en herbe comme toi ? Un jeu d'enfant.

Il tourne l'écran vers lui.

— Montre-moi de quoi tu es capable.

Mon estomac se serre. Sur un point, il a raison : pour ce qui est de parcourir le Havre à l'insu de tous, je me débrouille très bien. Et, une fois de plus, je me demande combien de détails M. Belando garde pour lui-même. Mais s'il sait qui je suis et pour qui je travaille, pourquoi ne me tue-t-il pas ?

— En fait, ajoute-t-il, je pense que tu devrais partir par le toit dès ce soir.

— Mais, monsieur, le gardien a consigné mon arrivée ici. Si je ne sors pas par la porte principale, on s'en rendra compte.

Pendant que je prononce ces mots, il tape sur son clavier et je me demande s'il m'a entendue. Il appuie sur une dernière touche avec un grand geste et se cale dans son fauteuil.

— Voilà. Officiellement, tu as quitté l'immeuble.

Le souffle coupé, je hoche la tête. Évidemment, il a accès au registre du gardien. À titre de VP adjoint de la Conformité, il peut sans doute s'introduire dans toutes les parties du Système. Le pouvoir qu'il possède au bout de ses doigts me transporte d'excitation.

Il me faut son mot de passe.

Il continue de taper et, au bout d'un moment, il agite la main.

— Tu peux disposer.

À l'extérieur du bureau de M. Belando, le couloir est désert. Je cours jusqu'au bout et je me glisse par la porte de la cage d'escalier. Le déclic du loquet résonne derrière moi et je grimace. Deux marches à la fois, je gravis les trente et un étages qui me séparent du toit. Les derniers abritent les bureaux des cadres subalternes et des employés de soutien.

Plus je monte, plus il fait chaud et plus l'air est pollué, même dans cet immeuble chic utilisé par la Direction. J'arrive au niveau du toit en haletant. Dans la pénombre, je saisis le mot de passe à neuf chiffres. Une seule erreur, et l'alarme retentira.

Il y a un léger décalage. Sous l'effet de la peur, mes muscles se contractent, puis une lumière verte s'allume et la porte s'ouvre. Je sors, soulagée.

Le toit de cet immeuble n'est pas aussi rapproché du ciel que ceux des Mans. Je peux y tenir debout. Par habitude et pour éviter d'être vue, je préfère toutefois avancer en position accroupie.

Entendant un bruit dans un coin, je me jette à plat ventre sur la surface brute. Je lutte pour ralentir ma respiration, courte et oppressée après la rude ascension. Plissant les yeux, je reconnais la silhouette et le mouvement caractéristiques des rats. Je me remets en position accroupie, tout sourire. Qui aurait cru qu'il y avait une ample réserve de viande gratuite sur le toit de l'immeuble de la Direction? Pour un peu, j'éclaterais de rire.

Je m'avance vers les rongeurs. En me dépêchant, j'ai le temps d'en capturer quelques-uns, de les laisser chez Jayma et de rentrer en catimini avant l'extinction des feux.

Grâce à la formation des Confs, je suis plus rapide et plus agile qu'avant. Je parie que je réussirai à attraper quelques rats à main nue. Ainsi, je ne recourrai pas à ma Déviance et je respecterai ma promesse.

Accroupie près des rats, j'ai la sensation qu'on m'épie. Sur ma nuque, les poils se dressent, et je me retourne pour balayer du regard les toits voisins et examiner les poutres du ciel. Rien. Je jette un coup d'œil derrière une imposante structure en métal, mais je ne vois toujours rien.

Avec l'impression électrique d'être épiée par des yeux invisibles, je cherche des caméras de surveillance. M. Belando m'a donné l'assurance qu'il les avait désactivées. Pourquoi m'aurait-il menti?

J'attends d'être certaine qu'il n'y a que les rats et moi, là-haut. Puis je me concentre de nouveau sur la chasse. Choisissant un rongeur coincé près du bord, je m'approche à pas de louve, ma respiration lente et mesurée.

Le rat se retourne et m'aperçoit. Ses moustaches frissonnent. Pourtant, il reste immobile, même quand je m'approche prudemment d'un pas. Il découvre ses dents pointues, et je bondis, puis je l'attrape par le ventre avant de rouler sur le côté pour amortir l'impact de mon plongeon. Le rat tourne la tête, essaie de me mordre, mais je lui casse le cou sans lui laisser le temps d'enfoncer ses dents dans ma chair. Ses congénères se dispersent aussitôt, et j'attends qu'ils se soient calmés pour en capturer un deuxième, puis un troisième. Bientôt, je dispose d'un petit monticule de proies à écorcher et à apporter à Jayma.

Pendant un moment, la solitude m'accable. Il m'est pénible de ne pas voir mon amie tous les jours, en particulier maintenant que je vis loin de papa et de Drake. Je me repose un instant, me recentre et repousse des émotions que je ne peux pas me permettre.

Rassérénée, je rouvre les paupières. Un rat me regarde fixement. Mes épaules se dressent. La peur réveille ma Déviance et, sans réfléchir, je rive mes yeux sur ceux du rongeur, me concentre sur son cerveau.

Je me suis juré de ne plus exercer mon pouvoir mortel, plus jamais. Pourtant, maintenant que le rat est à ma merci, je suis tentée. Un supplément de viande pour Jayma…

L'animal tombe sur le flanc. Haletante, je m'avance, tandis que les autres déguerpissent. Mon cœur bat follement, et des larmes me montent aux yeux. Je ne pleure pas sur le rat. Ce sont des protéines, rien de plus. Je ne m'excuserai jamais de tuer des rats. En revanche, j'ai manqué à ma promesse. Je me suis servie de mon don pour provoquer la mort.

Je me plais à croire que je ne suis pas mauvaise, que je ne me résume pas à mon pouvoir mortel. Mais qu'est donc une personne capable de tuer avec ses yeux, sinon mauvaise, horrible, diabolique ?

Avec hésitation, je touche le flanc du rat, et ma main recule brusquement. Il n'est pas mort; il respire encore.

Aurais-je donc grillé son cerveau?

Ses paupières sont ouvertes, et je m'allonge pour l'examiner de plus près, à la recherche d'un signe indiquant que son esprit fonctionne toujours.

Réveille-toi, dis-je dans ma tête en le regardant dans les yeux. Je sens ses ondes cérébrales circuler avec lenteur. *Je suis désolée, sincèrement désolée. Je ne voulais pas te faire de mal. C'était un accident. Réveille-toi.*

Le rat cligne des yeux, je romps le lien entre nous, il se relève et détale.

Tremblante, je reste étendue sur le dos pour permettre à ma respiration de s'apaiser et j'adjure mon rythme cardiaque de décélérer. Je ne sais pas comment j'ai pu provoquer l'inconscience de cet animal ni comment il a réussi à se relever. Je ne suis même pas certaine d'avoir été la cause du phénomène. J'aimerais bien disposer d'un guide qui m'aide à comprendre la portée et les limites de ma Déviance, pour mieux la dominer.

Je secoue la tête et scrute le ciel. À quoi bon? J'aurai beau comprendre ma Déviance et en maîtriser les moindres facettes, ma mère ne ressuscitera pas.

Les diodes électroluminescentes qui imitent les étoiles deviennent floues à cause des larmes qui inondent mes yeux. Impossible de défaire le mal que j'ai fait à treize ans, avant même de savoir que j'étais Déviante.

Je connais la vérité depuis un peu plus de trois mois, et la douleur pèse sur moi comme si un immeuble s'était écroulé sur ma poitrine. Je ne peux pas ramener ma mère à la vie. Je suis même incapable de tenir la promesse que j'ai faite à sa mémoire de ne plus jamais utiliser mon pouvoir.

La culpabilité enserre mon corps, se glisse sous ma peau, sape mon énergie, anéantit mon espoir.

Pourtant, je refuse de céder. Je ne peux pas me complaire dans mon malheur. Sauver des vies est le seul moyen dont je dispose pour racheter une fraction du mal que j'ai fait.

CHAPITRE SEPT

Des bruits se répercutent sur les parois du tunnel, des échos d'échos si retentissants et si constants que j'arrive à peine à penser. Nous sommes sous un immeuble en périphérie du Havre. Tous les élèves de notre classe parlent en même temps, excités par la mystérieuse « aventure » promise par Larsson. Disons plutôt qu'il nous l'a présentée comme une menace.

Le tunnel a beau être bien éclairé, il me rappelle des souvenirs, certains inoubliables, d'autres que je préférerais oublier. Dans tous, Burn est présent.

Cal se penche sur moi.

— Ça va ?

— Ça va.

Mes joues s'empourprent. Il faut que je cesse de penser à Burn, en particulier quand je suis avec Cal. C'est injuste. C'est mal.

Les doigts de Cal effleurent les miens. Feignant de ne rien remarquer, je lève la main pour me gratter le nez.

— Hé, dit Stacy derrière moi. Je vais la prendre, ta main, moi, si tu veux.

Je me tourne vers elle. Cal aussi.

— Tu veux tenir la main de Glory? demande-t-il avec un sourire espiègle.

— Très drôle, répond Stacy en se glissant entre Cal et moi. Ce n'est pas exactement ce que j'avais en tête.

— Glory et moi sortons ensemble, Stacy, précise Cal en brandissant son bracelet.

Les épaules de ma camarade de chambre sont presque aussi larges que celles de Cal, et elle mesure seulement quelques centimètres de moins que lui. Dans le groupe, seuls trois garçons sont plus grands qu'elle. Son invasion de l'espace entre Cal et moi a sur ma peau l'effet de la poudre à gratter. Comme je partage sa chambre, je la vois bien assez. Je n'ai aucune envie de penser à elle.

— Je plaisantais, explique-t-elle en souriant à Cal. Avec tout le respect que nous avons pour Glory, nous croyons tous que tu es drôlement chic de ne pas avoir exigé l'annulation de votre permis après ce qui lui est arrivé. Qui sait quels sévices le kidnappeur déviant a pu lui infliger?

Cachant ses lèvres derrière une main, elle chuchote, assez fort pour être entendue:

— Il l'a peut-être abîmée.

Je lève les yeux au ciel.

— Aie un peu de compassion, Stacy, dit Cal.

— Tu es trop gentil, lance-t-elle à Cal avant de se tourner vers moi avec une sympathie feinte. Le moment est peut-être venu d'avouer et de passer à autre chose.

— D'avouer quoi? demandé-je.

Elle esquisse un sourire méprisant.

— Que votre permis de fréquentation est bidon et qu'il devrait être révoqué.

— Il n'a rien de bidon, riposte Cal. Nous sommes des partenaires parfaitement légitimes.

— Si tu le dis…, continue-t-elle en le gratifiant d'un large sourire complice. C'est nouveau ?

Elle caresse la manche de la chemise grise toute simple de Cal. Celle qu'il porte depuis le début de la formation.

— Ou ce sont tes bras qui ont grossi ?

— Je deviens plus fort, dit Cal en pliant le bras.

— Oh là là ! s'écrie Stacy en le touchant de nouveau.

Mes démangeaisons s'aggravent.

Elle continue de jacasser, et je m'efforce de bloquer ses banalités, de les mêler à la cacophonie des voix dans l'espoir de modérer mon envie de lui arracher les yeux. Le tunnel se rétrécit, et Cal ne remarque pas que Stacy utilise ses larges épaules pour m'obliger à marcher derrière eux. Tant mieux. Je n'ai pas le goût de parler, de toute façon.

Une fois de plus, l'épaule de Stacy frôle le bras de Cal.

— Glory ne te laisse même pas la toucher. Personne ne t'en voudrait d'exiger la révocation du permis.

Glissant sur l'avant-bras de Cal, sa main agrippe le bracelet.

— D'autres options s'offrent à toi.

La voix de Stacy ressort dans le brouhaha de voix masculines plus graves, mais la réponse de Cal m'échappe. Elle s'esclaffe à chacune de ses reparties et lui donne sur le bras de petites tapes taquines. Je me gratte l'épaule.

Stacy est d'une grossièreté inqualifiable, mais elle a raison : je ne peux pas jouer sur les deux tableaux.

J'essaie d'imaginer Cal avec Stacy, de m'imaginer heureuse pour lui, à la manière d'une amie, mais j'en suis incapable. Les imaginer ensemble me rend malade. Depuis mon retour, je le tiens à distance. Pourtant, ma réaction aux minauderies de Stacy est limpide : l'idée que Cal sorte avec une autre me déplaît. Et c'est injuste.

Cal s'aperçoit enfin que je ne suis plus à côté de Stacy. Il s'arrête et, d'un geste, invite cette dernière à marcher devant. Pendant qu'il a le dos tourné, elle me jette un regard mauvais et s'éloigne d'un pas lourd.

— Tu aimes Stacy ? demandé-je à Cal dès qu'elle n'est plus à portée de voix.

Je m'habituerai peut-être à les voir ensemble. Il mérite d'être heureux, et nous n'avons pas d'avenir. Il ne sait même pas qui je suis.

— Stacy est une bonne fille. Pourquoi cette question ?

Il se tourne vers moi.

— Vous vous entendez bien, toutes les deux ?

— Pas vraiment.

— Dommage. Comme c'est la seule autre fille du programme, ça doit être pénible.

— Ça va.

Prononcer les mots m'aide à me convaincre moi-même.

— Elle, en tout cas, a l'air de t'aimer.

Je lui donne un coup de hanche et le regarde en battant des paupières.

Il m'attrape par le poignet et s'arrête pour laisser passer quelques-uns des suivants.

— Ne fais pas attention à elle. Tu n'as absolument rien à craindre.

Incapable de soutenir l'intensité de son regard, je baisse les yeux. .

— Je suis à toi, déclare-t-il. Je ne veux personne d'autre… Je ne voudrai jamais personne d'au…

— Excuse-moi, Cal. Je sais que je me suis montrée distante…

Glissant son doigt sous mon menton, il m'oblige à le regarder en face.

— Je comprends. Tu as été durement éprouvée. Je vais patienter. Nous avons toute la vie devant nous.

— Mais…

La bouche sèche, la tête vide, du coton dans les oreilles, je suis sourde au brouhaha de mes camarades de classe. Mon regard enfoui dans ses yeux clairs, tout contre lui, je me sens si bien, si à l'aise, que j'oublie les raisons qui s'opposent à notre union… raisons dont il ne sait rien et ne doit rien savoir.

— Les bleus!

La voix de Larsson résonne dans le tunnel. Il se tient à la porte d'une salle, une quarantaine de mètres devant.

— Entrez! Et que ça saute! Nous fermons les portes.

Soudain conscients de la distance qui nous sépare des autres, Cal et moi courons. Il reste deux places dans la salle, l'une au fond et l'autre à l'avant, près d'un rideau noir recouvrant un mur. Je me dirige vers l'arrière, mais Larsson s'avance et me saisit par le bras.

— Les demi-portions à l'avant.

Il m'entraîne, me laisse tomber sur la chaise et murmure :

— Après ça, tu vas débarrasser.

Je me redresse en croisant les bras sur ma poitrine.

— Excitée ? demande Ansel, assis à côté de moi.

Ansel, le plus petit de la classe, s'efforce de se lier d'amitié avec moi, mais c'est risqué. Je ne voudrais pas qu'il devienne à son tour la cible de Larsson.

— Tu as une idée de ce qu'il mijote ?

Un large sourire d'anticipation se forme sur son visage, et il remonte ses lunettes.

— Nous allons assister à une liquidation. En direct.

Des écrans de télévision sont accrochés de part et d'autre du grand rideau.

— En direct ? Les écrans du Centre ne montrent-ils pas déjà les liquidations en direct ?

— En direct et de près, précise Ansel. L'année dernière, mon père m'a emmené dans une de ces salles de projection. Il voulait me dissuader de m'inscrire au PFAC.

Il tape du talon, si fort que le sol vibre.

— Quel genre d'affectation souhaite-t-il pour toi ?

Il hausse les épaules et jette un regard de côté, conscient d'avoir déjà trop parlé.

— Un poste au sein de la Direction ?

— Ne dis rien aux autres, d'accord ?

Quelques élèves taquinent Ansel. Si certains, notamment Thor, découvrent que le père d'Ansel est membre de la Direction, sa vie deviendra encore plus pénible.

Je fais le geste de me sceller les lèvres avec une fermeture éclair.

— Tes parents appartenaient à la Direction, eux aussi, non ? demande Ansel. D'où ton admission au sein du PFAC ?

Je secoue la tête.

— Mes parents travaillaient dans une usine.

Il fronce les sourcils.

— Pourtant, Larsson a été obligé de t'accepter, comme moi.

Je lève la main pour lui intimer le silence.

— Mieux vaut ne rien dire.

Ansel souhaite se lier à moi en raison de ce qu'il perçoit comme un point commun. J'ai beau avoir été imposée à Larsson, nos situations ne se comparent pas du tout.

Son talon continue de marteler le sol à un rythme accéléré. Le rideau, en se relevant, révèle une fenêtre panoramique. Les recrues tressaillent en découvrant l'Extérieur, six ou sept mètres devant eux.

Larsson tape sur la fenêtre.

— Cinq couches de verre trempé nous séparent de l'Extérieur. Alors n'allez pas croire que vous risquez votre vie, ici, au même titre que les agents que vous observerez. Vous êtes très loin d'être à la hauteur.

Au Havre, le verre est un luxe des plus rares, et je n'ai jamais vu une vitre aussi grande, encore moins en cinq couches superposées. La fenêtre la plus proche est recouverte d'un grillage métallique qui brouille légèrement notre vue, et l'éclat du soleil n'est ni aussi vif ni aussi doré que dans mon souvenir.

On distingue à peine le ciel bleu pâle à travers la poussière qui, charriée par un vent fort, tourbillonne au-dessus des décombres et des ruines. Nous bénéficions d'un champ de vision beaucoup plus grand que sur les écrans de télévision. Pourtant, à cause de la poussière qui s'accumule sur la vitre et des immeubles décrépits en arrière-plan, nous ne voyons pas le mur qui, à une distance d'environ deux kilomètres du dôme, entoure le Havre. Or, je sais qu'il existe.

— C'est comme si on y était, dit Ansel d'une voix émerveillée.

— C'est le vrai ciel? demande quelqu'un.

— Silence, ordonne Larsson en se plantant d'un côté, les jambes écartées. Observez bien. Notez les détails. Il y aura une interrogation.

Je n'ai aucune envie de regarder la scène atroce qui se prépare. C'est un spectacle à la fois horrible et familier qui, en plus, ravivera trop de souvenirs, trop de craintes pour l'avenir.

Au moment où je détourne les yeux, Larsson me considère avec mépris en souriant d'un air entendu, et je pivote de nouveau vers la fenêtre. De toute évidence, il me croit incapable de supporter la boucherie annoncée, et je refuse de lui donner raison.

Le garçon qui sera liquidé aujourd'hui donne l'impression d'avoir une quinzaine d'années. Des épines pointues sortent de ses avant-bras et du dos de ses mains. Bien que n'ayant jamais vu ce Déviant dans un autre contexte, je suppose qu'elles apparaissent seulement quand il est en danger.

Un Déchiqueteur tourne autour de lui. Ses yeux injectés de sang, presque rouges, lui sortent de la tête, ou plutôt d'un crâne recouvert de croûtes brunes et rouges plutôt que d'un visage. Avec dégoût, je constate que le Déchiqueteur a noué de petits os et des dents dans ses cheveux emmêlés.

Il se rue sur le garçon, et le bras hérissé de celui-ci lacère la poitrine du monstre. La chair desséchée de son torse se déchire, et il pousse un rugissement, ses lèvres presque noires révélant des chicots bruns. Nous n'entendons pas le hurlement en direct. Il nous parvient par les haut-parleurs des écrans de télévision, mais je jure que la vitre tremble. Les voix des Déchiqueteurs, fortes et grinçantes, rappellent le métal frottant contre le métal.

Je résiste à grand-peine au besoin de crier un avertissement que, de toute façon, le garçon n'entendrait pas ; puis un autre Déchiqueteur le renverse en lui assénant un coup de pied par-derrière. Un nuage de poussière enveloppe le garçon.

Les recrues applaudissent. S'il y a un sympathisant des Déviants dans cette salle, il cache bien son jeu.

À côté de moi, Ansel se laisse glisser sur le bout de sa chaise, et les vibrations de ses jambes s'accélèrent. À l'Extérieur, le garçon tente de se relever, mais le Déchiqueteur qui l'a désarçonné bondit et atterrit sur son dos, lui aplatit la poitrine dans la poussière. Un autre Déchiqueteur, la tête ornée de cornes pointues qui lui confèrent l'aspect d'un animal des bois d'un autre temps, s'empare d'un énorme pieu et l'enfonce dans la main du garçon, qu'il cloue au sol. Le garçon balance son autre bras hérissé de piques, à la recherche d'une cible, n'importe laquelle.

Pendant un moment, je me demande pourquoi les Déchiqueteurs n'ont pas utilisé des cordes ou des chaînes pour neutraliser les bras armés du Déviant. Le problème, c'est que le spectacle serait beaucoup moins excitant.

Et ce spectacle a un but bien précis.

La peur des Déchiqueteurs et de la poussière, qui nous garde tous prisonniers du Havre, sert à merveille les intérêts de la Direction. En même temps, cette dernière souhaite attiser notre haine des Déviants. Elle ne veut surtout pas que ces luttes se terminent rapidement ou suscitent de la sympathie pour les liquidés. Ce sont sans doute les Confs qui ont confisqué leurs chaînes aux Déchiqueteurs.

Le plus petit des Déchiqueteurs, boitant sur une jambe pliée à un angle impossible, sort un long couteau du fourreau qu'il porte sur le dos. La lame creuse de profondes entailles dans le dos du Déviant, qui gît face contre terre, et mon estomac se soulève. Le garçon se tortille de douleur, tandis que sa chemise s'imbibe de sang.

Je voudrais crier, lui dire d'avaler plus de poussière, que cette substance a la faculté de le guérir. Lui, en raison de toutes les faussetés qu'on lui a inculquées, s'efforce plutôt de relever le nez et la bouche. Les Déchiqueteurs tailladent sa peau à tour de rôle, lui martèlent le dos à coups de bâton, arrachent des lambeaux de peau qu'ils conserveront comme des trophées.

Les haut-parleurs laissent entendre une violente explosion. Le sol tremble.

— Qu'est-ce que c'est? demandé-je en bondissant.

Même Larsson semble étonné. Par la fenêtre, nous apercevons une énorme muraille de poussière, venue de très loin, fondre vers le Havre. En arrière-plan, un régiment de Confs, équipés de pied en cap, court vers ce nuage.

Sur les écrans de télévision, on ne voit plus que de la neige. Manifestement, la télédiffusion a été interrompue, au Centre. A-t-on volontairement censuré l'action? L'explosion a-t-elle entraîné une rupture de la transmission des images? Le bruit n'a pu être causé par un tremblement de terre. Nous aurions été plus violemment secoués à l'intérieur.

Au loin, un groupe de six Confs se détache de la formation principale et s'avance vers nous. Pas *vers nous*, en fait, mais vers la bataille qui oppose les Déchiqueteurs au garçon, qui se défend toujours avec l'énergie du désespoir. La plupart des membres de notre groupe sont debout. Une main se pose sur mon épaule. Je lève les yeux. Cal.

— Tu t'es rapproché pour mieux voir? demandé-je d'une voix dégoûtée.

— Baissez-vous, devant! crie quelqu'un.

Je me rassieds, et il s'accroupit près de moi.

— Je suis venu m'assurer que tu allais bien.

Cal tressaille, et je me tourne vers la fenêtre. Les six Confs qui ont rompu les rangs font feu à l'aide d'énormes pistolets, des armes automatiques, appelées Aut, qui tirent trois balles à la seconde. Bien que Larsson nous ait donné l'assurance que nous étions protégés par plusieurs couches de verre à l'épreuve des balles, les détonations sont assourdissantes, semblables à des dalles de béton tombant du haut d'un immeuble.

Quelques Déchiqueteurs se ruent sur les Confs, mais c'est peine perdue. Les balles taillent en pièces leur peau desséchée, fracassent leurs os, et les monstres s'écroulent dans la poussière. Notre groupe sombre dans le silence. Tous les élèves semblent avoir cessé de respirer.

Le garçon liquidé gît toujours à plat ventre dans la poussière, une main clouée au sol par un pieu. Vit-il encore? Les Confs se préparent à décamper. Si le Déviant feint d'être mort, il réussira peut-être, après leur départ, à arracher le pieu et à s'enfuir. Peut-être même un soldat de l'Armée de libération le retrouvera-t-il. Elle surveille les radiodiffusions. Si elle n'est pas au courant de la liquidation en cours, elle le sera bientôt.

Quelques mètres plus loin, deux Confs s'arrêtent et, revenant sur leurs pas, s'approchent du garçon étendu face contre terre. Ma gorge se serre. Le Déviant demeure immobile, malgré la présence des Confs au-dessus de lui.

Ils le mettent en joue, et le garçon agrippe l'un d'eux par la cheville et le déséquilibre. Mais cet ultime effort est inutile. L'autre Conf ouvre le feu et, tout autour du garçon, la poussière se tache de sang.

CHAPITRE
HUIT

Épuisée, je regarde fixement l'écran système de la salle d'étude. Mes muscles sont si fatigués que j'ai l'impression que c'est moi qu'on a liquidée, cet après-midi, et non ce pauvre garçon. Mon cerveau, lui, fonctionne à la vitesse grand V. Je sais que j'ai besoin de dormir; pourtant, je ne crois pas que je réussirais à fermer l'œil, même si je trouvais le temps de m'allonger.

Or, le temps me manque.

Plus tard, ce soir, j'ai rendez-vous avec Clay. En principe, il m'attend au lieu convenu, toutes les nuits, à une heure. De mon côté, je dois m'y présenter au moins une fois par semaine ou chaque fois que j'ai un rapport à soumettre. Au cours des trois derniers mois, j'y suis allée presque toutes les nuits. En raison des explosions et de ma rencontre avec M. Belando, je n'ai pas effectué le trajet depuis que nous avons sauvé Arabella, trois jours plus tôt.

Même si je n'ai pas encore repéré Adele Parry, j'y vais ce soir dans l'intention de convaincre Clay de me confier d'autres noms. Les recrues du PFAC ont seulement accès aux dossiers les plus élémentaires, mais je suis résolue à trouver de nouveaux indices. En mettant la main sur

Adele, je prouverai à Clay et à Rolph qu'ils ont eu tort de me limiter dans mes activités.

Je clique dans des menus de recherche depuis ce qui me semble des heures, sans parvenir à accéder aux parties du Système dont j'ai besoin. Bien que je doive aussi ouvrir grands les yeux pour repérer la taupe de M. Belando, je me concentre sur ma tâche première : sauver des Déviants, trouver Adele.

— Qu'est-ce que tu fabriques ici, toute seule ? me demande Cal.

Il s'encadre dans la porte, sa silhouette découpée par la lumière du couloir.

— J'étudie, dis-je en éteignant l'écran.

Il traverse la pièce et me masse les épaules.

— Nous jouons tous au SIM dans la salle de loisirs. Un tournoi. Tu devrais venir.

Je secoue la tête.

— Trop fatiguée. Je pense que je vais aller me coucher.

— Tu ne te feras pas d'amis en refusant de te mêler aux autres.

— Avec Scout, Jayma et toi, j'ai tous les amis qu'il me faut.

Dans ses yeux, la déception s'ajoute à l'inquiétude. Il a raison. Je devrais m'efforcer de mieux m'entendre avec nos camarades de classe. C'est une petite faveur que je pourrais bien lui accorder. Sans compter que je dois les espionner pour le compte de Belando. En prévenant un nouvel attentat le jour de l'Anniversaire du Président, j'apporterais une contribution utile.

Je me lève, repousse la chaise. Cal reste près de moi et, au moment où je me tourne vers lui, sa main glisse sur mon torse. J'ai l'impression que l'air entre nos corps m'aspire. Pourtant, je résiste à l'envie d'abolir la distance qui nous sépare. Quelque chose me retient. Mon travail au sein de l'AL ? Le fait que j'ai trahi Cal ? Burn ?

— Cal ? lance une voix en provenance du couloir. C'est à ton tour !

Comme il ne réagit pas, je me faufile entre la table et lui.

— On te réclame.

— Tu m'accompagnes ?

Je hoche la tête.

— Tu as raison. Je dois passer plus de temps avec les autres.

Son visage se fend d'un large sourire.

— Lorsque tu auras quelques amis, je parie que Larsson cessera de t'embêter. Les autres ne le laisseront pas faire.

En route vers la salle de loisirs, nos mains se frôlent sans jamais se toucher franchement, et je ne saurais dire si j'en suis déçue ou soulagée. Le vacarme, de plus en plus fort au fur et à mesure que nous approchons, devient carrément assourdissant dès que nous mettons les pieds dans la salle.

— Te voilà enfin, Cal, crie quelqu'un que je ne vois pas.

Cal me gratifie d'un sourire rassurant avant de se diriger vers le centre de la pièce, où il se tourne vers un pan de mur nu. Quelques instants plus tard, une image SIM, créée par un petit projecteur laser fixé au plafond, envahit l'espace vacant.

Les autres garçons et Stacy s'agglutinent autour de Cal et de son adversaire, en qui je reconnais Quentin.

Ceux qui sont derrière se juchent sur des chaises ou des bureaux. Ansel, en gesticulant, m'invite à grimper à côté de lui sur un cageot.

En examinant mes camarades, j'ai peine à croire que l'un d'eux puisse être une taupe à la solde des terroristes. Je donnerais cher pour pouvoir remonter le temps et observer la réaction de chacun lorsque, au moment où nous étions sur le toit, la bombe a explosé. Sur le coup, tous m'ont semblé terrifiés. S'il y a un traître parmi nous, peut-être est-il passé maître dans l'art de cacher ses émotions.

Quoi qu'il en soit, je suis heureuse de rester sur les lignes de côté. Rien ne m'oblige à participer. En même temps, je ne suis pas seule. Cal avait vu juste. Je suis contente d'être venue.

— Tu vas jouer ? demande Ansel.

— Jamais de la vie.

— Tu as tort. C'est amusant.

Ansel se tortille pour mieux voir.

Cal s'empare d'un contrôleur et adresse un signe de tête à Quentin. Et les garçons se mettent en position. Lorsqu'ils appuient sur les manettes avec le pouce, deux images apparaissent sur le mur.

Je tressaille. L'avatar de Cal est humain, colossal et vêtu d'un long manteau évasé. *Il ressemble à Burn.*

L'avatar à l'image de Burn a des cheveux sombres qui lui arrivent au menton, des sourcils broussailleux et des traits affirmés. Pour créer ce personnage, le concepteur du jeu s'est de toute évidence inspiré de l'image de Burn qu'on a affichée dans tout le Havre, au lendemain de mon prétendu enlèvement. Seuls diffèrent les yeux, mélange de rouge et d'orange. On les dirait sur le point de faire feu. Ce n'est du reste pas impossible.

Quentin découvre son avatar, un Déchiqueteur, et éclate de rire. Puis il se frappe la poitrine du poing. Sur l'écran, l'avatar de Quentin imite le geste, et des morceaux de peau et de chair se détachent de son torse. Mon nez se plisse. Le rire de Quentin, amplifié par les haut-parleurs du jeu, se transforme en un rugissement. Moins sinistre que ceux que poussent les Déchiqueteurs, il n'en envahit pas moins la pièce. J'en ai mal aux oreilles.

Stacy se plante devant les deux garçons.

— Bonne chance, dit-elle en décochant un clin d'œil à Cal.

Il lui rend son sourire, et la peau me démange.

— C'est parti! s'écrie Stacy en s'écartant.

Les deux garçons se tournent vers l'écran pour engager le combat.

Les spectateurs poussent des acclamations. Au lieu d'observer la fausse boucherie à l'écran, je ne quitte pas Cal des yeux. Ma vie est déjà trop compliquée : il est hors de question que je regarde Cal actionner une image à la ressemblance de Burn.

Cal s'esquive, plie les jambes, saute et rue. À en juger par les cris et la façon dont Quentin recule, je me dis que l'avatar de Cal a asséné un coup foudroyant sur la poitrine de Quentin.

Pendant que le combat se poursuit, j'épie Cal et j'imagine ce qui se produirait s'il découvrait la vérité à mon sujet. Comment réagirait-il? Aurait-il envie de me dénoncer, de m'affronter, de me tuer? Comprendrait-il, au contraire, et continuerait-il de m'aimer? S'il était au courant, peut-être réussirais-je à l'aimer sans réserve, ainsi qu'il le mérite.

Il a déjà fourni la preuve de sa loyauté en ne dénonçant pas mon frère aux autorités et en me restant fidèle après mon enlèvement. La haine de Cal pour les Déviants est ancrée dans la désinformation, celle dont sont gavés tous les occupants du Havre. S'il connaissait la vérité, peut-être les choses seraient-elles différentes.

Le volume des acclamations augmente. Cal lève les bras au-dessus de sa tête et crie. La partie est terminée. Il a gagné. Je me tourne vers l'écran, où des flammes jaillissent des yeux de l'avatar à l'image de Burn. Pour un peu, j'éclaterais de rire.

Je descends du cageot et je fends la foule dans l'intention de féliciter Cal. Stacy, cependant, me prend de vitesse. Un flux acide envahit mon estomac. Je suis sur le point de foncer et de la repousser lorsqu'un autre élève lance un défi à Cal, qui se détourne de Stacy. Je me dirige vers le cageot. Ansel, lui, a disparu.

Des cris s'élèvent au-dessus du brouhaha, et quelque chose ou quelqu'un heurte le mur, si violemment qu'il en vibre. Je monte sur le cageot pour mieux voir. Thor tire Ansel par sa chemise et, sans ménagement, le plaque contre le mur.

— Tu n'es pas un Déviant? Prouve-le! crie-t-il en frappant Ansel en plein ventre.

— Une bagarre! crient quelques voix à l'unisson.

La foule forme un demi-cercle autour des belligérants. Thor plaque la paume de sa main contre le mur, juste à côté de la tête d'Ansel.

— Allez, Déviant! Montre-nous ce qui fait de toi un *freak*!

La haine que je voue à la brute de notre classe s'accentue, et je me demande si je réussirais à convaincre M. Belando que Thor est la taupe terroriste. L'idée est risible : personne ne déteste les Déviants autant que lui. Et, d'après ce que j'ai vu, il n'est pas assez futé pour tromper qui que ce soit.

Je doute qu'une dénonciation aurait pour effet d'arrêter les véritables terroristes, mais Thor serait à tout le moins expulsé du PFAC.

Les poings serrés, la brute remonte sa lèvre supérieure et asticote Ansel, le provoque, le met au défi d'attaquer. Ansel s'éloigne du mur.

— Je ne suis pas Déviant.

— Dans ce cas, tu n'as rien à craindre, dit Thor. Tu réussiras haut la main mon petit test.

Thor charge, mais Ansel s'accroupit et, en se relevant, assène à Thor un solide coup de poing sur le nez. Thor pousse un rugissement, et le sang qui dégouline sur sa lèvre supérieure vole dans tous les sens. Fou de rage, il s'avance en battant des bras, et ses poings martèlent le corps d'Ansel, plié en deux. Thor n'utilise aucune des techniques de combat qu'on nous a enseignées ; contre un opposant plus petit, sa sauvagerie se révèle pourtant d'une étonnante efficacité. Ansel risque d'y laisser sa peau.

Je bondis, et les battements de mon cœur résonnent dans mes oreilles. J'essaie de me rapprocher. Quelqu'un doit arrêter Thor.

Avant que j'aie pu intervenir, Cal se faufile jusqu'à l'avant du demi-cercle.

Sous l'effet de la peur, mon estomac se contracte. Quelqu'un doit arrêter Thor, mais pas Cal. Je ne veux pas qu'on lui fasse du mal. Se battre par contrôleurs SIM interposés, passe encore. Un corps à corps est une autre paire de manches.

— Ne t'en mêle pas, lui crié-je.

Les vociférations de nos camarades de classe ont noyé ma voix.

— Stop ! crie Cal.

Sa voix puissante s'impose, malgré le brouhaha. Les deux garçons, cependant, l'ignorent.

Cal se rue sur Thor, l'enserre et lui immobilise les bras derrière le dos. Thor se débat, mais Cal, usant des techniques qu'on nous a apprises dans notre cours de maîtrise des prisonniers, frappe les lourdes jambes de Thor jusqu'à ce que ce dernier tombe à genoux.

Ansel semble sur le point d'asséner un coup de pied au visage de son adversaire terrassé. Cal, cependant, secoue la tête.

— N'y pense même pas.

Ansel interrompt son geste et bat en retraite.

Cal libère Thor, et le gros garçon s'écroule sur le sol.

— Depuis quand me donnes-tu des ordres ? Pour qui te prends-tu, au juste ?

Tant bien que mal, Thor se remet sur ses pieds et s'adosse au mur en foudroyant Cal du regard.

— On t'a nommé chef sans le dire à personne ?

Cal lève les mains.

— Nous formons une équipe. Je ne sais pas ce que vous vous reprochez, Ansel et toi, mais ce n'est pas la bonne façon de régler vos différends.

En jurant, Thor se rue de nouveau sur Ansel.

— Cet avorton est un Déviant.

Du sang et de la bave s'échappent des lèvres de Thor.

Cal lui bloque le passage.

— Qu'est-ce qui te fait croire ça?

Le visage de la brute s'empourpre. Sur sa tempe, une veine palpite et du sang dégoutte de son nez.

— Il n'est pas à sa place, ici. Il est trop faible, trop petit. Ceux qui devront servir avec lui risquent d'y laisser leur peau. Pareil pour ta copine. Ils n'ont rien à faire parmi nous, ces deux-là. Larsson le sait. Nous le savons tous.

Au son du nom de sa petite amie, la mâchoire de Cal s'est mise à trembler.

— Ansel a été admis, comme nous tous.

— Ouais, mais…

Thor passe sa main sous son nez pour essuyer le sang.

— Quelqu'un a sûrement tiré des ficelles. Il est nul. Il n'a pas pu réussir les examens d'admission, poursuit Thor en prenant les autres à témoin. Il n'était même pas présent, ce jour-là. Quelqu'un l'a vu?

Quelques garçons secouent la tête.

Cal se déplace de nouveau en ayant soin de rester entre les deux garçons.

— À supposer que tu aies raison – et je ne dis pas que ce soit le cas –, Ansel va devoir réussir le programme, comme nous tous.

Thor plisse les yeux.

— Il utilise des trucs de Déviant pour se tirer d'affaire. C'est injuste.

— Quels trucs? lui demande Cal. Explique-toi.

— C'est exactement ce que j'essaie de déterminer, crétin.

Thor le repousse.

Cal se redresse et carre les épaules.

— Tu racontes n'importe quoi, dit-il en pliant et en dépliant ses mains le long de son corps. Nous avons tous été sélectionnés avec soin. Il n'y a pas de Déviant au sein du PFAC. Si un de ces monstres osait s'approcher, il serait aussitôt liquidé.

— L'un d'eux a pu passer entre les mailles du filet, dit Thor, plus calmement. Ils possèdent des pouvoirs spéciaux.

Cal lui donne une tape sur le bras.

— Bon. Prouve-moi que l'un de nous est Déviant, lance Cal en balayant la pièce d'un geste du bras, et je t'aide à l'éliminer.

Je presse la main contre mon estomac dans l'espoir de l'apaiser.

Cal tend les mains vers les contrôleurs de jeu.

— Servez-vous du SIM pour régler vos différends, propose-t-il en tendant une manette à Thor et une autre à Ansel. Affrontez-vous dans les formes. Après, nous discuterons calmement de tout ça.

— Je vais l'écrabouiller, dit Thor. Peu importe l'avatar qu'on m'attribue.

— C'est ce qu'on va voir, répond Ansel qui s'empare d'un contrôleur et se campe devant l'écran.

Du revers de la main, Thor essuie le sang sous son nez.

— C'est parti.

La partie s'amorce, et Cal se range sur le côté, les bras croisés sur la poitrine. C'est un meneur-né. Je l'ai toujours su, mais, en ce moment, je le vois plus clairement qu'avant.

Et jamais je n'ai été plus reconnaissante de l'avoir comme ami et aussi comme partenaire. La fierté monte en moi, repousse la terreur. Sans Burn, je pourrais retomber amoureuse de Cal. Férocement amoureuse.

L'altercation, cependant, a prouvé que mon amour est condamné d'avance. S'il découvre la vérité, Cal ne se contentera pas de me haïr. Il souhaitera ma mort.

CHAPITRE NEUF

Lâchant le dernier barreau de l'échelle, je me laisse tomber d'une hauteur de sept mètres et j'atterris en position accroupie. Immobile, je tends l'oreille et je regarde autour de moi pour être certaine qu'il n'y a personne d'autre dans la ruelle. La lune se réfléchit dans le ciel depuis six heures déjà, et sa pâle lueur gris-bleu confère à ma peau une teinte blafarde. Constatant que la voie est libre, je franchis la courte distance qui me sépare de la porte en métal dérobée derrière laquelle j'ai l'habitude de retrouver Clay.

Au lieu d'accompagner les Déviants secourus jusqu'à la Colonie, comme Burn l'a fait avec Drake et moi, Clay confie les jeunes à une équipe de transport qui attend de l'autre côté du mur.

Après m'être assurée de nouveau qu'il n'y a ni curieux ni caméras de surveillance réparées depuis peu, je tape deux fois sur la porte, marque un temps d'arrêt, donne trois coups de plus. La porte s'ouvre. Clayton est enveloppé de ténèbres. J'entre et je referme. Une faible lumière s'allume.

J'ai le souffle coupé. Clayton n'est pas là.

C'est Burn qui se tient devant moi.

Devant ses sourcils sombres et broussailleux, ses cheveux bruns qui lui arrivent au menton, son corps massif sous le long manteau flottant, je sens mon ventre se contracter. Pompé par mon cœur emballé, mon sang inonde mon visage et mes oreilles. Mon corps, en équilibre sur les orteils, veut bondir et se blottir dans les bras de Burn, mais mon cerveau me retient. Je suis toute retournée, et mes terminaisons nerveuses, à vif, me bombardent de stimulus.

Dois-je le prendre dans mes bras ? Dois-je lui serrer la main ? Rien ne paraît convenir.

— Qu'est-ce que tu regardes comme ça, la bouche grande ouverte ? demande-t-il d'une voix neutre et froide.

Ma gorge se comprime.

— Je... Je suis surprise de te voir.

Ma langue me semble enduite de poussière. Je parcours des yeux la pièce de trois mètres sur trois où sont empilés des récipients en plastique, triés par taille.

— Où est Clay ?

— Comme si tu n'étais pas au courant...

Sa voix est étrange.

— Pourquoi devrais-je être au courant ?

Il fronce les sourcils.

— Tu t'attendais vraiment à trouver Clay ici ?

— Évidemment. C'est lui, mon Extracteur.

— Plus maintenant.

— C'est injuste ! m'écrié-je en m'efforçant d'apaiser ma colère, de modérer mon cœur affolé. J'ai fait du bon travail et je suis prudente. Rolph n'a pas le droit de me tenir à l'écart.

Dans ma voix, le désespoir transparaît.

— Je dois sauver d'autres Déviants.

— Tu *dois* ? répète-t-il en arborant un sourire de mépris. Ce n'est pas de toi qu'il s'agit.

— Je sais.

Je baisse les yeux sur le sol poussiéreux, et une autre possibilité s'impose à moi. Se pourrait-il que Burn soit mon nouvel Extracteur ? En acceptant de m'associer à l'AL, j'espérais pouvoir travailler avec Burn. Et si, dorénavant, je collaborais avec lui ? Et si je le voyais quelques fois par semaine ?

Dans la même pièce que lui, je me rappelle la sensation d'être blottie dans ses bras forts, caressée par ses lèvres. Je sais que c'est impossible. Lorsque nous nous abandonnons à notre attirance physique, nos dons de Déviants se déclenchent. La prochaine fois, l'un de nous risque d'y laisser sa peau.

— Qu'est-ce que tu viens faire ici ? demandé-je en m'avançant d'un pas. Tu cours des risques, au Havre. On te recherche pour mon enlèvement.

Il grogne.

Je baisse les yeux.

— C'est bon de te voir.

Il croise les bras sur sa large poitrine.

— Quoi ?

Son ton m'assomme comme un coup de poing. Peut-être m'a-t-il vue avec Cal. Où et quand ? Au moins, mon désir de l'embrasser s'étiole.

— Pourquoi es-tu si distant ?

— Distant ? répète-t-il.

— Tu agis comme si tu me connaissais à peine.

— Mais je te connais à peine.

Il secoue la tête sans cacher son dégoût.

— Et, en ce qui me concerne, c'est déjà trop.

Chacun des mots de Burn me porte un nouveau coup. En le voyant maintenant, j'ai l'impression que le lien entre nous a été rompu, comme si un mur, une force nous éloignait l'un de l'autre. Et j'ignore si cette force émane de lui ou de moi.

Je lève le menton dans l'espoir d'empêcher mon corps de trembler.

— Ne fais pas comme si je ne représentais rien pour toi, Burn, comme si je n'avais jamais rien représenté. Ne fais pas comme si nous n'avions pas passé des heures ensemble dans la poussière, comme si nous n'avions pas été attaqués par des Déchiqueteurs, capturés par des militaires sadiques… Ne fais pas comme si…

Je ne peux pas aller jusqu'au bout. Mes joues s'empourprent.

— Ah! ça…, lance-t-il, un sourire hideux se formant sur son visage. J'ai compris, va. Je te plais.

Je reste immobile, la mâchoire tremblante. Ma tête me semble sur le point d'exploser. Je ne dois pas répondre à ses provocations. Qu'importent ses motivations? Tout ce qui compte, c'est qu'il me fournisse une nouvelle liste de cibles, que je puisse secourir d'autres Déviants.

— Admets-le: tu en pinces pour moi.

Il gonfle son manteau et adopte une pose d'homme fort.

— Ça empeste le désir adolescent.

Ma souffrance se mue en colère.

— Ferme-la! crié-je en tapant du pied. Tu te comportes en salaud.

— Désolée, petite fille, poursuit-il. Avec toi, c'est terminé. Je suis passé à autre chose. Je me suis trouvé une vraie femme.

— Je t'interdis de m'appeler « petite fille ».

J'ai prononcé les mots en serrant les dents, car je me sens précisément ainsi.

— C'est ce que tu es, pourtant.

Un des coins de sa bouche se retrousse, et il tourne autour de moi en se pavanant, un demi-sourire méprisant sur le visage.

— Une petite fille non qualifiée pour ce genre d'affectation. Ni qualifiée ni dûment formée par l'AL. J'ai bien dit au commandant qu'il ne devait pas risquer la vie de vrais soldats, qu'il ne devait risquer la vie de personne, en réalité, en misant sur toi.

Je serre les poings en me retenant à grand-peine de les utiliser.

— Rolph m'a *choisie* pour cette mission. Il m'a *demandé* de l'accepter.

Sur la recommandation de Burn, du reste. Mais si je le lui rappelle, il va sans doute retourner la situation contre moi et fouiller les plaies affectives qu'il a lui-même ouvertes.

— C'est mon travail. Je m'en acquitte bien.

— Quand il t'a proposé ce boulot, Rolph était manifestement désespéré. Parlant de désespéré, je l'étais, moi aussi.

— Quoi?

Mes entrailles se désagrègent. Je ne peux plus respirer. En pensée, je songe à la dernière fois que j'ai vu Burn, à ses énormes bras entourant mon corps, m'enserrant comme si j'étais le trésor le plus précieux du monde.

Et il me parle sur ce ton, maintenant?

De toute évidence, c'est *moi* qui étais désespérée. Ma gorge se ferme presque sous l'effet du regret et de la fureur. Quand j'ai rencontré Burn, je croyais que Cal m'avait trahie. Cette conviction faussait mon jugement. Si j'avais su la vérité sur Cal, je ne me serais pas permis d'éprouver des sentiments pour Burn.

Même s'il était au courant depuis le début, Burn m'a laissée en vouloir à Cal, le garçon que j'aimais depuis toujours, celui que je fréquentais (et que je fréquente) officiellement. C'est à cause de Burn que j'ai trahi Cal.

Et, à présent, il affirme sans détour que je n'ai jamais compté pour lui.

Très bien. Il ne compte pas pour moi non plus. Je refoule ma souffrance. Je refuse de lui donner un tel pouvoir sur moi.

— Tu as avalé ta langue, petite fille? demande-t-il en croisant les bras sur sa poitrine.

Je me rue sur lui, la colère jaillissant de moi comme l'air d'une bouche d'aération défectueuse.

— Je suis une soldate de l'AL, pas une petite fille, espèce de… espèce de violeur!

— Violeur, moi? répète-t-il en riant. Ça devient intéressant.

Je lève le menton.

— Étant donné ta Déviance, je suis certaine que tu en as violé quelques-unes. Dommage pour ta petite amie.

Mots cruels, mais amplement mérités.

— Elle ne se plaint pas.

Il s'appuie sur le mur, et ses biceps gonflent le tissu de son manteau.

J'ai la poitrine serrée, mes côtes compriment mes poumons.

— Génial. Tant mieux pour toi. J'ai compris. Tu es heureux. Tu t'es uniquement servi de moi. Pas de problème. Mais rien ne t'oblige à agir comme si tu me détestais.

Il s'avance.

— J'ai des tas de raisons de te détester. On a tort d'utiliser des employés du Havre pour les extractions. Surtout toi.

Mes épaules s'affaissent.

— Pourquoi surtout moi ?

Il a un sourire méprisant.

— Parce que tu es apparentée à Hector Solis.

Le nom de mon père emballe mon cœur, et je fonce vers Burn.

— Il m'envoie un message ? Il se porte bien ? Et Drake ? Quelque chose ne va pas ?

Il secoue la tête.

— Et Gage ? J'essaie de trouver ses enfants.

À l'Extérieur, Burn a sauvé Gage et lui a montré comment prendre de la poussière sans risque. En l'évoquant, j'espère ramener Burn à la raison.

— Tu connais leurs noms ? Tu sais où les trouver ? Ils sont Déviants ?

Burn me dévisage comme si j'avais perdu la tête.

— Ne compte pas sur moi pour te fournir des informations. Jamais. Tu es des leurs, maintenant.

— Des leurs ?

Je serre les poings. Si je n'avais pas peur qu'il me tue, je le cognerais.

— Tu es Déviant, toi aussi.

Sans oublier que nous avons le même âge, lui et moi. Ses insultes, ses commentaires, ses « tu es trop jeune », ses « petite fille » me restent donc sur le cœur.

— Je te parle de ton statut d'employée, crétine. Pas de celui de Déviante. Tu fais partie des masses à qui on a lavé le cerveau.

Ses paroles attisent le feu de mes joues, ma colère et ma peine.

— Personne ne m'a lavé le cerveau ! Et je ne suis pas une crétine !

J'ai du mal à démêler les méchancetés qu'il me jette à la figure, à maîtriser mes émotions. Ma Déviance risquerait de le tuer. Pourquoi donc s'est-il retourné contre moi ?

Je respire lentement, j'essaie de comprendre, de recouvrer mon sang-froid. Burn savait que j'allais revenir au Havre et il n'a jamais laissé entendre qu'il s'opposait à ce projet. J'ai même eu l'impression qu'il était fier que j'accepte, que je risque ma vie pour en sauver d'autres. Qu'est-ce qui a changé ?

On dirait que j'ai un autre Burn devant moi.

Quoi qu'il en soit, je dois demeurer professionnelle. Je dois me rappeler l'essentiel. Burn, Cal et moi ne comptons pas. L'important, c'est de sauver des Déviants. C'est pour cette raison que je suis revenue.

Je me racle la gorge.

— J'ai besoin de nouveaux noms. Il en reste seulement un sur la liste que m'a fournie Clay : Adele Parry.

Il se raidit.

— N'y touche pas. Son cas ne te concerne pas.

— Le nom d'Adele figure sur la liste que Clay m'a remise. C'est donc à moi de la trouver et à toi de la conduire en lieu sûr, dis-je en m'efforçant de parler d'une voix mesurée. Chaque fois que je le pourrai, je me présenterai ici à une heure du matin, comme avec Clay.

Je carre les épaules.

— Je vais faire mon travail. Occupe-toi du tien.

— Tu me prends pour ton nouvel Extracteur ?

Ses narines se dilatent.

— Non, merci. Je n'ai pas envie d'être tué.

— Tu as raison.

Je secoue la tête. Mieux vaut laisser Clay s'en charger.

— Le Havre est dangereux pour toi.

— Avec toi, personne n'est en sécurité.

Je lève le menton.

— J'ai trente-sept extractions réussies à mon actif.

— Et, à cause de toi, ton Extracteur a perdu la vie.

J'ai un mouvement de recul.

— Quoi ?

— Clayton est mort, répond Burn en s'avançant vers moi, les bras croisés sur sa large poitrine. Mort à cause de ton incompétence.

— Que s'est-il passé?

Ma voix est à peine un souffle qui vide mes poumons. Ils refusent de se remplir.

— Assassiné, en même temps que ta dernière cible.

Le coup me plie en deux.

— Non.

Arabella?

Je halète, tente désespérément de reprendre mon souffle. Puis je me redresse.

— J'ai assisté à la dernière liquidation. Rien à voir.

— La Direction ne monte pas un spectacle chaque fois que quelqu'un est liquidé. Surtout pas quand il s'agit d'une petite fille aux yeux brillants qui a l'air d'un foutu ange.

D'énormes rochers m'obstruent la gorge. Arabella est morte. Et Clay.

— Comment est-ce arrivé?

— Ils ont été cueillis avant même de sortir du Havre. Nous n'avons pas eu le temps d'organiser une mission de secours. Les Déchiqueteurs les ont entraînés dans un de leurs camps. Lorsque nous les avons enfin retrouvés, il ne restait plus grand-chose.

Mon souffle s'accélère. Je me sens nauséeuse.

— Qu'est-ce qui n'a pas marché? Que faut-il que je change, la prochaine fois?

— Il n'y aura pas de prochaine fois. Pour toi, c'est terminé. Tu ne fais plus partie de l'Armée de libération. Tu n'auras plus jamais de contact avec nous.

— Non.

J'ai l'impression d'être ensevelie sous un millier de tonnes de gravats.

— L'AL ne peut pas se débarrasser de moi. Je vais sauver d'autres Déviants, avec ou sans vous.

— Clay était un chic type, dit Burn d'une voix tremblante.

Il se rue sur moi en brandissant le poing.

Je me retiens à grand-peine de m'esquiver, mais il s'arrête avant de me frapper. Mon cœur bat à tout rompre.

— Vous étiez très proches, Clay et toi ? demandé-je doucement.

La grimace de Burn répond avec éloquence à ma question. Pas étonnant qu'il soit aussi bizarre. Il vient de perdre un bon ami. Moi aussi, d'ailleurs. De toute évidence, il tenait beaucoup à Clay. Ils se fréquentaient sans doute depuis des années, comme compagnons de lutte au sein de l'AL. Burn n'a jamais connu ses parents biologiques.

Clay l'aurait-il élevé ? Je me rends compte du peu que je sais sur Burn.

Ma volonté de regagner sa confiance et celle de Rolph s'affermit. Je suis catastrophée d'apprendre qu'Arabella et Clay ont été capturés, mais, quelles qu'aient été les circonstances, je sais que les Confs ne m'ont pas vue sortir de la bouche d'égout. Je refuse de croire qu'ils ont été arrêtés par ma faute. Si je pouvais voir Rolph, c'est ce que je lui dirais. Je crois cependant que je perdrais mon temps en plaidant ma cause auprès de Burn, aveuglé par la colère.

Si je retrouve Adele Parry, ils comprendront que je suis indispensable.

Je tends la main vers la poignée.

— Je serai ici toutes les nuits. Je t'informerai du moment où tu pourras procéder à l'extraction d'Adele. Je vais la trouver.

— Bonne chance, répond-il avec ironie.

Il me regarde d'un air de mépris et j'étudie la forme de sa mâchoire puissante, l'aspect de ses yeux foncés, dans l'espoir de retrouver des vestiges du garçon que j'ai connu, de son courage, de la blessure qui l'habite, de la façon qu'il avait de me contempler autrefois.

Je ne vois que du dédain.

Je détourne les yeux pour éviter de commettre un meurtre.

Soudain, les trois derniers mois me font l'effet de dix existences. J'avais cru que revoir Burn me rapprocherait de ma famille et atténuerait un peu ma solitude. Or, je me sens beaucoup plus mal qu'avant.

Jusqu'à il y a trois mois, j'ai vu Drake chaque jour de ma vie ; sans mon frère, tout un pan de moi manque à l'appel. L'attitude de Burn attise ma solitude. Une douleur profonde et sombre s'ouvre dans ma poitrine, à la façon d'une plaie. Un trou béant que seule ma famille saurait remplir.

— Éteins ta torche, je vais ouvrir, lui dis-je d'une voix glaciale.

La pièce est plongée dans l'obscurité, et je me glisse dans la ruelle.

CHAPITRE
DIX

Blessée et hébétée, je me glisse à travers les conduits de ventilation, les suis à partir du toit, puis je me laisse tomber dans le couloir de la caserne. Si on ne m'autorise plus à sauver de Déviants, à quoi bon rester au Havre ? Pourquoi endurer la solitude, le danger, l'air confiné ? Par-dessus tout, je suis anéantie par le rejet absolu et sans appel de Burn.

Burn est le seul qui me connaisse à fond et m'accepte. Telle que je suis vraiment. Lui seul comprend ce que veut dire perdre la maîtrise de soi, découvrir qu'on a usé de ses pouvoirs pour donner la mort et n'en garder aucun souvenir. Nous avons tué, Burn et moi : nous avons en commun le poids de cette culpabilité. J'ai commis l'erreur de croire qu'il y avait autre chose entre nous.

La solitude est comme une poussière qui obstrue ma gorge, une douleur aiguë dans mes os. À cause de l'indifférence de Burn, les mois que j'ai passés loin de ma famille me font l'effet de centaines d'années, et j'ai l'impression que des milliers de kilomètres nous séparent.

Les muscles tremblant de fatigue, j'atterris dans le couloir et je replace le grillage. La cloche matinale sonnera dans moins de trois heures.

C'est ma troisième nuit consécutive sans sommeil, ou presque. Dès que j'aurai repéré Adele, je récupérerai ma place au sein de l'AL. Cette nuit, cependant, je suis trop fourbue pour m'introduire dans le Système et tenter de nouvelles recherches. Les yeux baissés, je me dirige vers ma chambre.

— Veux-tu bien me dire où tu étais passée ? demande Stacy d'une voix beaucoup trop forte.

Je sursaute.

Murmurer ne fait pas partie des compétences de Stacy. Pourquoi n'ai-je pas jeté un coup d'œil dans le couloir, aussi ? M'a-t-elle vue arriver par la bouche d'aération ?

— Je suis allée aux toilettes, lui dis-je avant de me rendre compte qu'elles sont du côté opposé.

— Menteuse.

Elle secoue la tête, et ses boucles bondissent comme des ressorts.

— Je vais te dénoncer à Larsson.

Au passage, elle me cogne l'épaule avec la sienne, sans doute déterminée à mettre sa menace à exécution. Mon esprit surmené peine pour trouver une solution.

— Attends.

Stacy se retourne et me dévisage avec dédain. Ses épaules sont deux fois plus larges que les miennes. Dans l'uniforme des Confs, elle sera beaucoup plus crédible que moi.

— J'étais sortie faire un tour, lui dis-je. Question de me délier les jambes.

Je plie mon pied, et la grimace qui déforme mon visage n'a rien de feint.

— Une crampe…

Un coin de sa bouche se retrousse.

— Tu aurais pu marcher dans notre chambre.

— Je ne voulais pas te réveiller.

Elle pince les lèvres.

— Le règlement nous interdit de nous trouver du côté de la caserne réservé aux hommes après vingt et une heures.

— Dans ce cas, Stacy, demande la voix de Cal (nous sursautons toutes les deux), pourquoi te dirigeais-tu par là, toi ?

Stacy passe une main dans ses boucles courtes et incline une épaule dans l'espoir, peut-être, de se rapetisser et de se donner une allure plus féminine.

— Tu veilles tard, Cal, dit-elle d'un ton doucereux à vous lever le cœur. Insomnie ?

Elle tortille une de ses boucles.

— Je peux t'aider ?

— Je m'assure simplement que Glory rentre bien dans sa chambre.

— Tu n'as toujours pas fait de démarches pour la révocation de ce permis ? demande-t-elle en montrant le bracelet au poignet de Cal.

— Je te l'ai déjà dit, Stacy, énonce Cal d'une voix égale. Glory et moi n'avons aucune intention de renoncer à notre permis.

— Vous n'avez pas l'air d'un couple, réplique Stacy en plissant les yeux. Elle a un mouvement de recul chaque fois que tu la touches.

Les narines de Cal frémissent.

— Notre relation ne regarde que nous.

Je me sens nauséeuse. L'intérêt de Stacy pour Cal a révélé des secrets que j'aurais préféré garder pour nous.

Stacy touche le bras de Cal et se penche vers lui.

— Elle te fait chanter ? Elle t'oblige à rester avec elle ? Si votre permis est bidon, les RH doivent être mises au courant.

— Laisse tomber, Stacy. Sérieusement.

Cal s'éloigne d'elle et passe son bras autour de mes épaules. J'essaie de ne pas me raidir. Quand j'y pense, je me rebiffe davantage.

— Nous formons un vrai couple, dis-je.

— On ne croirait pas, répond Stacy, la mâchoire trem-blante. Tu me donnes plutôt l'impression de vouloir t'enfuir.

Je me blottis contre Cal.

— Tu nous accuserais vraiment d'une chose pareille ? demande Cal à Stacy d'un ton implorant. Je croyais que tu étais mon amie.

— Ouais, eh bien…

Manifestement, Stacy est déchirée entre son béguin pour Cal et sa haine pour moi.

— Je ne sais toujours pas ce que Glory fabriquait dans le couloir. Une crampe à la jambe… Mon œil, oui. Je me suis réveillée il y a une heure et elle n'était déjà pas dans notre chambre.

Je sens Cal se crisper derrière moi. Puis, se penchant vers Stacy, il murmure :

— Évidemment, puisqu'elle était avec moi.

Le visage de Stacy tressaille, comme si elle s'efforçait de se maîtriser.

— Tu mens. Vous n'étiez pas ensemble. Je ne crois même pas que vous formiez un couple. Je ne sais pas à quoi vous jouez, mais, si vous commettez une fraude, les RH doivent en être informées.

— Tu as besoin de preuves ? Comme tu veux.

Cal incline ma tête et m'embrasse en plein sur la bouche.

Je me raidis, mais je dois convaincre Stacy que Cal dit la vérité. Je me détends, abandonne mon corps, ma bouche. Le baiser de Cal se fait plus profond, et la pression de ses lèvres, la chaleur de ses mains, la tension et la passion de son corps ravivent quelque chose en moi, attisent mes sentiments d'autrefois, ceux que j'éprouve pour lui depuis mes onze ans et ses treize ans à lui.

Cal, fort, généreux et loyal, est l'une des meilleures personnes que je connaisse et, en ce moment, je pourrais tomber de nouveau amoureuse de lui. Je le suis peut-être déjà. La fatigue seule ne peut pas expliquer mes jambes flageolantes, le remuement de tout mon être, la sensation de chaleur qui m'envahit. Sans ses mains pour me retenir, je m'écroulerais.

— Bon, bon, ça va, dit Stacy d'une voix étranglée. J'ai compris. Vous pouvez arrêter.

Cal se relève. Des questions se mêlent à la passion que je lis dans ses yeux. En réponse, je n'ai que de la gratitude à lui offrir.

Il a risqué gros en mentant. En fournissant un alibi qui justifie mon absence, il a joué sa réputation. Stacy ne peut pas me dénoncer sans le dénoncer, lui aussi. Espérons que son désir de rester dans les bonnes grâces de Cal sera plus fort que son envie de me nuire.

Cal pose ses lèvres brûlantes sur mon front et, les jambes en coton, je me dirige vers notre chambre sur les talons de Stacy. Sur le seuil, je me retourne. Cal m'observe pour s'assurer que je vais bien, mais son visage, dénué de toute chaleur, n'exprime que des interrogations.

À la fin de notre cours de lutte au corps à corps, au moment où nous sortons du gymnase, Cal me prend à part.

— Il faut qu'on se parle.

— Larsson veut que nous soyons en uniforme pour le prochain cours, dis-je en essuyant mon visage en sueur avec une serviette. Ça peut attendre ?

N'ayant aucune envie de répondre à des questions sur la veille, j'ai évité toute la journée de me trouver seule avec Cal.

— Non, répond-il, sa main chaude et ferme sur mon avant-bras. Tout de suite.

Je pourrais me dégager (nous avons d'ailleurs répété cette technique aujourd'hui même, en classe), mais je ne veux pas lui faire de mal. En plus, d'autres élèves s'attardent, et je ne peux me permettre de laisser planer des doutes sur notre relation. Stacy n'est peut-être pas la seule à se poser des questions sur notre permis de fréquentation. Tout pour ne pas attirer l'attention. Je ne dois rien faire qui m'empêche de sauver d'autres Déviants. Surtout maintenant que j'ai été exclue des rangs de l'AL.

Je plie une jambe et j'appuie un pied sur le mur derrière moi : ainsi, mon genou crée une barrière entre nous, une marge de sécurité ; si Cal tente de m'embrasser de nouveau, je ne crois pas avoir la force de lui dire non. À en juger par ma réaction de la nuit dernière, mon corps souhaite que nous formions de nouveau un couple – pour de vrai –, mais je suis toujours hésitante et, surtout, je ne suis pas prête à répondre à toutes les questions de Cal. D'ailleurs, j'ai d'autres priorités.

— Où étais-tu ? me demande-t-il.

— Entraînement au combat. Comme toi.

— Pas maintenant, dit-il en essuyant son front avec son t-shirt. La nuit dernière.

Ses yeux trahissent l'inquiétude.

En proie à la culpabilité, je repose mon pied par terre.

— J'essayais d'attraper des rats de contrebande. Pour Jayma.

— Au beau milieu de la nuit ?

— Quand veux-tu que j'y aille, sinon ? Tu l'as vue ? Elle n'a plus que la peau et les os.

Il appuie son avant-bras sur le mur à côté de ma tête.

— Tu es généreuse et attentionnée, et je trouve ça admirable. Mais, dit-il en posant tout doucement ses lèvres sur mon front brûlant, tu dois être plus prudente. La prochaine fois, emmène-moi.

J'essaie de garder le contact visuel, mais j'en suis incapable. De gigantesques secrets me rongent les entrailles. Comment peut-il ne pas les voir ?

— Je m'inquiète pour Jayma.

— Scout s'occupe d'elle, dit-il. Ne sors pas seule la nuit. S'il te plaît. C'est dangereux.

Il se penche, son souffle tiède sur mon visage ; ses lèvres s'approchent.

Il serait si facile de l'embrasser maintenant, de laisser ses mains fortes apaiser les maux de mon corps, de laisser ses lèvres poser ces maux ailleurs.

Je m'esquive, fuis l'intimité.

— Allons nous changer.

J'étire un bras devant ma poitrine, le presse contre mon corps avec l'autre main.

Il abaisse mon bras, supprimant l'écran entre nous.

— Qu'est-ce qui ne va pas ? demande-t-il d'un ton grave. Que me caches-tu ?

— Rien.

J'essaie de planter mes yeux dans les siens, mais ils me désobéissent, se dérobent.

— Ne me mens pas, Glory.

Bien qu'il semble plus blessé qu'en colère, sa mâchoire a un aspect sévère, et j'ai envie d'en suivre le contour âpre et anguleux du bout du doigt, de détendre ses traits et de leur conférer l'expression qui me plaît tant, ce regard débordant d'amour.

Je voudrais tout partager avec Cal, lui dire toute la vérité. À la place, je lui souris comme le font les filles quand elles attendent quelque chose de leur petit ami. Je souris comme Stacy lui sourit.

— Une fille n'a plus le droit d'avoir des secrets, peut-être ?

Sa tête se relève brusquement.

— Pourquoi es-tu comme ça?

— Comme quoi?

J'incline la tête et lui effleure le bras.

Il recule d'un pas.

— Quoi?

— Tu ne peux pas me manipuler, Glory. N'essaie même pas.

Je me redresse, dos au mur, tous mes muscles se raidissant sous l'effet de la culpabilité et du regret.

— Je… Je… Je… suis désolée.

Il croise les bras sur sa poitrine.

— Je t'aime, Glory. Mais je vois bien qu'il se passe quelque chose.

— Il se passe des tas de choses, mais rien que tu ignores. J'ai perdu mon frère. L'aurais-tu oublié, par hasard?

Cal croit Drake mort.

— Et j'ai été kidnappée. J'essaie de m'en remettre, mais c'est difficile.

Ma voix paraît tendue. Je suis incapable de feindre la sincérité. Avec Cal, en tout cas.

— Ce n'est pas tout, dit-il en secouant lentement la tête. Je te connais depuis toujours. Si tu ne peux pas te montrer honnête avec moi, eh bien…

Il frotte ses cheveux coupés ras.

— Stacy a peut-être raison. C'est peut-être terminé entre nous.

Je tressaille. Son expression est implacable, et ses mots me traversent à la façon de milliers de pointes minuscules. Le laisser serait-il la meilleure solution, la solution la plus honorable ? Je ne peux pas perdre Cal. C'est égoïste, mais j'ai déjà trop perdu.

— C'est vraiment ce que tu veux ? dis-je d'une toute petite voix. Demander la révocation de notre permis ?

La tristesse inonde ses yeux.

— Non. Pas du tout. Mais je ne peux plus… continuer comme ça.

Sa main descend doucement sur mon bras et s'arrête sur mon poignet, qu'elle enserre. Du bout du pouce, Cal suit le contour du bracelet, et le contact de sa peau allume de petits feux en moi, déclenche une douleur cuisante dans mon ventre. Le soutien, l'amitié et l'amour de Cal m'ancrent, m'empêchent de sombrer dans le vaste trou noir de la solitude, et c'est au moment où il menace de me les retirer que je m'en aperçois. Ces jours-ci, Cal représente ce qui, pour moi, se rapproche le plus d'une famille.

Il prend ma main et nos doigts s'entrecroisent.

— Tu as toujours été secrète, dit-il en se penchant sur moi. Tu as dû me cacher des choses pour le bien de ton frère. Mais ce n'est plus nécessaire. Arrête de faire semblant. Avec moi, en tout cas. Tu peux avoir confiance en moi. Je n'ai pas de secrets pour toi.

Sans un mot, je hoche la tête. J'ai la sensation d'être transparente et, pendant un moment, je me demande si je le suis. Peut-être Cal est-il un Déviant doté de la capacité de détecter la vérité.

N'importe quoi. Cal est transparent pour moi aussi. Et j'ai horreur de le blesser en ce moment, de l'avoir dupé. Il n'a pas de secrets (envers moi, tout au moins), et je me sens horriblement mal à l'idée de lui cacher tant de choses. Surtout qu'il m'a fourni un alibi, la nuit dernière.

C'est injuste, et il faut que ça cesse.

Je le regarde dans les yeux.

— Si tu veux être avec Stacy, je vais aller avec toi aux RH pour demander la révocation de notre permis. Je vais cocher toutes les cases que tu veux afin que nos versions concordent.

Il plisse le nez.

— Je ne veux pas être avec Stacy.

— Bien.

Le mot m'a échappé.

— Je veux que tu sois honnête.

Je ne sais plus où me mettre. Je voudrais me confier à quelqu'un. À Cal.

— Si je te raconte mes secrets, lui dis-je à voix basse, tu ne dois les répéter à personne.

Il s'approche un peu plus.

— Promis.

Je ferme les yeux.

— Quand je sors la nuit…

Vais-je vraiment tout lui avouer? J'ai des papillons dans l'estomac, la bouche sèche. J'ouvre les yeux.

— … c'est pour aller voir M. Belando.

Je ne peux pas aller plus loin.

Il écarquille les yeux.

— Pourquoi?

Je regarde autour de nous pour être certaine que personne ne peut nous entendre.

— Belando croit qu'il y a une taupe au sein du PFAC. Quelqu'un qui collabore avec les terroristes.

— Ah bon ? s'étonne Cal en serrant mon bras plus fort. Pourquoi Belando s'est-il adressé à toi ?

— Il me croit capable de l'aider à trouver des Déviants en raison de mon enlèvement. C'est pour cette raison qu'il m'a fait admettre dans le programme.

Cal hoche la tête comme si la situation des trois derniers mois s'éclairait tout d'un coup.

— Laisse-moi t'aider, dit-il.

Il est incapable de dissimuler son excitation.

— Non. Impossible, dis-je en le regardant dans les yeux. Et personne ne doit être au courant.

Je pose ma main à plat contre sa poitrine.

— Personne.

Il fait signe que oui.

— Tu as ma parole. Qui est-ce, à ton avis ?

— Aucune idée.

Je m'assure une fois de plus de l'absence d'oreilles indiscrètes.

— M. Belando pense que les terroristes planifient un attentat pour l'Anniversaire du Président.

Son corps se crispe.

— La moitié du Havre y assistera.

— Je sais.

— Ne t'inquiète pas, dit-il en me serrant contre lui si fort que je sens son cœur battre contre ma poitrine. Si M. Belando est au courant, les Confs déjoueront le complot. Mais sois prudente. Je ne veux pas te perdre. Une fois m'a suffi. Quand on t'a enlevée, j'ai cru que j'allais mourir.

Je me détends, protégée par Cal, enveloppée de son amour. Le moment est peut-être venu de me délester de tous mes secrets, du poids de ma culpabilité. Si je lui raconte tout ce que je sais sur les Déviants, les Déchiqueteurs, la poussière et la vie à l'Extérieur, peut-être m'acceptera-t-il telle que je suis, surtout si je fais le vœu de ne jamais utiliser mes dons pour tuer.

Avec difficulté, je ravale ces aveux qui bouillonnent en moi.

Trop risqué. Le moment est mal choisi, et je ne dois pas perdre de vue mon objectif principal. Lorsque j'aurai repéré Adele et prouvé à Rolph et à Burn que je mérite de rester au sein de l'AL, peut-être pourrai-je tout révéler à Cal.

Je me détache et plonge mon regard dans ses yeux enflammés.

— Je n'aurais pas dû t'en parler. Si Belando découvre la vérité, il me tuera. Je lui ai juré de ne rien dire. À *personne*.

En me confiant à Cal, j'ai mis sa vie en danger.

— Tu peux te fier à moi, Glory. Pour tout. Tu le sais, n'est-ce pas ?

Me plaquant contre le mur, Cal se penche pour embrasser mes lèvres, et je cède, laisse son baiser aux remous enivrants effacer mes craintes, apaiser mon sentiment de culpabilité, annihiler le poids de tous mes secrets.

CHAPITRE ONZE

Dans le gymnase, la tension est palpable, électrisante. Devant nous, un Déchiqueteur tire sur ses chaînes, les bras en croix entre deux poteaux en métal.

Quelques recrues reculent en poussant des cris stridents. Moi, je reste de glace en tentant de maîtriser ma haine et ma peur. J'essaie aussi de comprendre pourquoi Larsson a introduit ce monstre non seulement dans le Havre, mais aussi dans notre gymnase. C'est sans doute pour cette raison qu'il a exigé que nous revêtions notre tenue de combat complète. En même temps, nous sommes désarmés, et j'ai moi-même vu de quoi ces créatures démentes sont capables.

On dirait que le Déchiqueteur est torse nu, mais il est possible que sa chemise soit collée à sa peau par du sang séché. De chaque côté de son cou, il a trois entailles béantes qui, à en juger par leur positionnement symétrique, pourraient être des caractéristiques anatomiques et non des blessures. Des branchies, peut-être ?

Je frissonne à la pensée qu'une accoutumance à la poussière risquerait de me transformer en un de ces monstres. Je préférerais mourir. J'ai déjà commis assez d'atrocités sans souffrir en plus de la folie de la poussière.

— Les bleus, commence Larsson en se frottant les mains, c'est le moment d'amorcer votre vraie formation.

Telle une onde à la surface d'un lac, le groupe tout entier recule d'un pas. *Lâches.* Je reste seule devant.

— Je constate que nous avons une volontaire.

Sans voir le visage de Larsson sous la visière, je devine son expression cruelle, moqueuse.

Une autre recrue s'avance vers moi. C'est Cal, et je résiste difficilement à l'envie de me rapprocher de lui.

— Montez la cage! beugle Larsson.

Au moins une vingtaine de Confs apportent des sections de murs faits de barreaux en acier. En les mettant bout à bout, ils créent une sorte de boîte autour du Déchiqueteur, qui cherche toujours à se libérer de ses liens. De l'écume se forme aux commissures de ses lèvres craquelées, presque noires.

Les autres recrues huent et crient. Maintenant que le monstre est enfermé, elles se montrent plus intrépides, et des cris comme «Je lui ferais sa fête» et «Il n'a pas l'air tellement redoutable» retentissent au sein du groupe, de plus en plus bruyant et fanfaron.

Je serre les dents. Ces idiots n'ont aucune idée de ce qui les attend. Ils n'ont jamais vu de près un Déchiqueteur tailler en pièces un corps humain ou lui arracher des languettes de peau. Ils n'ont pas été témoins de la cruauté insouciante dont ces créatures sont capables, même entre elles.

Et aucun de mes camarades de classe n'en a encore tué une.

Sous les acclamations, des Confs apportent un cadavre sur une civière. La bile me monte à la gorge. C'est un garçon de quatorze ou quinze ans, vêtu seulement d'un short, ses boucles blondes humides sur son front. En essayant de cacher ma désapprobation, je tente d'imaginer ce que mijotent les Confs. À mon avis, ils projettent de jeter le garçon mort dans la cage afin d'offrir aux recrues une version moins épouvantable des Déchiqueteurs à l'œuvre.

Un homme portant une blouse blanche par-dessus son costume produit une seringue et plante l'aiguille dans le cou du garçon mort.

En criant, celui-ci se redresse brusquement sur la civière (il n'est pas mort, après tout) et regarde autour de lui, les yeux exorbités par la terreur.

— Où? Quoi?

Les mots sont à peine audibles à cause de sa voix éraillée et des rugissements que poussent mes camarades, qui semblent juger ce spectacle plus excitant que dégoûtant.

Larsson réclame le silence d'un coup de sifflet, et nous nous calmons.

— Ce Déviant a été condamné à mort, explique-t-il. M. Singh, VP principal de la Conformité, nous a autorisés à utiliser son exécution à des fins éducatives plutôt que d'organiser une liquidation en bonne et due forme.

Des acclamations s'élèvent. Je garde le silence. Tout ce que j'espère, c'est que la Déviance de ce garçon l'aidera à se défendre. Mais il n'aura pas pour autant la vie sauve, à supposer même qu'il survive au Déchiqueteur.

J'aperçois alors les mains et les pieds du garçon. Ils sont palmés comme ceux des oies et des canards que j'ai vus en classe d'histoire, dans les manuels où il est question des animaux éteints. Cette caractéristique ne lui sera d'aucun secours contre le Déchiqueteur. C'est sans doute pour cette raison qu'il a été choisi.

Le garçon descend de la civière et détale, mais il est vite encerclé et maîtrisé par des Confs, qui lui coincent les bras derrière le dos. Il se débat et rue, manifestement conscient du sort qui l'attend.

— Avance, Solis, crie Larsson.

Mon ventre se contracte quand j'entends mon nom.

— Asani aussi.

C'est le nom de famille d'Ansel.

Cal s'avance avec Ansel et moi, et je suis soulagée de constater que Larsson ne semble rien remarquer. Ou encore il s'en moque.

— Plus proche, ordonne Larsson en relevant la visière de son casque. Vous tous. Ici. Plus vite que ça.

Il se positionne à un ou deux mètres du coin de la cage.

— Si vous obtenez votre diplôme, ce qui ne risque pas de vous arriver, à vous deux, il se peut que la vie d'autres Confs soit entre vos mains. Je ne supporte pas les lâches. Surtout quand ils sont faibles.

Refusant d'être poussée par-derrière ou de montrer ma peur, je m'avance à moins de trente centimètres du mur le plus rapproché de la cage. Dans ma visière, je distingue le Déchiqueteur et, dans ses yeux, ce qui ressemble à de la terreur. C'est impossible. Un simple reflet des miens, sûrement. Je sais les Déchiqueteurs capables de réfléchir et de planifier une attaque. La peur, toutefois, leur est étrangère.

— Relevez vos visières, bande de lâches ! aboie Larsson.

Au milieu d'un roulement de déclics, tous obéissent. Sans la médiation du plastique sombre, la peau du Déchiqueteur est encore plus hideuse : elle est brune, rouge et noire avec, sur la poitrine, des taches jaune pâle, vestiges peut-être du blanc d'autrefois.

Reconnaissant les taches d'un blanc mat, je suis sur le point de vomir. La chair desséchée et ravagée de la créature laisse voir trois de ses côtes. Je baisse la tête, moins pour m'épargner cette vision atroce que protéger le Déchiqueteur de mes yeux.

— Qu'est-ce qui se passe, recrue ? hurle Larsson.

Avant même que je comprenne qu'il s'adresse à moi, il m'agrippe par le bras et me propulse vers la cage. Quand j'en heurte les barreaux, le Déchiqueteur hurle et se débat.

— Laissez-la tranquille, dit Cal.

Mes muscles se contractent. *De grâce, ne t'en mêle pas, Cal.*

Larsson est médusé. Sous son calme étrange et terrifiant, cependant, la fureur couve.

— J'ai dit à Belando que c'était une erreur d'accueillir des partenaires dans le même groupe du PFAC. Quel idiot, lance-t-il en secouant la tête, comme s'il parlait d'un enfant désobéissant et non de son supérieur. Cette fille va te causer des ennuis, ajoute-t-il à l'intention de Cal. Elle va te coûter la vie.

— Non, monsieur.

Vif comme l'éclair, le poing de Larsson, recouvert de la lourde armure des Confs, s'envole et s'abat sur le visage nu de Cal, dont la tête est projetée vers l'arrière. Du sang jaillit de son nez.

— Non ! crié-je.

Cal est plié en deux, les mains sur le visage. Avec tout ce sang, difficile d'évaluer la gravité des dommages.

Larsson me regarde avec mépris, mais, au lieu de relever mon éclat, il pousse Cal, prostré. Montrant la flaque de sang, il lui ordonne :

— Nettoie-moi ton gâchis.

Le Déchiqueteur hurle, sans doute excité par l'odeur, et je remets en question la promesse que je me suis faite. Si mon regard croise celui de Larsson, je pourrais tuer, aucun doute là-dessus.

Quelqu'un lance une serviette à Cal et il essuie son visage, puis il la presse pour étancher le sang. Je voudrais le réconforter, l'aider, mais je ne souhaite pas particulièrement mourir. D'autant que je risquerais de rendre la situation encore plus intenable pour Cal.

Un fracas métallique attire mon attention. Les Confs ont ouvert la cage et jeté le Déviant à l'intérieur. Il s'adosse aux barreaux de fer, mais les Confs le frappent avec leurs pistolets pour l'obliger à avancer. Le Déchiqueteur mal entravé se cabre si violemment que j'ai peur qu'il s'arrache les mains en cherchant à libérer ses bras.

Avec un claquement sonore, les menottes autour des poignets du Déchiqueteur s'ouvrent, et ses bras retombent le long de son corps. Pendant un moment, la créature semble surprise et désorientée, puis elle pivote pour faire face au Déviant, qui tente en vain de grimper sur les parois de la cage : ses mains et ses pieds palmés l'empêchent d'agripper les barreaux.

Le Déchiqueteur s'élance, et ses doigts s'abattent sur le dos du garçon, où ils laissent des marques de griffes. Je tressaille en constatant que, chez cette créature, les trois doigts du milieu se terminent par des sortes de couteaux.

Elle a elle-même fait les entailles de part et d'autre de son cou, d'où leur symétrie. Je détourne les yeux ; je ne regarderai pas ce spectacle. J'ai déjà vu trop d'horreurs.

Larsson m'agrippe le menton et m'entraîne vers l'avant.

— Observe !

Mon cou résiste, refuse de céder.

— Observe ou débarrasse, dit-il à mon oreille. Je vais te briser la nuque, s'il le faut.

Je n'en doute pas un instant. De force, sa main oriente mon visage vers la cage ; en revanche, il ne peut pas m'obliger à relever mes paupières. À cause de ma Déviance, j'ai des picotements et des étincelles derrière les yeux. C'est une force incontrôlable. Un cri retentit, et je ne saurais dire s'il est venu du Déviant ou du Déchiqueteur.

— Ouvre les yeux. Il faut que tu voies. Pour ton propre bien.

La voix de Larsson est dure, mais plus calme que je m'y serais attendue. Je m'exécute. Le Déviant est devant moi, le visage pressé contre les barreaux.

Nos regards se croisent, et je lutte contre mon pouvoir. Peine perdue. Je ne me maîtrise plus. Ma Déviance s'est déclenchée, et j'agrippe mentalement le cerveau du garçon.

Le tuer serait la solution la plus charitable, et j'en serais capable. Pour accélérer le processus et épargner la torture à un Déviant comme moi, je n'aurais qu'à comprimer son cerveau, à tordre son cœur ou à rompre sa carotide, par exemple. Je sens son cœur battre violemment, comme s'il était en moi.

Je ne le tuerai pas. Je ne tuerai plus jamais. Je referme les paupières pour briser le lien.

En me tenant toujours par le menton, Larsson me pousse de côté et je tombe sur le sol du gymnase, où ma main glisse sur le sang de Cal.

— À qui l'honneur? demande Larsson.

Au-dessus de sa tête, il brandit un gros Aut, du genre de ceux qu'on utilise à l'Extérieur. Cette arme tire, en succession rapide, de vraies balles. Rien à voir avec les électrodes dont se servent les Confs à l'intérieur du Havre. Après trois secondes de silence hébété, toutes les recrues hurlent à l'unisson, supplient Larsson de les choisir pour tirer dans la cage. Nous n'avons manipulé de telles armes qu'à deux reprises, dans le contexte contrôlé d'un champ de tir.

Larsson lance le pistolet à Cal, qui doit laisser tomber la serviette pour l'attraper.

— Voyons ce que tu as appris.

Cal plisse les yeux. Prenant position, il écarte les jambes, ne semblant pas du tout souffrir des blessures à son visage ou du sang qui jaillit de son nez. Tout le côté gauche de son visage est difforme, enflé et meurtri. On ne voit plus sa pommette, normalement saillante.

Je suis à peu près convaincue que Cal n'a pas réclamé l'arme, mais, maintenant qu'il l'a en main, le sens du devoir et des responsabilités reprend le dessus, plus vite encore que le sang s'écoule de son nez, sûrement cassé. Cal n'est ni cruel ni méchant; en revanche, il est sincèrement persuadé qu'il est justifié de mettre à mort le Déviant et le Déchiqueteur. Il a peut-être raison.

Cal soulève l'arme. Les autres s'écartent un peu. De fortes mains me tirent vers l'arrière pour m'éviter la pluie de douilles brûlantes. C'est Larsson. Cal hésite un moment, et je me demande s'il essaie de déterminer lequel des deux éliminer en premier, puis je me rends compte que c'est là une simple question tactique. Il attend que l'alignement soit parfait pour pouvoir les descendre tous deux d'une seule rafale.

Le Déchiqueteur s'empare du Déviant, et Cal se met à tirer. Une succession de détonations rapides retentit (décidément, je ne m'habituerai jamais à ce bruit), et la fumée légère qui se dégage de la poudre me pique les narines avant d'être remplacée par d'autres odeurs, beaucoup plus viles, en provenance de la cage.

— Bien joué, le bleu, dit Larsson en assénant à Cal une claque dans le dos. Si tu ne te laisses pas trop déconcentrer par cette petite fille, tu iras peut-être jusqu'au bout. Va faire examiner ton visage. Demande à quelqu'un de te conduire à l'hôpital.

— Non! crié-je en saisissant le bras de Larsson.

Il se dégage comme s'il n'avait rien senti.

— Rentrez à la caserne, vous autres!

Nos camarades sortent, nous abandonnant, Cal et moi, avec Larsson. Je ne peux pas le permettre. Je ne peux pas laisser Cal aller à l'hôpital.

« Aller à l'hôpital » est un autre euphémisme qui signifie « exécution », un autre moyen dont se sert la Direction pour se défaire des faibles et des malades, pour éliminer les employés devenus inutiles.

Larsson a donc fini par trouver une façon de nous expulser du PFAC. Je parie qu'il s'attend à ce que je débarrasse, une fois Cal parti. Cal tremble de la tête aux pieds, et je ne sais pas si c'est à l'idée d'aller à l'hôpital ou à cause de la douleur et de l'hémorragie.

Je m'interpose entre Larsson et Cal.

— Vous ne l'emmènerez pas à l'hôpital.

Cal s'avance en titubant.

— Elle a raison. Je n'ai pas besoin d'aller à l'hôpital. Je vais très bien.

Il se touche le visage, et son corps vacille, comme s'il se retenait de vomir.

— Tu as besoin de soins médicaux, le bleu.

Larsson tend la main vers le bras de Cal, mais, en restant campée entre eux, j'attire son attention sur moi.

Je ne suis pas blessée. Pourtant, je respire avec difficulté.

— Non.

Je me concentre sur les yeux de Larsson. Pour sauver Cal, je suis prête à renoncer à ma promesse. Cal ne peut pas aller à l'hôpital.

Le regard vert glacial de Larsson soutient le mien. Son cœur bat moins vite que je l'escomptais. Il se moque éperdument du mal qu'il a causé et ne se doute pas du danger que je représente.

Je serre, juste un peu. Pas pour le tuer, seulement assez pour qu'il comprenne que je n'entends pas à rire. Larsson grimace, apparemment désorienté. Comme moi, du reste. Qu'est-ce que je fabrique, au juste? Je lui révèle ma vraie identité. Il va me faire liquider.

À moins que je le tue.

Comme Cal serait le seul témoin, nous n'aurions qu'à soutenir que Larsson s'est effondré. Cal lui-même y croira peut-être. Non, qu'est-ce que je raconte? Impossible. Je ne tuerai personne. Pas même un être aussi odieux que Larsson. C'est mal. Je romps le contact.

— Quelqu'un a demandé une aide médicale ? lance une voix féminine.

Mme Kalin entre dans la pièce, et j'en ai le souffle coupé. Elle me rappelle vraiment ma mère décédée, jusqu'à sa démarche assurée et au bruit de ses talons sur le sol du gymnase.

— Madame Kalin.

Larsson se redresse et salue instinctivement, puis laisse sa main retomber sur le côté de son corps, soudain conscient de l'incongruité du geste.

— Que s'est-il passé, ici ?

Elle s'avance vers Cal et examine son visage.

— Ton nez est cassé, je crois. Pour la pommette, c'est plus difficile à dire, à cause de l'enflure. Je ne sais pas si elle est fracturée ou juste salement meurtrie. Suis-moi, jeune homme. Nous allons arranger tout ça.

— Non, m'écrié-je en agrippant Mme Kalin par le bras. Pas l'hôpital. Je vous en supplie.

J'appuie le plat de ma main contre ma poitrine comprimée.

— Recrue, commence Larsson en m'écartant d'elle, tu as devant toi Mme Kalin, vice-présidente de la Santé et de la Sécurité. Un peu de respect, je te prie.

— Contente de te revoir, Glory, dit-elle.

Larsson, l'air hébété, me foudroie du regard.

Je fixe le bout de ses chaussures, qui brillent contre le sol terne du gymnase, en prenant de profondes inspirations et en essayant de mettre de l'ordre dans mes idées. Je viens de contredire l'une des vice-présidentes les plus puissantes du Havre. Autrement dit, je suis cuite.

Avec douceur, elle me saisit le menton et m'oblige à relever la tête, mais je refuse de la regarder dans les yeux. Je risquerais de lui faire du mal. Je ne m'y résignerai pas. Même pas pour sauver Cal.

— J'admire ta sollicitude envers ton partenaire, dit-elle en me caressant la joue avec son pouce. Ne crains rien. Je vais bien m'occuper de ce jeune homme.

Je reste campée entre Cal et elle.

— Ne l'amenez pas à l'hôpital. S'il vous plaît. Il va bien. Il guérira.

— Il lui faut des soins médicaux, répond-elle avec calme. Son nez est cassé.

— Je vais bien, dit Cal.

Sa voix est déformée et il a manifestement du mal à respirer à cause du sang.

— Glory, propose Mme Kalin, que dirais-tu de nous accompagner ? Tu pourras te faire ta propre idée.

Le sang afflue à mes oreilles.

— À *l'hôpital* ?

Si je ne réagis pas rapidement, nous sommes morts, Cal et moi.

— Pas la peine d'aller à l'hôpital, dit-elle. L'immeuble de la Direction n'est pas loin et j'y dispose d'un cabinet parfaitement équipé pour le traitement de ce genre d'accident.

Je hoche la tête lentement, et je sens mes épaules se libérer de la tension. Je n'ai pas une confiance absolue en elle. Mais, au moins, nous n'allons pas à l'hôpital.

— Pourquoi ne retirez-vous pas vos casques ? propose-t-elle.

Cal et moi obéissons, et elle coince derrière mes oreilles les mèches rebelles qui collent à mes joues en sueur.

— Comme tu es jolie…

Je m'empourpre et baisse les yeux.

— Allons soigner le nez de ce jeune homme, dit-elle.

Je lève mon regard sur son visage, et elle me gratifie d'un sourire rassurant.

— Tu seras mon assistante.

CHAPITRE DOUZE

Les nerfs à vif, je m'approche de Cal, étendu sur une table en métal. À cause de l'enflure, son œil gauche est fermé, son nez n'est plus droit et sa joue a pris une inquiétante teinte cramoisie.

— De quoi ai-je l'air ? demande-t-il.

— Charmant, lui dis-je en souriant largement. Plus beau que jamais.

Mme Kalin se dirige vers un comptoir situé d'un côté et, d'un geste, m'invite à la suivre.

— Tu connais quelqu'un qui est mort à l'hôpital, n'est-ce pas ?

Elle me saisit le poignet.

— Ta mère ?

Je me dégage.

— Non.

Elle s'appuie sur le comptoir.

— Mais tu as bel et bien perdu ta mère.

— Comment le savez-vous ?

Ma gorge se serre, et ma voix a une drôle de sonorité. A-t-elle consulté mon dossier aux RH ? Si elle l'a fait, elle connaît déjà la réponse.

— C'est facile à voir, dit-elle en posant ses mains sur mes épaules. Ton attitude, ta force, ta tristesse. Tout indique que tu es seule.

Je fonds en larmes et lève la tête. En découvrant ses yeux bruns souriants, je me détends, au moins assez pour maîtriser mon don. Il se dégage d'elle une bonté palpable.

— Je devine le poids des responsabilités que tu as portées. Juste ici.

Elle serre mes épaules.

— Tu as dû grandir très vite, non ?

Ma gorge se contracte. Son ton égal et sa gentillesse me rappellent tellement ma mère que je voudrais me blottir dans ses bras. J'ai besoin de réconfort. J'ai besoin d'être aimée. Je veux ravoir ma mère.

Accablée par les émotions, je baisse les yeux.

— Les jeunes filles ont besoin d'une mère. Si tu as envie de parler, de n'importe quoi, fais-moi signe, d'accord ?

Elle retire ses mains de mes épaules.

— D'accord.

Elle ouvre une armoire en métal et en sort des fournitures médicales.

— Pourquoi l'hôpital te rend-il si nerveuse ? demande-t-elle.

— Parce que personne n'en ressort.

Mon ventre se glace. Pourquoi n'ai-je pas tenu ma langue ?

Elle a encaissé la remarque sans broncher.

— Combien connais-tu de personnes qui ont été admises à l'hôpital ?

— Une seule.

Le frère de Jayma. À la demande du Service de S et S, des Confs l'ont conduit à l'hôpital quand Jayma et moi avions seulement dix ans. Nous ne l'avons plus jamais revu.

— Et tu tires de telles conclusions à partir de cet unique exemple ?

Elle se tourne vers moi et me sourit doucement, les yeux empreints de bonté.

Je me sens en sécurité.

— J'ai entendu parler d'autres cas.

— Lesquels ? Qu'est-ce qui te dit que ce ne sont pas de simples rumeurs ?

Je fouille ma mémoire et je me rends compte qu'elle a raison. Tout ce que je sais de l'hôpital se fonde sur des rumeurs. Lorsqu'il a été admis, le frère de Jayma avait la grippe. En déclarant aux parents de Jayma qu'on n'avait pu le sauver, le Service de S et S a peut-être dit la vérité.

Elle hausse les sourcils.

— Une jeune femme brillante comme toi doit se garder de sauter aux conclusions hâtives, surtout si elle aime la science.

Je ne détecte ni méchanceté ni fourberie dans sa voix.

— Vous avez raison.

Je me sens incroyablement bien avec elle. À l'aise. Chez moi.

Elle choisit un petit flacon.

— Si ça t'intéresse, je te ferai visiter l'hôpital.

Je la regarde pour vérifier si elle plaisante. Malgré mes craintes, sa proposition est bizarrement alléchante. En voyant les lieux par moi-même, je saurai la vérité. À supposer que j'en ressorte vivante.

Prenant la main de Cal, je l'embrasse sur sa joue indemne. Mme Kalin s'approche de la table, une seringue à la main. Alarmé, il écarquille les yeux.

— Ça va, lui dis-je. Elle va bien s'occuper de toi.

En prononçant les mots, je me rends compte que je suis sincère. Faire confiance à Mme Kalin m'a procuré une drôle de sensation (la confiance est contraire à ma nature), mais je n'ai pas l'impression de me tromper. Peut-être ai-je retenu ma leçon. Quand Burn est venu sauver Drake, je me suis méfiée de lui. De mon père aussi, la première fois que je l'ai revu. Jusqu'au jour où j'ai appris la vérité. Il est temps que je me fie à mon jugement, et Mme Kalin ne m'a donné aucune raison de me méfier d'elle.

Lorsqu'elle lui injecte le liquide clair, d'abord dans la joue, puis plus près du nez, la main de Cal serre la mienne à la broyer. Sa poigne se relâche, et je me penche en tirant nos doigts entrelacés vers ma poitrine.

— Tu te sens mieux, non ?

Ma voix tremble.

Il hoche la tête et pousse un long soupir.

— C'est engourdi ? demande Mme Kalin en touchant délicatement le nez de Cal.

Il se tourne vers elle.

— Oui, répond-il d'une voix calme. La douleur est moins aiguë. Je sens un picotement.

— C'est signe que nous pouvons commencer.

Elle sourit à Cal en palpant légèrement son visage selon différents angles.

— Ton nez est cassé. La bonne nouvelle, c'est que la pommette est seulement meurtrie. Je vais avoir besoin de ton aide, Glory. Tiens bien les épaules de Cal.

Elle me regarde avec des yeux rassurants, et j'obéis. Elle prend le nez de Cal entre ses paumes et, en entendant le craquement produit, je sens des frissons me parcourir l'échine. Sous mes mains, Cal résiste à peine.

— Là, dit-elle en admirant son travail. Maintenant, jeune homme, je pense que tu as besoin d'un peu de repos.

Elle le pique avec une autre seringue, cette fois à la saignée du bras. Quelques secondes plus tard, Cal ferme les yeux et respire plus lentement.

— Il va bien ? lui demandé-je.

— Il dort. Ne crains rien.

Elle pose une main manucurée sur la mienne. Sa peau est douce et tiède.

— Pourquoi êtes-vous si gentille avec moi ?

Dès qu'ils sont sortis de ma bouche, je voudrais ravaler mes mots. Décidément, la méfiance est une habitude dont il est difficile de se défaire.

— Pourquoi ne devrais-je pas l'être ?

Honteuse de mes soupçons, je baisse les yeux, incapable de la regarder en face.

— Tu es une fille intelligente, dit-elle. M. Belando a eu raison de te prendre sous son aile.

Je me tourne brusquement vers elle.

— Vous êtes au courant ?

Elle penche la tête, le regard scintillant.

— Pas de quoi t'inquiéter. M. Belando et moi n'avons pas de secrets l'un pour l'autre. Je suis heureuse que tu aies un mentor au sein de la Haute Direction. Cela dit, une jeune fille a besoin des conseils d'une femme.

Elle presse ma main dans la sienne.

— Je suis désolée pour ta mère.

Je sens dans mon cœur la douleur qui ne s'apaise jamais. Mes yeux se gonflent de larmes.

— Être seule à ton âge... Tu mérites mieux.

— Non, dis-je en avalant difficilement ma salive. C'est faux.

La tête de côté, j'aperçois mon reflet dans la porte luisante de l'armoire et je me retourne rapidement.

— Bien sûr que si.

Elle éteint les vives lumières suspendues, et la pièce baigne désormais dans une lueur réconfortante.

Je secoue la tête.

— J'ai été horrible avec ma mère.

Si elle se doutait du mal que j'ai...

— Nous avons tous des regrets.

Elle sourit doucement.

Je sens mes émotions affleurer à la surface.

— Je suis certaine que ta mère t'aimait, dit-elle, peu importe ce que tu as fait. Il faut que tu dépasses ce stade et que tu te pardonnes. On grandit notamment en commettant des erreurs, tu sais.

Une douleur cuisante me transperce la gorge. Je ne pleurerai pas. La présence de Mme Kalin et ses paroles me confèrent un sentiment de sécurité tel que je n'en ai pas connu depuis la mort de ma mère. À propos de ce jour fatidique, je me souviens de peu de chose, mais je sais que les derniers mots que j'ai adressés à ma mère ont été durs. Elle est morte en pensant que je la haïssais, et je n'arrive pas à croire que j'aie pu lui causer une peine pareille.

— Tu n'es pas seule, Glory.

La voix de Mme Kalin est calme et réconfortante.

— J'ai fait des choses que je regrette, d'autres dont j'ai honte. C'est de cette façon que nous apprenons, que nous grandissons. Nous tirons des enseignements de nos erreurs, puis nous allons de l'avant.

Ma poitrine se soulève, tandis que je combats les larmes.

— Ma puce…

Mes épaules s'affaissent. C'est ainsi que ma mère m'appelait.

Elle me prend dans ses bras.

— Nos actions passées importent moins que celles d'aujourd'hui et celles de demain. La clé, ce n'est ni qui tu as été ni ce que tu as fait ; c'est plutôt qui tu es en ce moment et qui tu veux être. Regarde-moi.

Je lève mes yeux vers les siens. Elle est si jolie, dans cette douce lumière, son expression si aimable et si sincère.

— Je peux t'aider à réaliser ton plein potentiel, si tu veux.

Des larmes glissent sur mes joues. Elle me serre fort, et je baisse ma garde. Je sanglote, et mon corps se soulève. On dirait que les souffrances, la culpabilité et les émotions refoulées qui m'habitent depuis que j'ai découvert la vérité se libèrent d'un coup. Comme si tous les murs que j'ai érigés pour contenir mes sentiments s'écroulaient.

Mme Kalin caresse mon dos, mes cheveux, et chacune de ses caresses emporte une nouvelle couche de ma souffrance. Elle a raison. Je ne peux revenir sur mon passé. Je ne peux rien y changer. Tout ce qui me reste à faire, c'est aller de l'avant, être une bonne personne, maintenant et à l'avenir. Le travail que j'effectue pour le compte de l'AL va dans ce sens. Je dois regagner la confiance de Rolph.

Je me redresse et sèche mes larmes avec la manche de mon t-shirt. En souriant, Mme Kalin me tend un carré de tissu blanc.

— Qu'est-ce que c'est ? lui demandé-je.

— Un mouchoir. On s'en sert pour essuyer ses larmes et moucher son nez.

— Mais...

Cet objet est à elle, et l'idée de souiller sa blancheur immaculée est révoltante.

— Garde-le. Il est à toi.

En me regardant droit dans les yeux, Mme Kalin sourit, et j'ai l'impression de tomber à la renverse sur une pile de draps moelleux, de flotter sur un lac, un chaud soleil sur mon visage, d'être blottie dans les bras de ma mère.

Il y a des lustres que je ne me suis pas sentie aussi calme, aussi en sécurité. Au Havre, nul ne connaît toute la vérité sur moi, et j'aimerais pouvoir confier à Mme Kalin mon identité, les reproches que je m'adresse et ma volonté de me racheter. La vérité est sur le point de jaillir de ma bouche. Elle bouillonne avec tant d'insistance que je crains d'être étouffée par les efforts que je déploie pour la contenir. Je voudrais lui dire combien de Déviants j'ai aidés, combien j'espère en aider encore. Lui dire que je me sacrifie pour en sauver d'autres. Je voudrais qu'elle soit fière de moi.

— Merci beaucoup, dis-je, les yeux baissés.

Je ne maîtrise pas assez bien mes émotions pour risquer de maintenir le contact visuel. Ma respiration s'accélère.

Au bord de l'hyperventilation, je me sens étourdie et je ferme mes paupières. Il y a longtemps que je n'ai pas pleuré. Mon cerveau est engourdi et embrouillé. Je m'efforce de mettre de l'ordre dans mon esprit en proie à la confusion, dans mes sentiments conflictuels. Me suis-je laissé leurrer par la bonté de Mme Kalin à cause de la culpabilité et de la solitude ? Ai-je à ce point besoin de me sentir de nouveau aimée ? Pardonnée ?

Les yeux toujours fermés, je secoue la tête. Je ne peux pas oublier qui est cette femme. Il ne faut pas. Elle est aimable, perspicace et peut-être sincèrement disposée à me servir de mentor, mais elle demeure quand même membre de la Direction. Je ne dois pas me fier à elle. Du moins pas sans réserve. Et je ne dois pas oublier mes obligations à cause de mon besoin égoïste d'être aimée.

CHAPITRE
TREIZE

Dans le centre commercial réservé aux membres de la Direction, assise dans le fauteuil de ce que Mme Kalin appelle «un salon de beauté», je promène les doigts dans mes cheveux, incertaine de la réaction appropriée. Ils sont plus doux et plus soyeux que je le croyais possible. Et sans la crête permanente formée par le bout de ficelle qui retient ma queue de cheval, ils me semblent très différents.

Consacrer des points de rationnement à une coupe de cheveux me paraît frivole. La plupart d'entre nous apprennent à se couper les cheveux dès l'âge de six ans. Jetant un coup d'œil dans le miroir, je me sens aussitôt mal à l'aise, comme si des rats trottinaient sur ma peau. Quand j'étais petite, nous avions un minuscule miroir dans notre appartement. Je ne sais pas où il est passé.

Une fois le miroir parti, mes points de rationnement ne m'ont pas permis de le remplacer. Voyant mon reflet pour la première fois depuis des années, je frissonne. Mes cheveux bougent, puis retombent en place… parfaitement. Résultat, sans doute, de la coupe droite et délicate, exploit impossible à réaliser avec un couteau. Je baisse les yeux.

— Tu es très belle, dit Mme Kalin à côté de moi.

Je me retourne vite vers la glace. C'est vrai, il me semble. Je me reconnais à peine. Ma peau luit sous l'effet de toutes les lotions que la dame y a appliquées après l'avoir récurée, et mes bleus ne se voient presque plus sous le maquillage qu'elle a mis sur mes joues.

— Je n'en reviens pas, dit Mme Kalin en se penchant.

Nous sommes presque joue contre joue.

— On pourrait nous prendre pour une mère et sa fille.

Nos regards se croisent dans le miroir. Une sensation cuisante monte de ma poitrine. Des larmes me brûlent les yeux.

Elle retourne mon fauteuil pour m'obliger à la regarder en face.

— Qu'est-ce qu'il y a?

— Je… Rien. C'est magnifique. Tout ce que vous faites pour moi. Merci.

— Ta mère te manque, dit-elle en s'inclinant pour prendre mes mains dans les siennes. C'est évident.

Elle caresse mes cheveux.

— Je n'ai pas le bonheur d'avoir une fille. Si j'en avais une, je voudrais qu'elle soit exactement comme toi.

Je fixe le sol.

— Quoi? demande Mme Kalin en posant la main sur mon épaule. Tu t'inquiètes pour Cal?

Je secoue la tête.

— Tu n'aimes pas ta coupe de cheveux?

— Elle est merveilleuse. Merci.

Ne voulant pas lui faire face, je me tortille dans le fauteuil et j'évite le miroir.

— Mais *quelque chose* te dérange.

Du bout du doigt, elle m'oblige à relever le menton, et je me concentre sur une tache dépolie dans la glace plutôt que sur nos reflets.

— Tout va bien.

Les mots sonnent faux, même à mes propres oreilles. Sous son regard perçant, j'ai des picotements sur la peau. Je ne suis pas digne de la sensation de bonheur que j'éprouve grâce à elle. Elle a beau me rappeler ma mère, elle ne l'est pas, et je ne dois pas m'abandonner au confort que mon inconscient, ce traître, semble résolu à accepter.

Elle passe son bras autour de mes épaules et se penche. Encore une fois, nos joues se touchent presque. Je me dis qu'elle examine nos images, côte à côte, mais, pour ma part, je scrute, un peu plus haut, le reflet d'une projection au laser annonçant les célébrations de l'Anniversaire du Président. Apparemment, on organisera un banquet auquel seuls les cadres seront conviés.

— Nous avons de la chance de nous être trouvées, tu ne crois pas?

Sa voix est si gaie que je me permets de la regarder un instant dans le miroir et de lui sourire.

— Si je peux faire quelque chose pour toi, dis-le-moi. S'il te plaît. N'importe quoi. Tu n'as qu'à demander.

Je baisse les yeux. Son ton est presque suppliant, comme si son bonheur dépendait de ce que je lui réclamerais.

De nouveau, je me tourne vers la glace, et son expression est si chaleureuse que je m'attarde sur le reflet de ses yeux, bruns, profonds et bienveillants. Je me sens plus en sécurité, plus calme. Je sais que c'est uniquement parce qu'elle ressemble à ma mère et qu'elle a la même voix; je sais que c'est uniquement parce que ma mère me manque ; mais il y a des années que je ne me suis pas sentie aussi détendue. Je ne risque sûrement rien en profitant de cette sensation pendant quelques minutes encore. En toute logique, je devrais être terrorisée par cette femme, la haïr. Or, c'est plutôt le contraire. Je me rends compte que je n'ai jamais eu moins peur qu'en ce moment.

— Je vois bien que tu es troublée et je crois pouvoir t'aider, dit-elle. C'est ton petit ami ?

Je hausse les épaules, lutte contre l'envie de lui confier tout ce que je brûle de raconter à quelqu'un, n'importe qui.

— Il s'en tirera très bien. Il n'y a pas que ses blessures qui te tracassent, peut-être ? demande-t-elle en me serrant les épaules. Seulement 63,4 pour cent des titulaires d'un permis de fréquentation finissent par se marier, tu sais. Ne crains rien. Tu trouveras le bon garçon.

— Le bon garçon, c'est lui, dis-je. C'est moi qui suis la mauvaise fille.

Elle a une étrange façon de voir clair en moi.

— Regarde-moi.

Comme sa voix est sévère, je la fixe dans la glace.

— Ne dis pas ça. Jamais. Tu es une bonne fille, la fille la plus spéciale que j'aie rencontrée, et je t'interdis de penser autrement.

Sans s'en douter, elle a tort à de multiples titres, mais ses paroles allègent mon malaise, et j'ai soudain envie de me confier à elle, de lui demander son avis. Peut-être saurait-elle m'aider à moins me sentir comme une *freak*. Ou à comprendre ce que je ressens pour Cal après ce qui est arrivé avec Burn. Ou pourquoi la cruauté de Burn est si douloureuse. Ou comment j'ai pu aller aussi loin avec Burn tout en étant consciente de l'amour de Cal pour moi. Ou comment on peut aimer deux garçons en même temps. Ou si une fille comme moi peut connaître l'amour.

J'ai tant de questions à poser que je ne sais pas par où commencer. Je me contente donc de regarder mes mains.

Elle se relève et lisse sa robe.

— Nous avons terminé, ici. Et si nous allions t'acheter de beaux vêtements, maintenant?

Une heure plus tard, je tire sur le tissu qui me couvre la cage thoracique. La robe révèle une trop grande part de ma silhouette, une silhouette que je n'étais pas consciente d'avoir. Je ne me suis jamais vue de la tête aux pieds. Qui aurait cru qu'il existait des miroirs de cette taille?

Dans cette portion du magasin de vêtements délimitée par des rideaux, Mme Kalin se lève de son fauteuil.

— Je crois que c'est la bonne, dit-elle.

Elle lisse le tissu sur mes épaules.

— Le rouge fait resplendir tes cheveux et ajoute de la profondeur à tes yeux.

Dans la glace, j'étudie la robe le plus objectivement possible. Mme Kalin a raison: ainsi habillée, je suis plus jolie que je le croyais.

— Merci, mais je n'en ai pas besoin. Où porterais-je une robe pareille?

La vendeuse s'approche.

— Tu pourras la mettre pour l'Anniversaire du Président, dit-elle gaiement.

Je juge inutile de lui indiquer que je serai en service, ce jour-là, dans l'uniforme des Confs par-dessus le marché.

— Votre fille est très jolie, dit-elle à Mme Kalin. Vous devez en être très fière.

— Merci, répond Mme Kalin avant que j'aie pu ouvrir la bouche.

J'estime qu'il serait impoli de la corriger devant une inconnue. Les lèvres de la vendeuse sont rose vif, d'une teinte qui ne peut être naturelle, surtout compte tenu de sa peau brune. Je me dis qu'elles doivent être enduïtes d'une sorte de cire ou de peinture. Il faudra que je me souvienne d'interroger Mme Kalin à ce sujet.

— Ce sera tout, dit Mme Kalin à la femme.

Celle-ci retourne à l'avant du magasin où, à notre arrivée, elle s'affairait à disposer sur un présentoir toute une série de robes semblables.

— Si tu veux, je garderai la robe chez moi. Comme ça, tes amies ne seront pas jalouses.

— Merci.

Je lisse le tissu en essayant de rester concentrée. Je me sens toujours stimulée à l'excès, étourdie. Tout est si coloré, dans ce magasin… En plus, tout sent bon. Je respire à fond, tente de cerner l'origine de ce parfum agréable. Je me rends compte qu'il me rappelle celui de l'Extérieur, une brise fraîche traversant les champs. Je me demande comment on s'y prend pour purifier l'air à ce point, ici, en bas.

— Je ne savais même pas qu'il existait des magasins comme celui-ci.

— Les employés subalternes ne doivent pas être au courant, dit-elle.

— Pourquoi?

— Les exposer à des biens et à des services au-dessus de leurs moyens porterait atteinte à leur moral.

— Je ne trouve pas ça juste.

Elle me saisit par les épaules pour me tourner vers elle.

— Tu as le cœur généreux, et c'est une des raisons de mon admiration pour toi. Mais tu sais bien que les employés ne peuvent pas tous accumuler des points de rationnement au même rythme. Dans le cas contraire, c'est toute notre économie qui s'effondrerait. Les taux de rémunération varient en fonction des responsabilités et des compétences. Sinon personne n'accepterait d'occuper les postes les plus exigeants.

— Mais…

Je me rappelle que ma mère rentrait des ateliers de couture avec les doigts craquelés, en sang. Je songe à tous les employés chargés de l'entretien du ciel, qui perdent la vie chaque année. Je sonde les yeux de Mme Kalin, étudie son expression, tente de déterminer si je devrais révéler mes opinions, mais, avant même d'ouvrir la bouche, je me rends compte qu'elle a raison. Mise au courant de l'existence de si jolis objets tout neufs, j'aurais été indignée.

Je délaisse les yeux de Mme Kalin pour regarder le tissu doux et lustré de la robe. Je me demande où a été réalisé un tissage aussi fin. J'ai beaucoup de mal à concevoir que personne – absolument personne! – n'a porté cette robe avant moi. C'est pourtant ce que soutient la vendeuse. Devant les points minuscules, je me sens prise de vertige. Ma vision s'embrouille.

Dans mon esprit, il s'opère une sorte de glissement, comme quand l'un des téléviseurs du Centre est envahi par de la neige, et je me rappelle que rien n'est aussi tranché que Mme Kalin le prétend. Séparée de ma famille et inquiète pour Cal, rejetée par l'AL et anéantie par la cruauté de Burn, je suis trop vulnérable, en ce moment. Je laisse les souvenirs de ma mère et la bonté de Mme Kalin brouiller mon jugement.

— Faute de formation, les gens qui grandissent dans les Mans ne peuvent pas occuper les emplois qui donnent accès à des objets comme ceux-là, dis-je sans la regarder. Au Havre, tout le monde travaille dur. Il n'y a pas que les membres de la Direction.

L'estomac barbouillé, je me blinde. Mme Kalin va-t-elle m'arracher la robe et me faire liquider pour avoir tenu des propos contraires aux P et P? Je lève les yeux pour mesurer sa réaction. Pendant une fraction de seconde, j'ai l'impression de la voir froncer les sourcils, puis je me rends compte que je me trompe.

L'empathie et la compréhension émanent d'elle en ondes tièdes. Elle s'assied dans une causeuse bien rembourrée, près du miroir.

— Je pense aussi que les politiques devraient être réformées, dit-elle. Les P et P assurent la sécurité de tous les employés, mais il y a toujours place à l'amélioration. À titre de membre de la Haute Direction, je suis disposée à entendre des suggestions, en particulier de la part de jeunes et brillantes employées comme toi. Comment nous, membres de la Direction, pouvons-nous apporter des changements si nous ne savons pas ce qui doit être modifié?

— Vous pensez que les choses devraient changer?

Avec effort, je ferme ma bouche grande ouverte. Mme Kalin n'est tout de même pas en train de critiquer ouvertement les P et P, de critiquer la Direction?

— Oui, confirme-t-elle en se rapprochant. Les membres de la Haute Direction ne sont pas tous du même avis, mais j'espère faire du Havre un endroit plus agréable pour tous.

— Vraiment?

Elle hoche la tête.

— Les P et P ne constituent pas un document immuable. Les politiques peuvent être changées et elles devraient l'être.

— Et les Déviants, dans tout ça? lui demandé-je.

Mme Kalin incline la tête et se relève.

— Que veux-tu savoir à leur sujet?

Mon ventre se serre. J'ai trop parlé. Mais c'est peut-être ma chance d'obtenir des changements dans le Havre, de vrais changements, sans effusion de sang, sans bombardements terroristes et sans que des soldats de l'AL, comme Clay, meurent inutilement. Le moment est venu d'être courageuse. Mon regard va du sol couleur d'argent à ses yeux.

— Pourquoi la Direction les jette-t-elle dans la poussière sans autre forme de procès? Comment peut-on être sûr que tous les Déviants sont dangereux? Peut-être sont-ils juste différents. Ce n'est pas parce qu'on est différent qu'on est forcément méchant.

Je me mordille la lèvre inférieure.

— Je suis d'accord.

Mme Kalin a chuchoté sur le ton d'une conspiratrice. Vite, je croise son regard, où je ne distingue aucun signe de duperie. Elle se penche vers moi.

— Mais ne le répète à personne.

Elle prend mon bras et m'entraîne vers la causeuse, où nous nous asseyons ensemble. Contre le doux tissu bleu foncé, ma robe brille doucement.

— Comprendre la différence des Déviants, poursuit-elle, est l'une des priorités du Service de Santé et Sécurité, l'un des principaux projets de recherche menés à l'hôpital.

— Ah bon?

L'excitation me remue les entrailles.

— Vous menez des recherches pour déterminer pourquoi certaines personnes sont devenues Déviantes après la poussière?

Se pourrait-il que Mme Kalin nous sauve tous?

— Oui.

Son expression s'intensifie, se remplit de ce que j'interprète comme de la fierté.

— J'étais sûre que tu avais la bosse des sciences.

— Qu'avez-vous découvert? lui demandé-je, enthousiaste.

Elle balaie des yeux l'avant du magasin, comme pour s'assurer que la femme n'écoute pas.

— Mon hypothèse actuelle, c'est que les Déviants possèdent la clé de la survie de l'humanité. Ils se sont adaptés à la poussière. Il nous incombe de comprendre comment au lieu d'en avoir peur.

Pour un peu, mon enthousiasme me transpercerait la poitrine. Mme Kalin est sur la bonne voie. Elle comprend. Mieux encore, elle pense que les Déviants sont la clé. Que je suis la clé.

— Il est vrai, continue-t-elle, que certains Déviants ont commis des crimes horribles, mais que devons-nous attendre de la part d'individus que nous traitons en criminels ?

Une de ses épaules se soulève.

C'est la première fois que je me sens si bien acceptée, si bien comprise par un adulte. Je dois toutefois me rappeler qu'elle ne sait pas que je suis Déviante.

Peut-être aussi est-elle au courant. Peut-être me tient-elle ces propos rassurants afin de me faire savoir que je peux me confier à elle. C'est peut-être sa façon de me dire qu'elle me soutiendra, quoi qu'il advienne.

Une sensation de chaleur m'enveloppe, s'infiltre en moi, et je me sens aimée et en confiance comme jamais depuis la mort de ma mère, voire avant. Je me sens aussi proche de Mme Kalin que je l'ai été de ma mère, et j'ai très envie de le lui dire.

En fait, je devrais lui confier tout ce que je sais sur les Déviants, la poussière, la vie à l'Extérieur. Je l'aiderais dans ses recherches, je contribuerais peut-être même à sauver l'humanité. Des milliers de réflexions et de mots se bousculent dans ma tête. En la regardant dans les yeux, j'ai le sentiment de pouvoir tout lui raconter. Si je lui disais la vérité, je pense sincèrement qu'elle m'accepterait comme je suis.

Je sens ma tête sur le point d'exploser. Ma Déviance monte en moi. Rompant le contact visuel, je fixe mes mains, qui apparaissent et disparaissent tour à tour. Étourdie soudain, je cligne des yeux dans l'espoir de faire le vide dans mon esprit. À cause de ce surcroît d'émotions, j'éprouve une drôle de sensation. J'ai failli trop en dire.

Je baisse les yeux.

— Je suis heureuse de votre ouverture envers les Déviants. J'avais peur de m'exprimer sur le sujet.

Je m'interromps.

— Il m'arrive d'avoir des pensées subversives, contraires aux politiques.

— Comme toute jeune personne brillante, dit-elle. Il est tout à fait normal de mettre l'autorité en doute, en particulier à ton âge.

Se pourrait-il qu'elle mente? Elle semble si sincère. Comme j'aimerais être sûre de pouvoir avoir confiance en elle! Je regrette que ma Déviance ne me permette pas de lire dans les pensées.

Je prends une profonde inspiration.

À l'Extérieur, au moment où mon père m'aidait à gravir une falaise, j'ai cru l'entendre réfléchir, mais je n'en suis pas certaine.

Ce jour-là, je lui ai fait du mal. De cela, je suis absolument convaincue. Serais-je capable de lire dans les pensées des autres sans leur faire aussi du mal? Et, plus important encore, pourrais-je y arriver sans que Mme Kalin comprenne que je suis Déviante?

Le jeu en vaut la chandelle. Je dois essayer. Je dois me montrer brave. Il ne s'agit pas uniquement de moi. Je dois penser à tous les Déviants du Havre. Je dois savoir si je peux me fier à Mme Kalin.

La peur et l'angoisse attisent ma Déviance, et je la regarde droit dans les yeux. Aussitôt, j'établis le contact, me concentre sur son cerveau. Sauf qu'au lieu de le tordre, je tends l'oreille.

Si spéciale. Si seule. Si blessée. Je voudrais tellement qu'elle ait confiance en moi. Si seulement elle pouvait m'appeler maman.

Mon angoisse s'évanouit. Je cligne des yeux, romps le lien et m'abandonne au sourire qui se forme sur mes lèvres.

— Merci, dis-je en exhalant. Vous n'avez pas idée de ce que ça veut dire pour moi.

— Merci pour quoi, ma chérie ?

Je secoue la tête. J'ai failli en dire trop, encore une fois.

— Merci de m'avoir gâtée, aujourd'hui. Et d'avoir dit que mes idées subversives étaient normales. Parfois, j'ai le sentiment d'être une *freak*.

L'ai-je vraiment entendue penser ou ai-je simplement imaginé ce que je rêvais d'entendre ? Comment en avoir le cœur net ? Je balaie des yeux le magasin et le centre commercial, où se pressent de nombreux clients qui portent tous des habits propres et en bon état. Comment peut-il y avoir autant d'articles neufs ?

Elle coince mes cheveux derrière mes oreilles.

— Il y a une énorme différence entre être spéciale et être une *freak*, ma puce. Et tu es spéciale.

Elle se racle la gorge.

— Mais trêve de propos graves. Nous sommes sorties pour nous amuser. Comment ça va, entre Cal et toi ? Depuis combien de temps avez-vous votre permis ?

— Un peu plus de trois mois, dis-je, les joues brûlantes. Ça va.

— Ça va ? C'est tout ?

Elle me gratifie d'un clin d'œil.

— Il t'a embrassée ? Tu te poses des questions sur ce que tu ressens en sa présence ?

Je la regarde et trouve le moyen de sourire, malgré ma gêne. Cal est un sujet moins risqué que les Déviants ou les politiques du Havre.

— Je l'aime. Beaucoup. Depuis des années. Je l'aimais avant même que nous demandions le permis.

Elle sourit.

— Mais ?

— Mais je m'interroge parfois : est-il le bon garçon pour moi ? Celui… le seul, vous savez, qui me soit destiné ?

Une image de Burn (sa taille imposante, l'intensité de ses yeux sombres) ravive les sentiments que j'éprouve pour lui. Je ressens des picotements, des bouffées de chaleur. Puis je secoue la tête. Je dois oublier Burn. S'il s'est montré glacial, c'est peut-être parce qu'il redoutait de me revoir et qu'il a voulu se protéger ; quelles qu'aient été ses raisons, il a été on ne peut plus clair. C'est bel et bien terminé, entre nous.

Je m'éclaircis la voix.

— Je ne sais pas pourquoi j'ai des doutes à propos de Cal. J'ai de la chance d'avoir la permission de sortir avec lui. Il est merveilleux. Qu'il ait envie de fréquenter une fille comme moi… C'est un miracle. Je suis folle de penser qu'il pourrait y avoir quelqu'un de mieux. Je n'ai rien de spécial.

— Glory, dit-elle en saisissant mon visage entre ses mains, tu te trompes. Et j'espère que, avec le temps, tu finiras par comprendre que tu es vraiment spéciale.

CHAPITRE QUATORZE

Le couloir de l'immeuble de la Direction est plongé dans l'obscurité. Seule la lampe de sécurité alimentée par des piles installée haut dans un coin, au bout, l'éclaire faiblement. Sortant de la cage d'escalier au cinquième étage, je me dirige vers le bureau de M. Belando. Après mon excursion avec Mme Kalin, j'ai communiqué avec lui en prétendant avoir du nouveau sur la taupe. Je n'en ai pas. Pas vraiment. Je suis là dans l'intention de lui faire taper son mot de passe pendant que je l'observe.

La sortie d'aujourd'hui m'a donné de l'espoir en l'avenir; entre-temps, j'ai besoin de ce mot de passe. Dès que je l'aurai, je pourrai repérer Adele Parry. Après, je pourrai recommencer à chercher des Déviants. Les enfants de Gage seront les premiers sur ma liste.

Même si je ne parviens pas à convaincre Rolph qu'il a besoin de moi, je me servirai du mot de passe de Belando pour identifier des Déviants par moi-même. Burn a beau se comporter comme un salaud, je sais qu'il sauvera les Déviants que je lui amènerai. Peut-être aussi le mot de passe me permettra-t-il de débusquer le traître et de freiner les terroristes. L'Anniversaire du Président est dans une semaine. L'heure est grave. Je dois réussir.

Je tends l'oreille dans l'intention de détecter des signes d'activité, d'entendre autre chose que les battements de mon cœur. Je ne m'habituerai jamais aux luxueux étages inférieurs de l'immeuble, domaine de la Haute Direction, surtout maintenant que je dois m'y introduire en catimini.

De la lumière filtre sous la porte de M. Belando, et je m'avance furtivement en m'arrêtant devant chaque bureau pour m'assurer qu'il n'y a personne. La moquette épaisse étouffe le bruit de mes pas, et mon dos frôle des murs fraîchement repeints, décorés d'œuvres d'art qui, d'après ce qu'il m'a confié, étaient exposées dans un musée public ALP.

Devant sa porte fermée, je me demande si je dois entrer, frapper ou attendre. Cogner fera du bruit et je ne peux pas me le permettre. Je tends donc la main vers la poignée.

J'ai un mouvement de recul. Des voix. Il n'est pas seul. Adossée au mur, je me glisse dans une ombre, environ deux mètres plus loin.

La porte de M. Belando s'ouvre, et la lumière inonde le couloir. Un homme imposant, vêtu d'un complet gris foncé, se retourne et serre la main de M. Belando. Ma poitrine se fige. C'est le Président. Je l'ai vu seulement sur les écrans du Centre, mais je le reconnaîtrais entre tous. Il est grand, avec des épaules carrées. Bien qu'il ne semble pas plus âgé que M. Belando, il a les cheveux argentés, semblables à du métal poli.

— Encore une fois, toutes mes félicitations, dit-il à M. Belando. Je regrette que les circonstances soient si désagréables, mais l'honneur n'en est pas moins amplement mérité.

— Merci, monsieur, répond M. Belando.

— Je vous ai moi-même choisi pour ce poste, dit le Président en tapant sur l'épaule de M. Belando. J'ai mis ma tête sur le billot.

— Vous pouvez compter sur moi.

— Je n'en doute pas un instant.

Le Président se tourne vers moi. À chacun des battements de mon cœur emballé, ma gorge se serre un peu plus.

Bien que je sois tapie dans l'ombre, il me voit, je suis certaine qu'il me voit.

Mais le Président pivote sur ses talons et s'éloigne d'une démarche énergique et silencieuse. On dirait qu'il ne pèse rien, bien que, Burn mis à part, il soit l'un des hommes les plus imposants que j'aie vus de ma vie. Au bout du couloir, la lumière qui émane du coin se reflète sur lui, et il passe une main aux longs doigts dans ses cheveux d'une couleur contre nature. Comme s'il se savait épié. Je ne respire plus.

Lorsque je suis certaine qu'il a bel et bien disparu, je m'avance sans bruit. J'ouvre la porte du bureau de M. Belando d'un seul doigt hésitant, comme si je la croyais piégée.

— Entre, ordonne M. Belando d'un ton plus léger que je l'avais escompté. Tu es en retard.

— Je…

Mieux vaut qu'il ignore que j'ai vu le Président. Qui sait comment il réagirait ?

— Désolée.

— Assieds-toi.

Il désigne le fauteuil placé devant lui et caresse du doigt le bord de la plaque en laiton posée sur son bureau. « M. Belando, Vice-président principal, Conformité ».

— Vous avez reçu de l'avancement.

Il se penche, soulève un verre rempli d'un liquide ambré et avale une longue rasade. Il a les joues cramoisies (chez cet homme normalement si impeccable, c'est la première fois que je remarque pareil détail) et je me demande si le phénomène est attribuable au liquide ou à la visite du Président. Pour ce que j'en sais, les visites du Président et les verres de liquide ambré font partie de la routine quotidienne de M. Belando.

— Oui, j'ai reçu de l'avancement.

— Félicitations.

Il pose le verre, et le liquide danse.

— C'est tragique, en réalité. On est sans nouvelles de mon prédécesseur, M. Singh, depuis des jours. Il est introuvable, mais son poste ne pouvait pas demeurer vacant, n'est-ce pas ?

Son visage laisse voir un large sourire de satisfaction.

Je ne réponds pas. Cela dit, je ne peux m'empêcher de me demander si M. Belando a joué un rôle dans la disparition de son ancien supérieur. Comment un homme aussi important peut-il se volatiliser comme par magie ? M. Singh a sans doute été expulsé du dôme dans le cadre d'une liquidation secrète ; sinon son corps a simplement été broyé dans l'usine de compost. Manifestement, il est mort. Je frissonne. Je ne doute pas un instant que M. Belando soit capable de me supprimer, moi, et d'effacer toute trace de mon existence dans le Système. Ce serait comme si je n'avais jamais vécu.

M. Belando agite sa main d'un côté et de l'autre, et le liquide ambré monte le long des parois du verre.

— Qu'est-ce que tu m'apportes? demande-t-il, un vernis de gravité sur son visage. Tu as intérêt à ce que ce soit du solide. Le temps nous manque.

Il repose le verre.

Le moment est venu de mettre mon plan en action.

— Vous m'avez donné l'ordre de signaler tout incident sortant de l'ordinaire au sein du PFAC.

— Et?

— Il y a eu une bagarre dans la salle des loisirs. Un des élèves en a accusé un autre d'être Déviant.

M. Belando se penche vers l'avant.

— Qui?

— Je n'ai pas vu l'accusé, mais j'ai bien vu l'accusateur.

Il est hors de question que je lui communique le nom d'Ansel, mais, pour que mon plan s'active, je dois lui jeter quelque chose en pâture.

— Qui était-ce?

— Thor Kwaraski.

Ma gorge se serre à l'instant où le nom sort de ma bouche. Ainsi accusé, Thor sera présumé coupable jusqu'à preuve du contraire.

— Je tiens à être très claire, monsieur. Je ne crois pas que Thor soit la taupe. Au sein de notre groupe de recrutement, il n'y a personne de plus loyal que lui.

— Un excès de loyauté est peut-être la couverture utilisée par ce garçon.

Les mains de M. Belando glissent vers la lumière qui active son terminal du Système, et je m'incline pour mieux voir. Ses doigts s'interrompent aussitôt.

— Je ne crois pas que Thor soit en cause, monsieur. Par contre, la bagarre m'a poussée à réfléchir aux liens entre les élèves de notre classe, de même qu'aux liens entre eux et d'autres Confs ou des membres de la Direction.

Intéressé, M. Belando hoche la tête.

— Il serait utile de savoir si certains élèves se connaissaient avant le début de leur formation ou s'ils sont apparentés à des instructeurs, à des Confs, à des membres de la Direction, à des Déviants connus ou à d'autres contrevenants.

J'appartiens moi-même à deux de ces catégories, mais M. Belando est déjà au courant.

Il fronce les sourcils.

— En quoi serait-ce utile?

Je prends une profonde inspiration.

— Croyez-vous que la taupe a eu des contacts préalables avec un autre membre du PFAC ou de la Direction?

— Peu probable.

Il fronce de nouveau les sourcils et tambourine sur le bureau, un peu ennuyé.

— C'est ce que je me suis dit, moi aussi, déclaré-je jovialement avant de m'avancer sur mon fauteuil. Si je pouvais recouper entre eux les dossiers des RH sur les recrues, je serais en mesure d'exclure certaines personnes et de mieux cibler mes recherches.

Je sens mon pouls battre dans ma gorge.

Dans son fauteuil, M. Belando est pétrifié, et je vois bien que ma suggestion l'intéresse. Jusque-là, tout va bien. M'approchant encore un peu, je touche presque le bord de son bureau.

— Mon niveau de sécurité ne me permet pas d'accéder aux données nécessaires à ce genre de travail.

J'ai seulement besoin de le voir saisir son mot de passe. Avec les bonnes informations, je suis certaine que je saurais cerner les taupes possibles, repérer Adele et identifier d'autres Déviants. Bref, faire d'une pierre trois coups. Il me faut le mot de passe à tout prix.

M. Belando me dévisage pendant ce qui me semble une bonne heure. Sa poitrine se soulève et s'affaisse avec lenteur, et mon cœur bat si fort que je crains qu'il l'entende. Il finit son verre, et les glaçons s'entrechoquent lorsqu'il le repose sur son bureau.

J'ai les nerfs à vif, comme si mon corps était parcouru par un millier de pattes de rats. Je vais bientôt me mettre à transpirer à profusion. M. Belando avance brusquement son fauteuil.

Je sursaute. Mon cœur me donne l'impression de vouloir sortir de ma poitrine.

— Tu me demandes de changer ton niveau de sécurité ? De contrevenir aux P et P ?

Je secoue la tête.

— Non, monsieur. Je voulais simplement savoir si vous accepteriez d'effectuer quelques recherches pour moi dans les bases de données.

J'avale ma salive.

— Si ça ne vous dérange pas, évidemment.

Il grogne, mais, d'un geste de la main, il active le clavier et l'écran. Je me penche pour optimiser mon angle de vision. J'ai élaboré trois théories sur le premier élément de son mot de passe. Fixée sur ce point, j'arriverai à extrapoler le reste.

— Ton intuition vaut la peine d'être mise à l'épreuve.

Il commence à saisir son mot de passe et je me penche davantage sur le bureau pour mieux voir.

Il a débuté par J, j'en suis certaine. Dans ma tête, je récite les chiffres et les lettres, burine dans mon esprit la séquence que ses doigts boudinés tapent lourdement sur le bureau. C'est la septième fois que je le vois saisir son mot de passe, et le schéma est toujours le même.

Je crois que je l'ai, mais je n'en suis pas sûre.

Il relève les yeux et je recule brusquement.

— Je viens de soumettre une requête urgente au Service de Vérification, dit-il. On va y effectuer les recherches que tu demandes. Normalement, il faut attendre des mois, mais, dans ce cas-ci, tu devrais avoir les résultats dans deux ou trois jours. On verra bien combien de noms produit ta théorie du loup solitaire.

Il se lève.

— Merci, monsieur. Je suis sûre que ces recherches se révéleront utiles.

Son mot de passe le sera assurément. Mon seul souci, c'est de décider par quoi commencer : la taupe, Adele, les enfants de Gage ou d'autres Déviants à sauver.

Il plisse les yeux.

— Tu as intérêt à te dépêcher. On célèbre l'Anniversaire du Président dans huit jours.

De retour à la caserne, je jette un coup d'œil à Cal. Dans sa chambre, un pansement sur le nez, il dort, encore sous l'effet des médicaments administrés par Mme Kalin. Heureuse de le savoir en sécurité, je me remets au boulot et, dans la salle d'étude, je m'installe dans le fauteuil le plus éloigné de la porte. La salle est à moitié remplie de recrues. Nous disposons de vingt minutes avant l'extinction des feux, et tout le monde en profite pour utiliser le Système et se préparer à l'examen du lendemain.

Pièce bondée ou non, je ne peux plus attendre. Et si Belando modifiait son mot de passe?

Je glisse ma main sous le rayon lumineux afin d'activer le clavier et l'écran. La peur au ventre, je tape le mot de passe, tant bien que mal. Au neuvième caractère de la série de douze, j'hésite, incapable de décider entre le Z et le X. Je choisis le X.

Bip.

Je lève les yeux. Mon cœur s'affole, mais personne ne se retourne, et je me rends compte que je pourrais toujours prétendre avoir commis une erreur en saisissant mon propre mot de passe. J'ai droit à trois erreurs avant que l'alarme se déclenche.

Une goutte de sueur dégouline sur ma tempe, et je ferme les yeux en essayant d'imaginer M. Belando saisissant son mot de passe. Oui, un Z et non un X. Pour la suite, je ne sais plus avec certitude s'il s'agit d'un T ou d'un U. Les chiffres sont plus faciles parce qu'il a promené sa main droite sur le pavé numérique, plus compact et plus facile à observer.

J'ouvre les yeux, inspire à fond et essaie le Z et le U.

Bip.

Ma poitrine se contracte, et j'inspire avec difficulté. Une dernière chance. Mes mains tremblent. Je balaie la pièce des yeux. Tout le monde est occupé. Je n'en ai pas moins l'impression que le monde entier me regarde.

En songeant à tous les Déviants qui attendent qu'on les sauve, je fais une dernière tentative en tapant Z et T. Fermant les yeux, j'appuie enfin sur le 6.

Pas de bip.

J'ouvre les yeux au moment où l'écran apparaît devant moi : « Bienvenue, monsieur Belando ».

Je jette un œil autour de moi. Ici, personne ne m'épie ; par contre, il est facile d'imaginer d'autres yeux se poser sur cet écran et constater que je ne suis pas M. Belando. Mes épaules se contractent. Même si personne ne regarde mon écran, il est tout à fait possible que quelqu'un, quelque part, examine le registre des accès au Système de M. Belando. Comme il est le responsable de la Conformité, j'espère n'avoir que lui à craindre. J'ignore comment je pourrais justifier mes agissements. Pourtant, je dois me montrer courageuse. Je verrai ça plus tard. Peut-être n'examine-t-il pas ses propres accès au Système.

Le mot CONFORMITÉ coiffe l'écran suivant. Plus bas, les options de menu comprennent la quasi-totalité des services du Havre. J'ai toujours su que le Service de la Conformité était puissant (ses employés évaluent le rendement de tous les autres services et vérifient leur adhésion au manuel des Politiques et Procédures), mais ce n'est que maintenant, avec tous les détails concernant le Havre sous mes doigts, que je prends pleinement la mesure de son pouvoir.

Repoussant ces pensées, je clique sur DOSSIERS RH et m'apprête à chercher Adele Parry lorsque, changeant de priorité, je saisis plutôt le nom de Gage. Si l'un ou l'autre de ses deux enfants est un Déviant, c'est peut-être ma seule chance de les trouver dans la base de données des RH. Je ne peux laisser passer cette occasion de venir en aide à ses enfants.

SUPPRIMÉ apparaît sur l'écran sous le nom de Gage. Mort.

S'ils savent que Gage est encore en vie, il n'en est pas question ici. Son profil est toujours lié à celui de sa partenaire, Theresa. Selon le dossier, le couple a eu deux enfants : Kara, quatorze ans, et Tobin, onze ans. Dommage que je ne dispose d'aucun moyen de les informer que Gage est vivant. Ils méritent de le savoir.

J'avais beau haïr mon père de tout mon cœur, à l'époque où je croyais que c'était lui qui avait paralysé Drake et tué ma mère, j'aurais quand même voulu savoir qu'il était vivant.

Je mémorise leur adresse, le service où travaille Theresa et l'adresse du centre de FG que fréquentent Tobin et Kara.

Dans la liste des élèves de sa classe, il y a un drapeau à côté du nom de Tobin. Quand je clique dessus, le message suivant apparaît : « Absent de vingt-trois séances de formation consécutives. Comportement parasitique signalé à Conformité. » Je tressaille : la note inscrite par l'instructeur date de plus d'un mois.

À force de parcourir des menus, je finis par tomber sur une liste des vérifications en cours. Le numéro d'employé de Tobin n'y figure pas.

Ou bien j'arrive trop tard, ou bien personne au Service de la Conformité n'a donné suite à la note de l'instructeur, du moins pour le moment. L'affectation des Confs à la recherche des terroristes a un avantage: il y a du retard dans les vérifications.

Retard ou pas, je dois trouver Tobin sans délai, surtout si ses absences ont pour but de dissimuler une Déviance.

La porte de la salle d'étude s'ouvre et, d'un geste, j'éteins mon écran. C'est seulement un de mes camarades de classe, dont j'ai oublié le nom. À moins que je ne l'aie tout simplement pas remarqué. Il me salue d'un geste de la tête et s'assied de l'autre côté de la salle.

Je saisis mon mot de passe personnel pour accéder aux fichiers contenant la matière de l'examen et je feins de les étudier, mais je suis incapable de me concentrer. Je suis déjà prête pour l'examen.

Au bout de cinq minutes, je mobilise le courage de saisir de nouveau le mot de passe de M. Belando. Cette fois, avant de chercher Adele, je consulte les dossiers des RH sur mes camarades de classe. J'espère trouver des indices qui me permettent de démasquer la taupe, mais je ne remarque rien d'intéressant. Au moins, à supposer que M. Belando découvre que j'ai utilisé son mot de passe, je pourrai prouver que je cherchais effectivement le traître. Tout en sachant qu'il ne me pardonnerait probablement pas, je ne dois pas me laisser arrêter par la peur.

Renonçant à la recherche de la taupe, je me tourne vers Adele. La saisie de son nom révèle les lieux de résidence et de travail que m'a fournis Clay. Or, je sais déjà qu'elle n'y est pas. J'ai vérifié. Je trouve ensuite un dispositif qui permet d'afficher la liste de ses collègues.

La voici. Sa photo d'identité laisse voir un visage carré, des cheveux foncés et courts, des sourcils broussailleux et une expression colérique.

Que t'est-il donc arrivé, Adele ? Pourquoi n'y a-t-il pas d'avis de mutation ou de suppression te concernant ? Je divise l'écran pour comparer la liste actuelle des employés à son lieu de travail à celle de l'année dernière. Le seul changement concerne une femme mutée dans un endroit appelé «buanderie». Mue par une inspiration soudaine, je consulte la photo dans la liste des employés de la buanderie. C'est Adele.

Elle s'est donc débrouillée pour usurper le numéro d'employée et le dossier d'une autre femme. Je prends les détails en note. Puis, le cœur battant, je cours un risque énorme et j'envoie à Adele une note électronique anonyme l'invitant à me rejoindre le lendemain soir.

Demain, c'est la Journée libre de la fin du trimestre. Néanmoins, il est trop risqué de l'approcher à la clarté du jour. Mieux vaut que nous nous rencontrions à la nuit tombée. Je signe : «Une amie».

Grâce à ma formation, je sais que ces notes anonymes ne le sont jamais *vraiment*, que même les vérificateurs subalternes sont en mesure de remonter jusqu'à leur auteur. Sans compter que les superviseurs d'Adele à la buanderie pourront voir cette note, si le cœur leur en dit. Je ne m'en inquiéterai que si on me capture.

Dans l'espoir d'effacer mes traces, je remonte jusqu'à la liste des mutations associée à l'ancien poste d'Adele et je suis quelques liens de plus, excitée de tomber sur l'un des parents d'une recrue du PFAC. Au besoin, je serai mieux en mesure de me justifier auprès de Belando.

Je consulte d'autres dossiers là où travaille la femme de Gage, puis je fouille dans ceux des élèves et des instructeurs de notre classe, laissant dans mon sillage une piste complexe que M. Belando jugerait plausible, du moins je l'espère. Je prétendrai ne pas avoir voulu attendre les rapports de vérification.

Je sens l'adrénaline couler en moi. Je suis née pour l'espionnage. Si je reste alerte et prudente, je ne mourrai peut-être pas avant d'atteindre dix-sept ans.

— Qu'est-ce que tu fabriques? demande Larsson.

Je sursaute et j'appuie sur une touche pour éteindre mon écran.

— J'étudie, balbutié-je.

Comment a-t-il pu s'approcher ainsi à mon insu?

Il plisse les yeux et se penche sur moi.

— Ce n'est pas l'impression que j'ai eue, dit-il.

Il indique ses propres yeux.

— Je te surveille. Sois prudente, Solis.

Je le regarde d'un air calme et égal.

— Oui, monsieur.

Va te faire voir, Larsson, me dis-je. Je suis Glory, espionne de choc. Je n'ai pas peur de toi.

CHAPITRE
QUINZE

Au Centre, il y a moins de monde que lors des autres JLFT, mais les lieux sont quand même bondés. Puisqu'on célébrera l'Anniversaire du Président dans six jours, certains ont peut-être décidé de rester à la maison. Ce jour-là, nous serons encore plus nombreux. Et si les terroristes décident de frapper, les victimes seront légion. Parcourant la foule du regard, je me demande s'il y a des terroristes parmi nous. Leurs revendications restent obscures. Tout ce qu'on sait, c'est qu'ils souhaitent perturber notre existence et discréditer la Direction à nos yeux. Ils sont fous. Ce n'est pas en posant des bombes qu'ils arriveront à leurs fins.

Je ne veux pas penser aux terroristes, en ce moment. Les lumières vives du Centre scintillent et se reflètent sur les immeubles de verre et d'acier (par rapport aux ruelles et aux toits sombres, la nuit, le contraste est saisissant). Pour un peu, ma peau crierait son bonheur d'être dehors, alors que la lumière du soleil est allumée. La sensation a beau ne pas se comparer à celle que procure le vrai soleil, elle est quand même agréable. Et, compte tenu de la vie stressante et occupée que je mène, je suis résolue à profiter de ce bref répit.

D'ailleurs, je ne peux pas faire grand-chose, actuellement. Tout se met en place. Adele a répondu à ma note électronique et convenu de me rencontrer ce soir à la buanderie. Si Burn ou un autre membre de l'AL se pointe à notre rendez-vous, cette nuit, je pourrai lui rendre compte de ce progrès. C'est pour moi le meilleur moyen de réintégrer l'équipe.

— N'est-ce pas que le Centre est merveilleux, aujourd'hui ? lance Jayma en tournant sur elle-même, la tête renversée.

— Ça, c'est moi qui m'en suis occupé, dit Scout.

La touchant à l'épaule, il indique un nouveau panneau d'affichage sur lequel on voit le Président, campé devant le logo du Havre, souriant largement. Les couleurs sont vives, et les dents du Président, d'un blanc aveuglant.

— Tu as peint cette affiche ? demande-t-elle, éperdue d'admiration.

— Je l'ai accrochée, répond-il en bombant le torse. Mon équipe, plutôt. Laisse-moi te dire que nous avons eu du mal à la mettre au niveau.

— Pourquoi est-ce qu'il n'y a pas plus de monde ici ? s'étonne Jayma.

— Je n'en sais trop rien, avoue Cal. Je trouve ça bizarre pour la fin du trimestre.

— À cause des terroristes, affirme Scout en enserrant la taille de Jayma par-derrière. Depuis la dernière explosion, les gens ont peur de fréquenter le Centre.

— Ne crains rien, dit Cal en remontant sa main sur mon épaule. On a tellement rehaussé les mesures de sécurité qu'il ne peut rien se passer.

D'un geste, il désigne les Confs postés tout autour du Centre.

En plus de ceux déployés à la vue de tous, nous savons, Cal et moi, qu'au moins onze autres agents sont postés dans les immeubles voisins. Sauf que les électrodes et même les vraies balles sont impuissantes contre les bombes.

— Les terroristes sont des lâches, déclare Cal en assénant une claque dans le dos de son jeune frère. Ils n'oseront jamais s'approcher du Centre. En plus, comme ce sont sans doute des *freaks* déviants, on les verrait venir de loin.

— Tu as probablement raison, admet Scout, mais les gens ont peur.

Il lève les yeux sur un vaste écran où clignote le slogan : « Le Havre est synonyme de sécurité. »

— Le Havre était si sûr, autrefois.

Je réprime un sourire. Nous avons terminé notre FG le trimestre dernier. Scout parle comme un vieil homme qui regrette le temps béni de sa jeunesse. Et le slogan du Havre est risible. Terroriste ou pas, personne, dans le Havre, ne sait ce qu'est la sécurité. Pas plus que le danger, d'ailleurs.

— Tiens, salut, bel inconnu !

Stacy se rue vers Cal en souriant largement et en m'ignorant complètement. Ansel, Quentin et les autres recrues qui les accompagnent nous saluent d'un signe de la tête.

— Tu nous as trouvés, dit Cal.

Stacy se penche pour lui faire un câlin et reste accrochée à Cal, bien que ses mains à lui soient retombées. Il sourit pour me demander pardon.

— Comment va ton nez ? demande Stacy. Tu as été tellement brave, l'autre jour.

— Pas si mal, répond Cal.

Elle lui caresse le bras.

Je me détourne. Cal soutient qu'il n'éprouve rien pour Stacy, et je le crois. Je ne prends pas pour autant plaisir à la voir flirter avec mon petit ami.

D'un geste, j'invite Ansel et les autres à s'avancer pour rencontrer Jayma et Scout. Après les présentations, nous bavardons, admirons les nouvelles lumières et attractions du Centre comme si nous étions de bons amis.

Ansel me tire à l'écart.

— Ça ne te dérange pas ?

D'un mouvement de la tête, il désigne Cal et Stacy. Elle rit, beaucoup trop près de lui.

— Ce n'est rien, dis-je à Ansel.

Je voudrais cependant réussir à en convaincre les bandes élastiques qui me compriment l'estomac.

— Non, c'est *toi*, le meilleur ! s'écrie Stacy.

J'ai beau tenter d'ignorer le manège de Stacy, je n'y arrive pas.

— Ah bon ? répond Cal en frottant ses cheveux coupés ras.

— Et tu mérites ce qu'il y a de mieux au monde, dit-elle. Tu devrais passer à la catégorie supérieure.

— La catégorie supérieure ? s'étonne-t-il.

Elle s'empare de son poignet et encercle son bracelet de fréquentation.

Assez. Je m'avance à grandes enjambées et me glisse sous le bras de Cal.

Il me serre l'épaule et sourit.

— Stacy essaie de me convaincre que je suis l'élève le plus doué de la classe d'arts martiaux.

Il secoue la tête.

— À mes yeux, tu l'es.

Je me hisse jusqu'à son cou et j'entraîne ses lèvres contre les miennes, puis je l'embrasse plus fort que je devrais en public.

— Wow, dit-il doucement lorsque nous nous interrompons pour reprendre notre souffle. Quelle mouche t'a piquée ?

Je hausse les épaules et le gratifie d'un petit sourire.

Cal se penche et me chuchote à l'oreille :

— Allons-nous-en d'ici. J'ai envie d'être seul avec toi. Dans l'intimité.

Mon corps vibre tout entier et je recule juste un peu. Le grade de notre bracelet n'autorise pas d'activités susceptibles d'entraîner la procréation.

Stacy fixe le sol, les bras croisés sur la poitrine. Je sais que son malaise ne devrait pas me réjouir, et pourtant…

La musique diffusée par les haut-parleurs du Centre s'amplifie, et des couleurs vives défilent sur les écrans clignotants pour attirer notre attention. Puis, du haut des écrans, le Président nous sourit largement.

— Bienvenue, dit-il, et merci beaucoup à tous les employés du Havre qui travaillent d'arrache-pied pour embellir le Centre en prévision de mon anniversaire.

Là-haut, il gesticule comme s'il balayait vraiment les environs des yeux.

— J'espère que vous serez tous des nôtres.

La foule murmure.

— En fait, poursuit le Président, j'ai déclaré mon anniversaire jour férié dans l'ensemble du Havre !

Des acclamations fusent. Sans réfléchir, je joins ma voix à celles des autres.

Il est difficile de résister à la liesse ambiante, surtout que, pour une fois, il s'agit d'une fête, et donc de quelque chose d'agréable, plutôt que d'une liquidation. Et je suis encore grisée par le baiser.

— Et maintenant, ajoute le Président, j'ai une surprise pour vous.

La foule attend, sous le charme.

— Les exercices d'aujourd'hui seront dirigés par la VP de la Santé et de la Sécurité en personne, Mme Kalin !

La foule applaudit. Le Président s'écarte, et Mme Kalin, l'air très en forme dans sa combinaison brune, apparaît sur les écrans.

— Merci, monsieur le Président.

Elle se tourne vers la caméra et sourit. Normalement, nous faisons les exercices au travail, guidés par les superviseurs. En FG, ce sont les instructeurs qui s'en occupent.

Je regarde Mme Kalin dans les yeux (c'est beaucoup plus facile quand je ne risque pas de trahir ma Déviance). Ils sont à la fois chaleureux et invitants. Mes épaules se détendent, et je prends conscience de la tension qui m'habite depuis des jours, voire des mois.

Je me souviens de ma promesse de profiter de ma journée libre pour oublier Adele et l'AL, oublier la taupe, oublier Burn. Mme Kalin nous offre un privilège rare en dirigeant les exercices d'aujourd'hui, et je n'ai pas l'intention de bouder mon plaisir.

— Pourquoi tout le monde acclame-t-il la sorcière qui gère l'hôpital ? demande Jayma.

Je détache mes yeux de ceux de Mme Kalin sur l'écran. Jayma fixe le sol. Scout et Cal sautillent et crient avec les autres. Comme ils se préparent à effectuer les exercices, ils n'ont pas remarqué le malaise de Jayma.

Je lui touche le bras.

— J'ai rencontré Mme Kalin, lui dis-je. Elle n'est pas si méchante que ça.

— Le Service de S et S a tué mon frère.

— C'est la *grippe* qui a tué ton frère.

Jayma me foudroie du regard.

— Je ne peux pas croire que tu dises une chose pareille.

— Je sais, je sais, ajouté-je en secouant la tête. C'est juste que…

C'est juste que quoi, au fond ? Après tout, je n'ai pas une entière confiance en Mme Kalin.

— Quand je l'ai rencontrée, j'étais fin prête à la haïr. Elle a été très gentille avec moi et elle a soigné Cal quand il s'est cassé le nez. Elle m'a aussi coupé les cheveux.

Ce n'est pas la vérité, à strictement parler, mais comment pourrais-je lui expliquer le salon de beauté ?

Je relève les yeux sur l'écran. Mme Kalin demande si tout le monde prend sa poudre vitaminée. Elle sourit, et j'ai le sentiment que son sourire m'est destiné.

Le bonheur a raison des sentiments négatifs et, en me souvenant de tout ce que m'a confié Mme Kalin, je me tourne vers Jayma.

— Depuis que je l'ai rencontrée, j'ai du mal à croire qu'on se livre à de telles atrocités à l'hôpital. Du moins volontairement. Il s'agit peut-être de rumeurs.

La mâchoire de Jayma tremble.

— Écoute, lui dis-je en souriant. Évitons les pensées tristes, aujourd'hui. Je ne te vois presque plus. Tâchons de ne pas gâcher le temps que nous avons.

— Tu as raison, répond-elle en me serrant dans ses bras. Mais je vais exécuter les exercices de mémoire. Pas question que je regarde cette sorcière sur l'écran.

J'ouvre la bouche dans l'intention de protester, mais rien ne sert de discuter avec Jayma. Elle ne connaît pas Mᵐᵉ Kalin et, franchement, j'ai du mal à croire que je me suis permis de profiter des largesses de cette femme, ne fût-ce qu'un peu. C'est peut-être un symptôme de ma solitude, de la frustration que je ressens à l'idée d'avoir été expulsée de l'AL. Lorsque je serai de nouveau sur les rails…

— Maintenant que le Président a disparu, dit-elle en nous décochant un clin d'œil, je voudrais vous demander votre aide. Faisons de son anniversaire une journée exceptionnelle. Il a décrété un nouveau jour férié, alors répandez la bonne nouvelle. Invitez vos amis et vos proches à prendre part aux célébrations. Voyons combien d'employés nous pouvons entasser dans le Centre !

Nous applaudissons.

— Il y aura plein de surprises ! Ne manquez pas ça !

Chaque fois que je lève les yeux sur elle, je me remémore sa gentillesse. À l'entendre parler de l'Anniversaire, je suis emballée, malgré les menaces d'attentat. On dirait bien que M. Belando n'a évoqué le danger – réel ou non – ni devant Mme Kalin ni devant le Président. Je me fie à Mme Kalin beaucoup plus qu'à M. Belando.

— Venez, vous deux, dit Cal, tout près.

Jayma et moi nous préparons à exécuter les exercices avec les autres. Mme Kalin choisit mon enchaînement préféré. Avec les puissants haut-parleurs du Centre et les lumières qui accompagnent la musique, je sens l'enthousiasme m'inonder. Cal sourit, lui aussi, et, au moment où il se laisse tomber par terre pour effectuer des pompes, je ne peux m'empêcher de regarder ses muscles qui se tendent.

— Tu es belle, dit-il quand nous nous relevons. J'adore ta nouvelle coiffure.

Je me sens belle, en effet. Je me sens forte et heureuse, plus heureuse que jamais auparavant.

Oui, ma vie est dangereuse. Oui, j'ai subi un contretemps. Mais personne n'est mieux équipé que moi pour relever ces défis. Bientôt, je recommencerai à sauver des Déviants.

Et je ne m'arrêterai que le jour où tous les Déviants du Havre seront en sécurité.

Ce soir-là, je descends de mon lit sans bruit. Je trouve une de mes chaussures à un bout et, dans le noir, je cherche l'autre à tâtons. Stacy ne ronfle pas encore. Mais si je ne me mets pas bientôt en route, j'arriverai en retard à mon rendez-vous avec Adele.

— Tu as beaucoup de chance, murmure-t-elle.

— Tu ne dors pas?

J'allume ma torche pour chercher ma chaussure.

Au passage, la lueur éclaire son visage. Elle a les yeux rouges et essuie sa joue humide du revers de la main.

— Qu'est-ce qui ne va pas?

J'enfile enfin la chaussure manquante.

— Comme si ça t'intéressait…

Sa voix est tremblante et tendue.

Je prends une profonde inspiration, puis je m'accroupis près du lit.

— Si tu préfères ne pas en parler, pas de problème. Mais, après la façon dont tu m'as traitée, ne viens surtout pas m'accuser de ne pas m'intéresser à toi.

Ses yeux se gonflent de larmes, et elle se tourne vers le mur.

— Salue Cal de ma part, lance-t-elle d'une voix qui se fissure.

Je soupire.

— Tu passes ton temps à flirter avec mon partenaire, puis tu t'attends à ce que j'aie de la peine pour toi?

Elle pivote vers moi.

— Tu ne sais pas ce que c'est.

— Quoi donc?

— D'être une *freak*.

J'en ai le souffle coupé. Stacy serait-elle donc Déviante? Et si c'était elle, la taupe?

— Tu n'as rien d'une *freak*, Stacy, dis-je d'une voix calme et égale.

— Tu ne comprends pas.

— Je comprends plus que tu penses.

En tout cas, je sais ce que cela fait de se sentir différente, d'avoir le sentiment d'être seule.

— J'ai parfois l'impression d'être une *freak*, moi aussi.

— Facile à dire quand on est petite et jolie, répond-
elle en reniflant.

— Je ne suis rien de tout ça.

Elle grogne.

— Tu n'as pas idée de ce que c'est que d'être la grosse
fille, la grande fille dont les épaules sont plus larges que
celles de la plupart des garçons.

Elle cligne des yeux, et des larmes glissent de sa joue à
son oreille.

— Un vrai monstre, dit-elle en tapant du poing sur le
lit. Je me déteste.

Avec hésitation, j'avance la main pour toucher son
épaule. Elle est humide de sueur.

— Je suis certaine que tu vas trouver le garçon de tes
rêves.

— Non ! La plupart des garçons ne remarquent même
pas que je suis une fille.

— Je suis sûre que tu exagères.

— Cal est le seul qui se montre gentil, mais, évidemment, il ne veut pas de moi. Évidemment, il a choisi quelqu'un comme toi.

J'inspire à fond.

— Cal est un bon garçon et il t'aime bien, mais nous
nous connaissons depuis que nous sommes tout petits.

La culpabilité me fige l'estomac.

Ma relation avec Cal est condamnée d'avance. Un
jour, il découvrira qui je suis, et tout sera terminé. L'idée

que je l'empêche de trouver une fille qui pourrait se marier avec lui m'est insupportable. J'ai fait preuve d'égoïsme en acceptant de recommencer comme avant. Si j'étais une meilleure personne, je libérerais Cal. Peut-être Stacy n'est-elle pas aussi horrible que je le pensais.

— Ça va ?

— Laisse-moi tranquille, dit Stacy en se tournant vers le mur.

— Stacy…

Je ne sais pas quoi ajouter. Sans compter que je suis en retard.

— Si tu n'étais pas si méchante, nous pourrions être amies, toi et moi.

Son bras se tend et elle me frappe l'épaule.

— Aïe !

Sans s'excuser, elle roule sur le dos.

— Tu vas signaler mon absence ? demandé-je.

D'une manière ou d'une autre, je dois partir.

Elle me lance un de ses chemisiers.

— Va-t'en.

Je me sentirais mieux si Stacy était la taupe. Elle risquerait moins de me dénoncer à Larsson pour avoir quitté la chambre.

CHAPITRE
SEIZE

Derrière Adele, de la vapeur s'échappe des énormes cuves de la buanderie, et de longues palettes en bois sont appuyées sur le mur de briques en béton. De puissants produits chimiques me piquent la gorge et le nez. Je n'envie pas Adele de travailler ici tous les jours. Une fois à l'Extérieur, loin de la poussière qui se concentre près du périmètre du Havre, elle va beaucoup aimer l'air frais.

— Aie confiance en moi, Adele, lui dis-je. Tu n'es plus en sécurité. Mais je peux t'aider.

— Toi ?

Elle plisse les yeux et croise les bras sur sa large poitrine.

— Tu n'aurais pas la force d'aider un brin de poussière.

— Tu te trompes.

Je ne peux lui dire comment je l'ai trouvée ni combien de Déviants j'ai secourus. Tout aveu compromettrait ma couverture. Le seul fait que j'aie réussi à la retrouver prouve que j'ai l'étoffe de rester l'un des principaux atouts de l'AL. Burn s'en apercevra, et Rolph aussi. Et je serai rétablie dans mes fonctions. Je ne dois pas laisser mon orgueil compromettre la présente mission.

— Je ne suis pas toute seule. Je te mettrai en contact avec d'autres personnes qui te donneront un coup de main.

— Je n'ai pas besoin d'un coup de main.

Le moindre pore de sa peau respire le scepticisme. Elle rapproche ses poings, et ses biceps se gonflent. Je ne doute pas un instant qu'elle pourrait m'écraser ou me briser la nuque avec ses bras renforcés par le travail à la buanderie.

— Les Confs sont sur tes traces, lui dis-je.

C'est sûrement vrai puisqu'elle figurait sur la liste de Clay.

— Ils vont t'arrêter. Tu seras liquidée.

— Qu'est-ce qui me dit que tu n'es pas membre du CJÉ ? demande-t-elle. Tu es venue m'obliger à passer aux aveux avant de me dénoncer ?

Elle m'a dit qu'il n'y avait personne d'autre dans la buanderie, mais sa voix est trop forte, et j'ai les nerfs à vif.

Je regarde autour de nous.

— Je n'appartiens pas au CJÉ.

J'en ai l'estomac tout retourné. Je n'ai rien à voir avec le Comité des jeunes pour l'éthique, dont les membres espionnent les autres employés. Pourtant, Adele est plus proche de la vérité que je le voudrais. Que se passerait-il si elle découvrait que je suis inscrite au PFAC ?

— Que peux-tu faire ? demande-t-elle.

Mes épaules se décrispent.

— Dans deux nuits, je peux t'amener auprès de mon contact. Il te conduira en lieu sûr.

— Tu ne comprends pas.

Un des coins de sa bouche se redresse.

— Que. Peux. Tu. Faire ?

Je secoue la tête.

— Ta *Déviance* ?

— Je...

Ça ne va pas. Ça ne va pas du tout.

— Qu'est-ce qui te laisse croire que je suis Déviante ?

Ma Déviance ne se voit pas. La sienne non plus, du reste. À supposer qu'elle en ait une.

— Pourquoi refuses-tu de me le dire ? lance-t-elle en me donnant une poussée sur l'épaule. Pourquoi devrais-je avoir confiance en toi si tu te méfies de moi ?

Avant que j'aie pu reprendre mon équilibre, elle me pousse de nouveau. Et encore.

— Arrête ça, dis-je en me campant fermement sur mes pieds.

— Allez, me presse-t-elle. Montre-moi de quoi tu es capable.

— Je fais du mal aux autres, d'accord ?

Quel euphémisme. Je les tue. De la vapeur monte d'une machine derrière moi, et je me retourne vivement.

Elle grogne.

— Toi ? Tu ne pourrais pas faire de mal à une mouche.

Elle carre les épaules.

— Allez, essaie. Fais-moi mal.

— Je... Ma Déviance... n'est pas une question de force.

— Montre.

Je secoue la tête.

— Non.

— Dans ce cas, au revoir.

Elle recule, va repartir.

— Non.

Je m'élance vers elle, la saisis par le poignet. Elle regarde son avant-bras jusqu'à ce que je finisse par le lâcher. Peut-être une petite démonstration n'est-elle pas contre-indiquée. Surtout si je me garde de la blesser. Je vais donc devoir miser sur ma maîtrise.

— Un instant.

Elle laisse entendre un grognement de dérision. Son scepticisme et son ton condescendant attisent ma colère. Parfait. Elle me facilite la tâche : j'aurai moins de mal à mobiliser mes émotions.

Je sens derrière mes yeux le picotement avant-coureur.

— Regarde-moi.

Elle obéit, et j'établis aussitôt le contact, sens la force qui l'entraîne vers moi, captive, impuissante, mais belligérante. Elle ne se doute pas de la facilité avec laquelle je pourrais la tuer.

Je choisis ses poumons : elle éprouvera mon pouvoir, mais je ne risque pas de causer des dommages permanents. En serrant, j'utilise mon esprit pour vider sa poitrine de son oxygène et je maintiens la pression pour l'empêcher de remplir ses poumons de nouveau. Je vois la panique monter dans ses yeux. Ses bras décrivent des moulinets, puis une de ses mains s'avance.

Un feu s'allume dans une pile de chiffons à mes pieds.

Je romps le contact visuel et, après avoir reculé de quelques pas, je cherche le moyen d'étouffer les flammes. Adele plonge les bras dans l'une des cuves et en sort un sac de vêtements mouillés qu'elle lance sur le feu. Des jurons s'échappent de sa bouche en un flot plus rapide et plus fort que tous les propos contraires aux politiques proférés par Burn. L'odeur des fibres calcinées sature l'air.

— J'espère que les détecteurs ne vont pas se déclencher, dit-elle en agitant les mains pour dissiper la fumée, une fois le feu circonscrit. À cause de la vapeur, on les règle au minimum.

Elle examine le sac dont elle s'est servie pour éteindre. Il semble rempli de draps. Dessus, on distingue le numéro d'un employé. Sans doute un membre de la Direction puisque tous les gens que je connais lavent leur propre literie. Après s'être assurée que le tissu n'est pas endommagé, elle replonge le tout dans la cuve et se tourne vers moi, les yeux plissés.

— Comment as-tu fait ça?

— Je n'ai pas allumé le feu.

— Je *sais*, lance-t-elle en me regardant comme si j'étais une idiote. Ça, c'était moi. C'est mon don.

— Oui. Bien sûr.

— Tu ne m'as pas répondu.

Elle s'écarte un peu, presque comme si elle avait peur de moi.

Je m'avance. Sa crainte me procure un avantage.

— Ça vient de mes yeux. Quand le contact s'établit, je vois l'intérieur des gens. Je peux m'emparer d'eux et les tuer.

Elle recule d'un pas titubant.

— Qu'est-ce que tu es? Une sorte de monstre?

Ses mots me font l'effet d'une gifle. Pourtant, je lève le menton, prête à en encaisser une autre.

— Si je suis un monstre, tu en es un, toi aussi. Je suis Déviante.

C'est l'une des premières fois que je prononce ces mots.

— Et je suis là pour t'aider.

Décidément, il est beaucoup plus facile de secourir des jeunes.

Elle avale sa salive et promène sa langue sur ses dents, comme si elle avait la bouche sèche, tout à coup. Elle met les mains sur les hanches.

— Tu connais des gens à l'Extérieur ? Alors prouve-le.

— Je n'ai jamais parlé de l'Extérieur.

— C'est de ça qu'il s'agit, non ? De m'emmener à l'Extérieur ? Vous avez trouvé un moyen de vivre dans la poussière, non ?

Je souris sans confirmer ni infirmer son hypothèse.

— Dans deux nuits. Rejoins-moi dans la ruelle derrière la buanderie et je te conduirai auprès de mon partenaire. C'est lui qui te prendra en charge.

— Je n'irai nulle part et je ne rencontrerai personne sans que tu m'exposes ton plan en détail et que tu me dises où vous comptez m'emmener.

Elle se penche vers moi et attend ma réponse.

Je lutte pour garder mon calme. J'ai toujours trouvé un moyen d'établir le contact avec les jeunes que j'ai secourus, de gagner leur confiance. Cette femme, elle, est d'un entêtement sans nom. Je ne peux mentionner l'Extérieur ou la Colonie sans déroger aux principes de ma mission. Une telle erreur ne m'aiderait sûrement pas à rentrer dans les bonnes grâces de Rolph.

Lorsqu'il a sauvé Drake, Burn a pris directement contact avec nous. Maintenant que je travaille à l'intérieur, nous sommes censés maintenir une forme de séparation entre nous pour limiter les risques courus par l'AL, dans l'hypothèse où l'une de nos cibles irait trouver les Confs. Moins elles savent de choses, moins elles sont en mesure d'en révéler. Si elles ne connaissent que moi, je suis seule à courir des risques. Ni l'Extracteur, ni l'équipe de transport, ni la Colonie, ni l'Armée de libération dans son ensemble. Que moi.

Adele ouvre grands les yeux.

— Je viens de me rappeler où je t'ai vue. Tu es cette fille... Celle qui a été kidnappée.

Je me fige.

— Alors c'est d'accord, dit-elle en levant le menton. Je vais le rencontrer, ton partenaire.

Ce n'est pas trop tôt.

— Retrouve-moi à deux heures du matin dans la ruelle...

— Non, déclare-t-elle en secouant la tête. Rendez-vous demain. À minuit. Ici.

— Pas question. C'est lui qui décide, lui qui sait où vous serez en sécurité, tous les deux. Ce n'est pas toi qui fixes le rendez-vous.

Sans compter que je ne suis pas certaine de pouvoir trouver Burn avant minuit demain.

— Dans ce cas, dit Adele en haussant les épaules, il n'y aura pas de rendez-vous.

En route vers la caserne, je m'arrête dans la pièce où nous nous retrouvions, Clay et moi. J'espère y croiser Burn. J'espère le persuader de m'aider à extraire Adele. Pourvu qu'il ne se montre pas odieux, cette fois-ci.

Dans le coin, une silhouette remue. Je ne sais pas qui est là, mais cette personne me semble beaucoup plus petite que Burn. Je me blinde en prévision d'une attaque.

— Qui est là ? lancé-je dans les ténèbres.

La silhouette s'avance dans la lumière, et je me rends compte que, dans la pénombre, j'ai été victime d'une illusion. Burn se faufile entre les hautes piles de récipients en plastique. Son manteau s'évase sur ses lourdes bottes.

— Tu n'en as pas assez eu la dernière fois, petite fille ?

Son ton est glacial et moqueur.

En serrant les dents, j'encaisse la pique et la laisse glisser sur moi.

— J'ai aperçu une nouvelle caméra de surveillance dans la ruelle. Elle est peut-être active. Sois prudent en repartant.

— Tu penses que j'ai peur d'une caméra de surveillance ?

— Tu es recherché pour enlèvement, Burn, dis-je en m'approchant. On a ton signalement.

Je passe sous silence l'avatar du SIM à son effigie.

Il roule des yeux.

— Ça, c'est mon problème. Je n'ai pas besoin de ta protection, en tout cas.

Sa voix sombre et grave est la même, mais il a beaucoup changé au cours des derniers mois. Je refuse de tolérer ce comportement injurieux.

Ce qu'il y avait entre nous, peu importe ce que c'était, est terminé. De toute évidence. J'ai le cœur fêlé, peut-être brisé, mais je peux à tout le moins cesser de penser à lui. À la longue, le sentiment de culpabilité que j'éprouve à l'idée d'avoir trahi Cal finira peut-être par s'alléger.

Je ne ferai plus de concessions ou de compromis pour Burn. Il a eu une vie difficile? Moi aussi. Je n'essaierai pas d'interpréter son comportement. Il ne le mérite pas. Il n'est qu'un soldat de l'AL avec qui je dois traiter dans le cadre de mes fonctions.

J'ancre solidement mes pieds et je redresse le dos.

— Je l'ai trouvée.

— Qui?

— Adele Parry.

Ses épaules tressautent.

Je réprime un petit sourire satisfait.

— Tu ne m'en croyais pas capable, hein?

— Je devrais être impressionné?

Il me lance un regard furieux et attend pendant ce qui me semble une bonne minute.

— Où est-elle? Je n'ai pas toute la nuit.

— Et moi? Tu as une idée de ce que je risque en venant ici? Tu n'es pas le seul à être en danger, tu sais.

Je m'en veux de l'avoir laissé me dominer. J'ai perdu patience. Comment ai-je pu m'amouracher de ce type?

Il grogne.

— Bon, d'accord, emmène-la ici. Dans deux nuits. À deux heures et demie.

— En fait…

J'essaie de trouver une bonne façon de présenter les choses, mais il n'y en a pas.

— Elle veut que nous nous retrouvions à la buanderie. Demain. À minuit.

Il secoue la tête.

— Elle impose des conditions? Pour qui se prend-elle?

— Elle est têtue.

— Et toi, incompétente. Dangereuse pour tes semblables. Pire que ton père.

Mon cœur bondit.

— Mon père?

— Tu ne te doutes de rien, hein?

En deux enjambées, Burn franchit la distance qui nous sépare et se plante devant moi, son visage furibond tout près du mien.

— Quand ton père a été liquidé, des personnes sont mortes. De bonnes personnes.

Je m'efforce de garder mon calme.

— Tu m'en as parlé. C'est la première fois que tu t'es métamorphosé en…

Dans la peau du monstre qu'il devient lorsque la tension monte, Burn a tué un membre de sa propre équipe en même temps que les Déchiqueteurs qui s'en étaient pris à mon père.

La surprise se lit sur son visage. Aurait-il oublié qu'il m'en a parlé?

Je lève le menton.

— Demain, je vais aller retrouver Adele Parry à la buanderie. Si tu as l'intention de l'extraire, je te suggère d'y être aussi.

Il grogne et sort en coup de vent sans me dire s'il compte être au rendez-vous.

CHAPITRE
DIX-SEPT

Le silence règne dans la buanderie. Il y a des heures que le dernier quart de travail a pris fin, et la vapeur est moins dense que la veille. Quand même, je déteste cet endroit.

Je serais arrivée bien plus tôt pour examiner les moindres recoins si Stacy n'avait pas mis une éternité à s'endormir. Je dispose de cinq minutes seulement avant l'heure du rendez-vous avec Adele. Trop peu de temps pour inspecter les lieux et regarder derrière toutes les cuves à la recherche de signes de danger.

Improvisant un plan B, je gravis un escalier métallique en colimaçon menant à une passerelle.

La porte en barreaux de fer qui sépare l'escalier de la passerelle est verrouillée, mais, au moins, j'ai une meilleure vue d'ensemble. En bas, je n'aperçois personne. Mes craintes ne s'apaisent pas pour autant. La buanderie est remplie d'ombres et d'imposantes machines. Impossible de savoir ce qui s'y cache. Tout ce que je sais, c'est que je ne vois ni Adele ni Burn.

J'espère qu'il viendra.

— Bon, où est-il ?

La voix d'Adele résonne, et je me penche au bord de l'escalier. Elle se tient au centre de la pièce, dans un coin invisible d'en haut.

Je descends les marches en vitesse pour aller à sa rencontre. J'ai décidé qu'il valait mieux que je feigne d'avoir un plan, d'avoir la situation bien en main. Même si Burn est désormais exclu de ma vie, je dois trouver le moyen de communiquer avec Rolph pour qu'il m'assigne un nouvel Extracteur. Il le faut.

— Tu rencontreras mon contact demain soir, dis-je à Adele. Au moment convenu au départ. Pour avoir la vie sauve, tu dois te fier à lui.

— Me fier à lui ? Je ne me fie même pas à toi.

Elle me repousse en me donnant un petit coup dans la poitrine.

Je carre les épaules.

— Dois-je comprendre que tu aimes mieux être découverte par les Confs et liquidée ?

Elle me saisit le bras.

Me rappelant ma formation au combat, je me contorsionne et me penche, puis, profitant de sa main qui m'agrippe, je l'entraîne vers l'avant. La femme, beaucoup plus corpulente que moi, culbute par-dessus ma tête et atterrit sur le sol avec un bruit sourd. En jurant, elle roule sur elle-même et se met lentement à genoux.

— Espèce de petite garce.

— Je suis là pour t'aider.

— Pour m'aider, tu vas m'aider. Aucun doute à ce sujet.

Elle lève une main et tourne son poignet.

Au moins vingt personnes apparaissent. Elles étaient cachées derrière les cuves et les bacs d'entreposage. Une embuscade. Je suis encerclée.

Mon cœur bat au triple galop. J'avais donc raison de me méfier de cet endroit. Je m'efforce de garder mon sang-froid, d'évaluer la situation et d'élaborer un nouveau plan. Plus de la moitié des personnes qu'elle a appelées sont des adolescents comme moi, mais plusieurs d'entre elles sont clairement plus âgées. Il y a aussi deux petits enfants. La tête haute, je campe mes pieds avec fermeté, dans la position qu'on nous a apprise au PFAC.

— Qui sont ces gens ? demandé-je.

Adele s'avance vers moi et incline la tête. Sa nuque craque.

— C'est moi qui pose les questions, ici.

Je croise les bras sur ma poitrine.

— Tu te sens moins brave, maintenant, hein ?

Elle me pousse de nouveau, mais je suis si solidement ancrée que je bronche à peine.

— Ça suffit, Adele.

Un garçon se détache du cercle qui m'entoure.

— Tu t'y prends mal.

Il se range près d'Adele. Sa peau brun clair contraste avec la pâleur de la femme.

— Cette fille possède des informations dont nous avons besoin.

— Qui es-tu ? demandé-je.

Il a mon âge, peut-être une année de plus que moi, et il est si maigre qu'on le dirait victime de malnutrition.

Mais son expression me semble aimable. Du moins par rapport à celle d'Adele.

Il me tend la main.

— Je m'appelle Joshua. Enchanté, Glory.

Je lui serre la main.

Une décharge électrique me traverse de la tête aux pieds, et je retire vite ma main qui picote. Les autres rient, et mes joues s'embrasent.

— Désolé, dit-il en souriant.

L'éclat de ses yeux bruns me semble empreint d'humour bon enfant et non de méfiance.

— Je ne t'ai pas fait mal, au moins ?

Je secoue la tête.

— Bien. Je tenais seulement à ce que tu saches qui je suis.

Il gesticule.

— Ce que nous sommes tous. Ainsi, nous jouons cartes sur table.

— Vous êtes tous Déviants ?

— Wow. Tu es drôlement intelligente, raille Adele.

— Et toi, tu es drôlement sarcastique, répliqué-je du tac au tac.

— Adele, dit Joshua, laisse-moi m'en occuper.

Elle plisse les yeux.

— Je n'ai pas confiance en cette fille. Pas du tout. Il y a quelque chose de louche chez elle. Elle ment. Surtout, ne la regarde pas dans les yeux.

Joshua se tourne vers moi et me regarde droit dans les yeux.

— Tu vas me faire mal ?

— Ça dépend, dis-je en relevant le menton.

Il brandit les mains.

— Je pense que nous sommes tous sur la même longueur d'onde, ici.

— Possible.

Malgré mes appréhensions, j'ai peut-être découvert un énorme filon. Des dizaines de Déviants qui devront être conduits dans la Colonie. Si elle a réuni les autres dans l'espoir que je les aide, peut-être Adele a-t-elle confiance en moi, après tout. Avec ou sans l'aide de Burn, je dois trouver le moyen de les faire sortir du Havre.

— Adele dit que tu as été à l'Extérieur ? poursuit Joshua.

Je serre les mâchoires.

— Je n'ai rien dit de tel.

Je l'ai peut-être laissé entendre.

— Mais c'est la vérité ?

Je corrige ma position sans répondre.

Joshua s'avance vers moi.

— Tu peux nous mettre en contact avec l'Extérieur ? Avec ceux qui se sont donné pour but de renverser la Direction ?

Je m'efforce de garder une expression neutre. Nous entrons en territoire miné, et je ne suis pas certaine de ce que je peux confier à ce garçon qui, s'il l'avait voulu, aurait sans doute pu m'électrocuter. Sans compter que je n'ai rien dit à Adele à propos d'un renversement de la Direction. Je reste silencieuse.

— Moi d'abord ? propose-t-il en souriant.

Je hoche la tête.

— Nous sommes des rebelles, explique-t-il. Nous travaillons au renversement de la Direction. Nous voulons qu'elle cesse de liquider des Déviants et de les torturer dans cet hôpital maudit.

Je me penche vers l'avant.

— Comment savez-vous ce qui se passe à l'hôpital ?

Un petit garçon s'avance.

— J'ai été à l'hôpital, moi.

Mes yeux s'ouvrent tout grands. Si ce garçon est vivant, Mme Kalin ne m'a pas menti. Certaines personnes en sortent bel et bien.

— Que t'est-il arrivé là-bas ?

— Je n'y suis pas resté longtemps, répond-il. Mais j'ai entendu des cris. C'était affreux.

Il tremble.

— Mais tu as été libéré ?

— Pas vraiment, dit-il en secouant la tête. Le troisième jour, ils ont pris huit d'entre nous et nous ont forcés à marcher dans des couloirs. Tout nus. Une porte s'est ouverte, et je me suis enfui.

— Juste comme ça ?

— Non, comme ceci.

Le petit garçon disparaît, sauf ses vêtements qui restent suspendus dans l'air.

J'en ai le souffle coupé.

— Tu es invisible !

Il se matérialise de nouveau.

— C'est ma Déviance qui m'a conduit là-bas. C'est ma Déviance qui m'en a tiré.

Je me tourne vers Joshua.

— Tu as affirmé que vous étiez des rebelles. Qu'attendez-vous de moi, au juste?

— Depuis longtemps, nous soupçonnons l'existence de gens comme nous, actifs à l'Extérieur, sans pouvoir entrer en communication avec eux. Certains d'entre nous, ajoute-t-il en haussant les épaules, trouvent l'idée de collaborer avec des personnes capables de survivre à la poussière… disons… peu ragoûtante.

— Quelle forme votre rébellion prend-elle, alors? demandé-je.

À la pensée que ces individus soient associés aux terroristes, j'ai la chair de poule. J'ai beau vouloir sauver tous les Déviants et souhaiter la fin de la mainmise de la Direction sur le Havre, la terreur – poser des bombes, tuer des innocents – n'est pas la solution.

— Nous nous protégeons réciproquement, précise Joshua. Nous cachons ceux qui doivent l'être.

Il fait un signe d'un côté, et une fille dont la peau est couverte de fourrure s'avance et hoche la tête.

— C'est tout?

Joshua lève le menton.

— Je t'ai dit qui nous sommes. Si tu nous parlais des tiens, maintenant? Comment survivent-ils à l'Extérieur? Comment respirent-ils dans la poussière? Où habitent-ils?

— Je… Je ne suis pas autorisée à en dire plus.

Je rapproche mes pieds l'un de l'autre et serre les bras le long de mon corps dans une posture on ne peut plus militaire.

— Je vais discuter avec mon contact et nous allons vous conduire en lieu sûr. Un à la fois. Promis.

— Que valent tes promesses ? demande Adele en s'interposant. Je n'ai aucune confiance en cette fille. Lorsque nous aurons fait sauter le Centre…

— Silence, Adele, ordonne Joshua sans la laisser terminer.

Ma poitrine se fige.

— Vous allez dynamiter le Centre ?

Je ne peux cacher mon choc, mon dégoût. Adele vient de confirmer mes pires craintes ; ces gens sont bel et bien les terroristes. Je sens la fureur monter en moi.

— Non. Pas ça. Ce n'est pas la solution.

— Il faut stopper la Direction, riposte Joshua.

Le cercle se referme autour de moi.

— De quel côté es-tu ?

— En dynamitant le Centre, dis-je tandis que la pression augmente dans ma poitrine et dans ma tête, vous ne vous attaquerez pas qu'à la Direction. Les bombes, la violence font des victimes innocentes. Il y a d'autres moyens. Je peux vous aider à sortir d'ici.

— Nous tous ? lance Adele. Tous les employés du Havre ? Et tu penses que la Direction va rester les bras croisés ?

Elle secoue la tête, le front et le nez plissés.

— Je n'ai pas confiance en elle, je vous dis.

Elle agite la main, et un homme de grande taille s'avance.

Sortirai-je d'ici vivante ?

En cherchant un moyen de m'évader, j'évalue la situation et je lève les yeux sur la passerelle.

Je tressaille. Il y a un Conf là-haut. Je ne distingue pas son visage, mais l'uniforme est reconnaissable entre tous. Feignant l'impassibilité, je m'approche de Joshua et me penche vers lui.

— Il y a un Conf sur la passerelle.

Nous nous retournons, mais le Conf s'est volatilisé.

— Attrape-la, ordonne Adele en m'agrippant par le poignet.

Et l'homme de grande taille qu'elle a appelé braque une lampe à ultraviolet sur mon avant-bras, révélant la marque du PFAC.

— Je le savais! s'écrie Adele. Elle fait partie du PFAC. Et peut-être aussi du CJÉ. C'est un piège.

— Non!

La panique monte en moi.

— Je peux tout expliquer!

Pensent-ils que je suis venue en compagnie du Conf?

Les membres du groupe, y compris Adele et Joshua, se dispersent comme des rats, et je reste seule. Je dois réfléchir. Je dois trouver un moyen de les empêcher de faire sauter le Centre.

Une ombre s'avance sur la passerelle. Je me retourne en me préparant au pire. Comment expliquer ma situation à un Conf? L'ombre, cependant, s'évanouit. Le Conf a disparu.

CHAPITRE
DIX-HUIT

Pendant que je rentre à la caserne en marchant d'ombre en ombre, je rejoue dans ma tête les événements de la nuit. Lorsque je lui ai dit qu'un Conf était là, Joshua n'a pas semblé étonné. Cet agent travaille-t-il avec eux ? Si c'est le cas, Belando avait raison. Non seulement les prétendus rebelles projettent-ils de dynamiter le Centre, mais, en plus, ils ont un Conf dans leurs rangs.

Je dois formuler un plan.

Je pourrais les dénoncer à M. Belando, mais certains de ces Déviants, en particulier les enfants, méritent d'être sauvés. Comment savoir qui sont les coupables parmi eux ? Quant aux autres, ils luttent pour se libérer de la Direction, qui a pour but de les éliminer. Dans ce cas, la fin justifie-t-elle les moyens ?

Après tout ce dont je me suis rendue coupable, de quel droit les juger ?

Mme Kalin saurait peut-être m'aider à y voir plus clair. Parmi les membres de la Direction que j'ai croisés, elle me semble la plus ouverte d'esprit, la mieux disposée à entendre d'autres points de vue. Pourtant, je ne suis pas absolument certaine de pouvoir me fier à elle. Et comment lui expliquer ce que je fabriquais du côté de la buanderie ? Ou comment j'ai trouvé Adele ?

Il est donc exclu que je m'adresse à elle. Même chose pour Belando. Dans un cas comme dans l'autre, je trahirais des Déviants. Je suis tiraillée comme jamais entre mes multiples allégeances.

J'aimerais beaucoup pouvoir en discuter avec Cal. Avec sa raison et son calme coutumiers, il m'aiderait à distinguer le bien du mal. Sauf que, en lui confiant de nouveaux secrets, je mettrais sa vie en danger.

Je dois communiquer une fois de plus avec Joshua. Tout indique qu'il est leur chef, malgré son jeune âge. Je vais le convaincre que rien ne les oblige à recourir au terrorisme. Lorsque je l'aurai mis en contact avec l'AL, il obéira aux ordres de Rolph. Pendant la brève formation que j'ai suivie, Rolph ne m'a pas fourni de détails, mais je sais que l'Armée a pour but de renverser la Direction.

Je tourne à un carrefour et trouve Burn sur mon chemin.

Avec un mouvement de recul, je balaie la rue à la recherche de caméras, de Confs, de n'importe qui. Dans le Havre, le visage de Burn est bien connu, et je ne comprends pas comment il arrive à aller et venir à l'insu de tous.

— Que fabriques-tu ici, à découvert ? chuchoté-je. C'est de l'insouciance.

— Moi, insouciant ? Celle-là, c'est la meilleure.

Il penche la tête et s'esclaffe.

— J'ai assisté à ta petite assemblée.

— Tu étais là ?

Mes joues s'enflamment.

— Pourquoi n'es-tu pas sorti de ton trou? Tu aurais pu m'aider à les convaincre. Maintenant, je ne suis même pas certaine de pouvoir les retrouver.

J'y arriverai, pourtant. J'ai découvert Adele, je saurai repérer Joshua. Je me passerai de l'aide de Burn.

Six ou sept mètres derrière Burn, deux Confs entrent dans la ruelle. Je l'entraîne plus loin.

Il me repousse.

— Bas les pattes! crie-t-il. Je te l'ai déjà dit: les petites filles ne m'intéressent pas.

— Sale type!

La colère jaillit de moi, dure et brûlante.

— Je te déteste!

— Ha! Impossible. Tu ne sais même pas qui je suis.

Il sourit largement, puis son visage, son corps tout entier, son apparence générale se transforment.

Je cligne des yeux. Je recommence. Puis je les frotte.

J'ai déjà vu Burn se métamorphoser en une version beaucoup plus grande, beaucoup plus effrayante et complètement déchaînée de lui-même. Cette fois, il devient non pas un monstre puissant et surdimensionné, mais plutôt une créature plus petite, plus mince, plus féminine. Ses vêtements changent eux aussi. C'est une sorte d'illusion.

Les paupières closes, je compte jusqu'à trois. Ma vision me joue des tours. Rouvrant les yeux, je me laisse choir sur les pavés.

— Quoi! m'écrié-je. Comment est-ce possible?

Burn n'est plus là. À sa place, il y a une femme qui mesure au moins vingt centimètres de moins que lui, vêtue d'un pantalon de cuir brun et d'un t-shirt kaki moulant qui découvre une bonne partie de sa généreuse poitrine. Des cheveux argentés encadrent un visage au teint brun clair.

— Qui êtes-vous?

Elle sourit d'un air méprisant.

— Lève ton cul.

Je secoue la tête.

Elle s'adosse au mur.

Puis elle se métamorphose de nouveau. Cette fois, c'est mon père que j'ai devant les yeux.

Ma gorge se comprime. Je sais que ce n'est pas lui. Impossible. Mais j'ai l'impression que mon père se trouve tout près de moi et je me retiens difficilement de bondir sur mes pieds pour serrer ce mirage dans mes bras.

Avant que j'aie pu me couvrir de ridicule, elle – ou il? – redevient la femme vêtue de cuir.

Je me lève et j'époussette mon pantalon sous le regard de la femme. Ses traits sont anguleux et délicats, ses yeux extraordinaires. Contre sa peau caramel, ils semblent presque violets.

— Qui êtes-vous?

Ma voix tremble. J'inspire à fond.

— Vous êtes la vraie… vous-même?

— La seule et unique.

Elle secoue la tête, et ses cheveux argentés scintillent dans la clarté lunaire.

— Je m'appelle Zina.

— Où est Burn?

— Comment veux-tu que je le sache?

— C'était vous depuis le début ?

Mes mots ne sont qu'un faible souffle.

— Évidemment.

Son sourire de mépris est répugnant. C'est celui que j'ai surpris, l'autre nuit, sur le visage de celui que je croyais être Burn.

En pensée, je reviens sur mes deux dernières rencontres avec le faux Burn. Le vrai est soucieux, sombre, plutôt renfermé, mais il n'est ni suffisant ni railleur. Il n'est pas cruel. Je m'en veux de m'être laissé duper ainsi, mais j'ignorais que certains Déviants avaient la faculté de se métamorphoser. Malgré tout, j'aurais dû me douter de quelque chose. Jamais Burn ne m'aurait traitée ainsi.

— Burn est-il revenu au Havre depuis mon retour ?

— Comment diable veux-tu que je le sache ? répond sèchement Zina. Dans la mesure du possible, j'évite ce monstre.

Je voudrais la frapper pour la punir d'avoir qualifié Burn de monstre. Je garde toutefois mon sang-froid.

— Pourquoi vous êtes-vous déguisée ?

— Pourquoi aurais-je montré mon vrai visage ?

— Pourquoi avoir emprunté les traits de Burn ? Vous vous payez ma tête ?

Son rire est à la fois profond et rauque.

— *Ça* ? Une heureuse coïncidence, rien de plus. J'emprunte souvent l'identité de ce monstre.

— Ce n'est pas un monstre !

— C'est un monstre, réplique-t-elle en s'avançant vers moi, le regard furieux, de toute évidence dans l'intention de m'intimider (avec succès, à mon grand dam), et un monstre meurtrier par-dessus le marché! Je ne savais même pas que vous vous connaissiez, Burn et toi, et encore moins que vous vous connaissiez... *comme ça.*

Elle plisse le nez.

— C'est carrément... dégoûtant.

Je me rappelle toutes les fois où elle m'a traitée de «petite fille».

— Ça n'a rien de dégoûtant. Nous avons le même âge, Burn et moi.

Presque, en tout cas, car Burn ignore son âge exact.

— Ce que je veux dire, ajoute-t-elle avec une moue, c'est qu'il est dégoûtant *de ta part* de t'être éprise de *lui*... Un Déchiqueteur. Totalement indigne de confiance.

— Burn n'est pas un Déchiqueteur. Il hait les Déchiqueteurs. Je l'ai vu en tuer quelques-uns.

Agrippant mon t-shirt à deux mains, elle me tire vers elle.

— Je sais que c'est un tueur. Je l'ai vu en action. Crois-moi.

Elle me repousse sans ménagement.

— Mais il s'agit ici de toi. Pas de lui.

— Pourquoi moi?

— Je t'ai dit de rester loin d'Adele Parry.

Je carre les épaules. Si Zina est mon nouveau contact avec l'Armée de libération, je ne dois pas répondre à ses provocations. Je me concentre sur le mur de briques terne derrière elle.

— Rolph voulait que je trouve Adele et je l'ai trouvée. J'ai aussi découvert autre chose.

— Félicitations, déclare-t-elle d'un ton sec. C'est terminé pour toi. Ne te mêle plus de ça.

— Mais vous devez parler à Rolph de ce que ces gens préparent. Lorsqu'ils sauront que l'AL a un plan, les rebelles renonceront à faire sauter le Centre.

Un des coins de sa bouche se retrousse.

— Tu n'as pas la moindre idée de ce qui se prépare.

— Alors racontez-moi.

Elle secoue lentement la tête, savourant le fait de savoir des choses que j'ignore.

— Pourquoi me haïssez-vous? Qu'est-ce que vous avez à me reprocher, au juste?

— Tu n'es vraiment au courant de rien? demande-t-elle en plissant les yeux.

— Racontez-moi.

— Ton père et ton petit ami ont uni leurs forces pour tuer mon frère.

— Quoi? Quand?

Mon instinct me dicte de ne pas la croire. Pourtant, je suis si désorientée que je ne sais plus quoi penser.

— Le jour de la liquidation de ton père, explique-t-elle, Burn a planté son poing dans la poitrine de mon frère.

— Oh!

J'en ai le souffle coupé. Burn m'a confié que, le jour où sa Déviance s'est manifestée pour la première fois, il a tué par accident l'un des membres de son équipe. C'était sans doute le frère de Zina.

— C'était involontaire, dis-je. Burn s'en veut énormément.

Je m'arrête pour reprendre mon souffle et mettre de l'ordre dans mes pensées.

— Mais en quoi mon père serait-il responsable de…

— La ferme.

Zina me propulse contre le mur de briques, et une douleur aiguë se répand dans mes côtes.

— Ton père, ce crétin, a le pouvoir de se téléporter. Il aurait pu se sauver lui-même. Mon frère n'aurait alors pas eu à risquer sa vie.

Elle me lâche et recule d'un pas.

— Quant à ton petit ami, le Déchiqueteur, il n'a aucune excuse. Il s'en veut? Tu vas me faire pleurer. Mon frère, lui, est mort.

J'ouvre la bouche dans l'intention de répliquer, mais je ne sais plus ce qu'il faut dire. Jusqu'à un certain point, je peux comprendre qu'elle en veuille à Burn. Pour mon père et moi, c'est différent. Au moment de sa liquidation, mon père ne savait pas qu'il avait la faculté de se téléporter. Il ne savait même pas qu'il était Déviant. Si on l'a liquidé, c'est parce qu'il a avoué avoir tué ma mère pour me protéger, moi. Mais il me semble inutile de fournir ces explications à Zina.

Elle s'approche, beaucoup trop près de moi.

— Je n'aurai jamais confiance en toi. Jamais. Et si tu continues de te fourrer dans mes jambes…

Elle pose son index contre ma tempe.

— Pan. Tu es morte.

Ma peau est parcourue de frissons. Elle nous voue, à Burn et à moi, une haine palpable. Et mon envie de voir Burn est telle que j'en ai mal, physiquement. Il n'est pas Déchiqueteur comme l'affirme Zina, c'est évident, mais je veux découvrir pourquoi elle le croit et m'assurer qu'il sait qu'il doit se méfier d'elle. Avec un peu de chance, la Direction arrêtera Zina pour kidnapping en pensant avoir affaire à lui.

— À ta place, petite fille, lance-t-elle en courant au bout de la ruelle, où elle bondit sur une échelle avant de se mettre à grimper, je surveillerais mes arrières. Je peux apparaître n'importe quand. Et dans la peau de n'importe qui.

CHAPITRE
DIX-NEUF

Pendant le cours, le lendemain matin, je n'arrive pas à chasser Zina de mon esprit. Non seulement j'ai perdu tout contact avec l'AL, mais j'ai désormais une ennemie jurée. Une ennemie capable de prendre la forme qu'elle veut, en plus.

Dès que j'aurai un moment, j'irai dans la salle d'étude et je me servirai du mot de passe de M. Belando pour trouver Joshua. J'essaierai de le convaincre qu'il commettrait une erreur tactique en faisant sauter le Centre. Sans compter que c'est moralement indéfendable.

— Glory! tonne la voix de Shaw.

— Oui, monsieur?

Des rires moqueurs retentissent.

Shaw soupire.

— Énumère-moi trois raisons.

J'ai les joues en feu. Qu'est-ce qu'il raconte de sa voix monocorde, de quelles «raisons» veut-il parler? Aucune idée. Je ne suis pas non plus certaine du sujet de la leçon aujourd'hui ni de ce que j'aurais dû étudier hier soir.

— Excusez-moi. Trois raisons de quoi, au juste?

— Trois raisons qui font de toi une *freak*, dit Thor.

Stacy éclate de rire.

Je me tourne vers elle. Elle s'arrête et regarde vers l'avant.

— Trois raisons qui expliquent que les Déviants représentent un danger pour le Havre.

C'est une question facile. L'hilarité des autres se comprend aisément. C'est le genre d'information que les enfants apprennent par cœur avant même la FG.

— Ils se cachent parmi nous. Ils sont à deux doigts de devenir Déchiqueteurs. Ils n'auront de cesse que le jour où tous les Normaux du Havre seront morts.

Toute la classe pouffe de rire.

— Merci pour cette réponse pré-FG, dit Shaw. Si tu avais quatre ans, tu aurais droit à mes félicitations. Qui peut nous mentionner une raison qui figure dans les documents que vous deviez étudier hier?

Des mains se lèvent. Moi, je suis rouge de gêne. Shaw désigne Quentin.

— Les Déviants sont différents, et toute différence est dangereuse. Ils sont porteurs d'anomalies génétiques qui détruisent leur humanité. Ils procréent plus souvent que les Normaux et ont des litières, comme les animaux qu'on appelait «lapins» ALP. Si on leur permet de se reproduire, les Déviants risquent de soumettre la population du Havre.

Quentin brandit un troisième doigt.

— Leur sang et leurs fluides corporels constituent un poison pour les Normaux. Ils peuvent tuer un Normal avec un seul baiser. C'était trois ou quatre, ça? demande Quentin.

— Quatre, répond Shaw. Beau travail.

La colère monte en moi, et je tiens difficilement ma langue. Comment la situation changera-t-elle si la Direction continue de répandre des faussetés en toute impunité ? Au Havre, poser des questions vous rend suspect.

La porte s'ouvre, et le capitaine Larsson entre. Je baisse les yeux sur mon pupitre.

— Cal, lance Larsson. Viens avec moi.

J'ai l'estomac retourné, mais Cal se lève sans discuter et suit Larsson dans le couloir. Shaw recommence sa leçon, mais, à cause du bourdonnement dans mes oreilles, je suis incapable de me concentrer. Que peut bien vouloir Larsson à Cal ?

Des cris résonnent dans le couloir, et mon ventre se fige. La voix la plus forte est celle de Cal. Le mur de la salle vibre. Quelqu'un ou quelque chose l'a heurté violemment de l'autre côté.

Tous les élèves bondissent sur leurs pieds et se précipitent vers la porte. Je suis trop petite. Comme on me bloque le passage, je tire sur des épaules, pousse et hurle. En fin de compte, je me laisse tomber par terre et je rampe au milieu des dernières jambes pour rejoindre la meute attroupée dans le couloir.

Deux Confs ont saisi Cal, qui se débat, tandis que Larsson pointe son foudroyeur en plein sur sa poitrine.

— Non ! crié-je en me relevant. Ne tirez pas !

Larsson ne se retourne même pas.

— Lâchez-moi ! crie Cal. Il faut que je le sauve !

Devant le ton de Cal, j'ai un mouvement de recul. Je ne l'ai jamais vu si en colère, si peu maître de lui. Je ne l'ai jamais vu défier l'autorité.

— Que se passe-t-il, Cal ? lui demandé-je.

En m'entendant, il se retourne, et les Confs relâchent un peu leur emprise. Il s'élance, leur échappe, et Larsson tire. Les électrodes le frappent de plein fouet.

Les Confs s'emparent de lui et, protégés du courant électrique par leur épaisse combinaison, retiennent Cal, dont les membres tremblent et vibrent. Pris de convulsions, son corps se tortille, et son visage est déformé par un rictus de douleur. Pourtant, il reste debout.

Larsson augmente l'intensité de l'impulsion.

— Stop! crié-je en agrippant le bras de Larsson pour mettre un terme à la torture. Pourquoi faites-vous ça? Qu'est-ce qu'il y a?

Cal s'écroule par terre, et je me précipite sur lui.

— Qu'avez-vous fait?

J'accuse toutes les personnes agglutinées dans le couloir.

— Dites-moi ce qui se passe.

Larsson s'accroupit près de moi et pose la main sur mon épaule. Je m'en débarrasse d'un geste.

— Il y a eu un accident, dit doucement Larsson.

Les Confs tirent sur les bras de Cal pour l'obliger à se relever, et j'enserre son torse en essayant de les repousser.

— Laissez-le. Vous voyez bien qu'il est inconscient.

Tout ce que je veux, c'est le tenir contre moi, lui éviter d'autres souffrances.

— Dans le Centre, aujourd'hui, des échafaudages se sont effondrés, raconte Larsson d'une voix calme et égale. Il y avait dessus une équipe d'ouvriers, occupée à préparer l'Anniversaire du Président, à quelques étages de hauteur.

— Et?

Mon cœur cogne fort. Je dois empêcher tout contact visuel. Sinon, quelqu'un va périr.

— Trois ouvriers sont morts. D'autres ont été grièvement blessés et conduits à l'hôpital.

— Pourquoi Cal est-il si bouleversé? demandé-je d'une voix tremblante.

— L'un des ouvriers admis à l'hôpital est le frère de Cal, Scout.

Dès que je suis autorisée à entrer dans la cellule, je me précipite au chevet de Cal, encore sidérée que Larsson ait autorisé cette visite. J'ai envoyé un message à Mme Kalin, mais j'ignore si elle le recevra ou si elle viendra. Cal est attaché au lit: des fers retiennent ses poignets et ses chevilles, et une large sangle en cuir sur son front immobilise sa tête.

Je passe ma main sur sa joue. Sa peau est poisseuse.

— Cal, dis-je, mes lèvres près de son oreille. Tu m'entends?

Son corps se cabre, et ses yeux s'ouvrent d'un coup, remplis de terreur.

— Sors-moi d'ici. Il faut que je les empêche d'amener Scout à l'hôpital.

— On va trouver un moyen.

Trop tard. Scout est déjà là-bas. En informer Cal pendant qu'il est ligoté à son lit me semble à la fois superflu et cruel. Il tire sur ses liens, et des gouttes de sang, perlant à ses poignets, éclaboussent le drap.

Je pose la main sur son bras.

— Inutile de lutter. Tu ne pourras pas te libérer. Tu ne réussiras qu'à te blesser.

Il arrête de bouger.

— On ne t'enlèvera ces contentions que si tu te calmes.

Je mets ma main sur sa joue et l'oblige à respirer lentement en m'efforçant de cacher ma terreur et mon chagrin.

Soudain, le souffle court, je me demande si Jayma est au courant. Comme elle est la partenaire attitrée de Scout, on a dû la prévenir.

Une larme glisse sur la joue de Cal, et je l'essuie avec mon pouce.

— Sors-moi d'ici, répète-t-il, la voix rauque. Je dois sauver mon frère avant qu'on le tue.

— Évite d'imaginer le pire, dis-je. Ses blessures ne sont peut-être pas très graves. Mme Kalin t'a donné un coup de main quand tu t'es cassé le nez, tu te rappelles ? Elle va aussi s'occuper de Scout. Je vais m'en assurer. Si elle ne vient pas, je vais me rendre à son bureau et la supplier.

— Non.

Il se cabre de nouveau.

— Son bureau est à l'hôpital. Surtout, ne va pas là-bas. Débarrasse-moi de ces trucs, et je vais aller chercher Scout moi-même.

Sa joue brûlante ruisselle de sueur. Je ne l'ai jamais vu dans un état pareil. Si furieux, si hors de lui.

La porte s'ouvre et je me retourne. *Mme Kalin*. Elle est venue.

Ses yeux sont remplis d'inquiétude. Une sensation de chaleur se répand dans ma poitrine, et je sens la tension abandonner mon cou, mon dos et mes épaules.

Elle saura ce qu'il faut faire.

Cal essaie une fois de plus de se libérer de ses liens.

— Ne tuez pas mon petit frère! Je vous en supplie. Laissez-le sortir. Prenez-moi à sa place.

Elle s'approche de la table de chevet et pose doucement sa main sur le bras de Cal. Il tourne vers elle son visage défiguré par la fureur.

— Ne crains rien, lui dit-elle. Je vais aller voir ton frère et veiller personnellement à ce qu'il soit bien traité. Il s'en tirera sans problème.

Cal a écouté attentivement Mme Kalin. Aussitôt, son expression se transforme; tout son corps se détend.

— C'est vrai?

— Bien sûr. Je me préoccupe du sort de tous les employés du Havre. Mais un ami de Glory?

Elle se tourne vers moi et sourit.

— Je vais m'arranger pour que Scout ait droit à un traitement de faveur.

— Merci, dit Cal. Merci.

Le changement qui s'est opéré en Cal est saisissant, et je sais gré à Mme Kalin d'avoir pu le calmer par sa seule présence. Ma vie durant, j'ai cru que tous les membres de la Direction étaient insensibles, qu'ils nous considéraient comme quantité négligeable, comme des sous-humains, nous, les employés subalternes. Mme Kalin semble différente. Elle a nos intérêts à cœur.

En la voyant, je me sens tout de suite mieux. Puis mon scepticisme revient à la charge. À partir du jour où nous nous sommes retrouvés sans parents, Drake et moi, ma devise a été : « Ne te fie à personne. » C'est la méfiance qui m'a permis de cacher Drake pendant trois ans. Pourtant, j'aimerais bien pouvoir baisser ma garde, juste un peu. J'aimerais bien préserver la sensation de bien-être qui m'envahit lorsque je regarde les yeux bienveillants de Mme Kalin.

— Ton frère a subi quelques fractures et un traumatisme à la tête, explique-t-elle à Cal. Les médecins font tout ce qu'ils peuvent. Pour lui, l'hôpital est l'endroit tout indiqué. Il est en bonnes mains.

— Tu as entendu ça, Glory ? Scout est en bonnes mains.

Le soulagement dans la voix de Cal est proprement incroyable.

Trop incroyable ? Sur ma nuque, les poils se dressent. Mme Kalin lui a-t-elle fait quelque chose pendant que j'avais le dos tourné ? Lui a-t-elle administré un médicament ? S'il a eu pour effet de le tranquilliser, pourquoi pas, au fond ? Tout un pan de moi voudrait avoir confiance en elle, mais j'en suis incapable. En moi, cette faculté est brisée pour de bon.

— Tu as besoin de repos, dit-elle en tapotant la main de Cal. Si tu me promets de dormir, je vais t'enlever ces contentions.

Cal hoche la tête du mieux possible, compte tenu de la sangle qui le cloue à la table. Mme Kalin plonge la main dans la poche de sa blouse blanche et en sort une seringue. Si elle ne l'a pas drogué plus tôt, elle va le faire maintenant.

— Je vais te donner quelque chose pour t'aider à dormir, dit-elle. D'accord ?

— Oui, répond-il. Merci.

Elle injecte un liquide clair dans le bras de Cal.

Ses yeux se ferment en papillotant. Ensuite, Mme Kalin se tourne vers moi.

— Tu tiens le coup ?

— Merci d'être venue.

Ma voix tremble, et je prends une profonde inspiration.

— Scout est le seul frère de Cal. C'est aussi le partenaire attitré de ma meilleure amie. Je connaissais Scout avant même la FG. Si vous obtenez sa libération, je ne vous demanderai plus jamais rien.

Je ne parviens pas à maîtriser mon tremblement intérieur.

— Tu peux me demander de l'aide quand et comment tu voudras, aussi souvent que bon te semblera, dit-elle en me caressant le haut du bras. Je te considère comme ma fille.

Je la remercie d'un geste de la tête, les yeux rivés sur Cal, qui respire paisiblement, à présent. Il s'est endormi.

— Tout ce que je veux, c'est faire sortir Scout de l'hôpital.

— Tu n'as absolument rien à craindre.

Elle prend mon menton entre ses doigts doux, et je la regarde dans les yeux.

— Crois-moi, dit-elle. L'hôpital est l'endroit tout indiqué pour un garçon dans son état.

Je baigne dans une chaleur qui me rappelle celle qu'on éprouve en s'éveillant dans une aube inondée de lumière. Comme si tout était possible, comme si je ne risquais rien, comme si tout allait bien se passer.

— Quand Scout sera-t-il libéré ?

— Cette décision revient aux médecins.

Ses yeux brun clair respirent la bienveillance.

— Mon équipe fera l'impossible. Tu aimerais le voir ?

— Oui, s'il vous plaît.

Je bous d'impatience. Quel meilleur moyen de rassurer Cal et Jayma sur l'état de santé de Scout ?

— Quand ?

— Que dirais-tu de maintenant ?

— Super.

Elle se détourne et mon soulagement s'évapore, comme si le mouvement de sa blouse blanche avait balayé ma confiance.

Je lui emboîte le pas, les nerfs en boule. Après des années de terreur, je vais pénétrer dans l'hôpital. Oui, mais vais-je en sortir ? Telle est la question.

CHAPITRE VINGT

Mme Kalin tape un code d'accès sur le clavier de la porte de derrière de l'hôpital. 6-2-4-5-2-1. Les chiffres se burinent dans mon esprit. Je suis estomaquée de constater qu'elle m'a laissée l'observer. Mme Kalin ne me donne pas l'impression d'être du genre insouciant. Sans doute le mot de passe change-t-il chaque jour. Sinon il y a au-dessus de la porte une caméra qui permet de vérifier l'identité des visiteurs. À moins qu'il s'agisse d'un clavier spécial, conçu uniquement pour elle. Impossible qu'un mot de passe aussi court donne accès à ce bâtiment. Impossible qu'elle ait confiance en moi au point de me le laisser voir. Non?

— J'aime bien entrer en douce par cette porte, explique-t-elle. Comme ça, je peux travailler un peu avant que mes subalternes se rendent compte que je suis là et se mettent à me bombarder de questions et de problèmes.

D'un geste, elle m'invite à la précéder.

La lourde porte se referme bruyamment derrière nous, et j'ai les entrailles en bouillie. Je suis dans l'hôpital.

Je cligne des yeux pour parer les lumières vives que réfléchissent les sols et les murs blancs lustrés. Je n'ai jamais rien vu d'aussi éclatant, à part le vrai soleil.

Mme Kalin s'élance dans le couloir à grandes enjambées, les talons de ses chaussures résonnant à un rythme accéléré. Avant même que j'aie bougé, elle est à une bifurcation. D'un geste, elle m'invite à la suivre et, pour la rattraper, je cours devant une succession de portes closes. Tremblante, je mobilise mon courage. Dans mon enfance, j'ai appris à redouter l'hôpital. La seule chose plus terrifiante, c'était l'Extérieur, lequel s'est révélé plus sûr que je m'y attendais : en effet, on n'y trouve pas que des Déchiqueteurs et de la poussière.

Le danger était présent à l'Extérieur, certes, mais beaucoup moins que je l'aurais cru. Peut-être en va-t-il de même pour l'hôpital. Peut-être la rumeur en a-t-elle exagéré la dimension sinistre.

Mme Kalin s'immobilise devant une porte.

— Tu aimerais visiter un de nos laboratoires ?

— Je veux voir Scout.

— Ne crains rien. Tu le verras, ton ami. Nous devons d'abord nous arrêter brièvement, le temps que tu signes un accord de confidentialité. Après, je pourrai t'en dire plus sur nos recherches.

Elle lève les yeux au ciel.

— Ces politiques…

La pièce dans laquelle nous entrons, aussi blanche et scintillante que le reste, est remplie de longues tables couvertes de fioles, de brûleurs et de tubes. Une cuve aussi large que haute (elle fait presque deux fois ma taille) trône dans un coin, et un homme en blouse blanche, juché sur une passerelle, y trempe un bâton.

— Nous sommes dans le laboratoire de traitement des eaux, explique Mme Kalin en gesticulant. Ici, nous mettons des filtres à l'essai et nous analysons l'eau puisée dans le grand lac pour y déceler des traces de poussière.

— Avez-vous découvert pourquoi la poussière… tue?

Ou transforme les Déviants en Déchiqueteurs, pensé-je sans le dire. Je dois me garder de lui montrer tout ce que je sais sur la poussière.

Elle se dirige d'un côté, tape un autre mot de passe, et un écran apparaît. Je m'en veux. Subjuguée par ce nouvel environnement, je n'ai pas vu le code.

— Approche. Lis ceci, ordonne-t-elle en indiquant un passage, et signe là, si tu es d'accord.

Elle me tend le stylo fixé au bureau. Je suis si énervée que j'ai du mal à me concentrer, mais je constate qu'il s'agit de l'accord de confidentialité dont elle m'a parlé. Si je divulgue quelque renseignement que ce soit à une personne non autorisée, je serai aussitôt amenée au Centre de détention, sans autre forme de procès. Plus vraisemblablement, je serai liquidée.

Je signe quand même. Je veux tout savoir sur cet endroit, et je ne me laisserai pas freiner par cet accord.

— Bien, dit Mme Kalin en reprenant le stylo. Maintenant, nous pouvons parler librement.

Elle désigne l'équipement.

— Depuis la création du Havre, les filtres éliminent toute trace de poussière dans l'eau.

— C'est rassurant.

Elle n'a toutefois pas répondu à ma question.

— Étant donné le nombre croissant de Déviants que compte la population des employés, poursuit-elle, nous pensons que la poussière pénètre dans le dôme en quantité infinitésimale. Nous étudions donc les entrées d'air et d'eau pour essayer d'en déterminer la source.

J'ai beau examiner son expression et son attitude, je ne détecte aucun signe de duplicité. Je hoche donc la tête.

— Et vous menez d'autres types de recherches?

Elle consulte le cadran fixé d'un côté de la cuve.

— Nous avons des centaines d'expériences en cours.

— Comme? demandé-je en m'efforçant d'atténuer la méfiance dans ma voix.

Elle s'avance vers moi.

— Par exemple, nous introduisons de petites quantités de poussière dans l'eau et l'air de certains Normaux pour voir comment ils réagissent.

Je me mords la langue.

— Sans leur consentement?

— Bien sûr que non.

Elle pose sa main sur mon épaule et la serre doucement.

— De nombreux employés du Havre sont disposés à servir les intérêts de la science, et nous surveillons de près la santé de nos sujets. Nous ne mettons aucune vie en danger.

Son regard respire la franchise, et je me sens mieux.

— Qu'avez-vous observé? Certains d'entre eux ont-ils... changé? La poussière s'attaque-t-elle à leurs poumons?

— Dis donc, c'est vrai que tu t'intéresses à la science, constate-t-elle en serrant de nouveau mon épaule, un sourire aux lèvres. Je suis fière de toi.

Je rougis pendant qu'elle s'appuie contre la table derrière nous.

— Nous avons de nombreuses découvertes à notre actif, répond-elle, mais notre but principal est encore et toujours d'améliorer la qualité de vie et la sécurité de *tous* les employés du Havre.

Elle a prononcé le mot « tous » comme si elle cherchait à me dire quelque chose, et je sonde son regard. Se peut-il qu'elle veuille parler des Déviants ? Je m'appuie sur une autre table. Mme Kalin a le don de franchir les murs de méfiance que je dresse sans cesse entre le monde et moi. Le phénomène s'explique sans doute par la franchise de ses yeux. En les observant, en ce moment, j'ai le sentiment qu'elle tient sincèrement à moi et qu'elle désire vraiment réformer le Havre. Elle pourrait même être la clé de tout ce que je souhaite accomplir.

Un homme en blouse blanche brandit une planchette à pince devant nous. Mme Kalin traverse rapidement la pièce et parcourt le document.

Je me mords la lèvre inférieure. Puisqu'elle consacre des expériences aux effets de la poussière sur les gens, elle sait des choses que je connais déjà et peut-être d'autres que j'ignore complètement. Elle sait à tout le moins que les Déviants sont différents, mais pas dangereux.

Pas étonnant qu'elle croie que les politiques du Havre ont besoin de réformes. Un espoir prudent prend naissance dans ma poitrine.

Elle parafe la feuille posée sur la planchette et rend le tout à l'homme.

— Où en étais-je ? demande-t-elle en revenant vers moi.

— Vous me parliez des effets positifs que vos expériences auront sur le Havre.

— Oui, confirme-t-elle en hochant la tête. La Direction a fait de son mieux, mais, avec l'augmentation du nombre d'employés, les pénuries de plus en plus sévères et la nuisance perpétuelle des Déchiqueteurs, le Havre ne pourra pas continuer ainsi éternellement. C'est pour cette raison que mon service s'intéresse aux effets de la poussière sur les Normaux. Nous devons trouver une façon de survivre à l'Extérieur, au moins assez longtemps pour permettre à nos employés de chercher les ressources dont nous avons besoin. Et imagine, dit-elle en s'éloignant de la table, imagine s'il y avait d'autres survivants !

J'ouvre la bouche dans l'intention de lui dire qu'il y a bel et bien d'autres survivants, que je les ai rencontrés et que mon frère et mon père vivent à l'Extérieur, mais, dans le couloir, un fracas et un cri résonnent.

Me redressant, je me tourne vivement vers la porte et chancelle avant de me ressaisir.

— Qu'est-ce que c'était ?

— Sans doute un Déchiqueteur.

Je me crispe.

— Il y a des Déchiqueteurs à l'hôpital ?

— Oui. Nous menons des expériences sur eux pour découvrir comment ils se sont acclimatés à la poussière.

Elle sourit.

— Ces créatures sont bien maîtrisées. Rien à craindre. Tu es en sécurité, ici.

Marchant à côté de Mme Kalin le long de multiples couloirs, j'essaie de retenir le plus de détails possible.

L'hôpital est beaucoup moins effrayant que je le croyais, mais il est difficile de deviner ce qui se déroule derrière les nombreuses portes fermées.

Passant devant une petite fenêtre, j'étire le cou pour voir à l'intérieur. Un homme, ligoté par les poings à des cordes tendues au-dessus de lui, est avachi. Il tient à peine debout. Du sang dégouline de son torse et de son visage, tache la ceinture de son pantalon. Ma main se porte à ma bouche.

— Tu veux jeter un coup d'œil à l'intérieur ?

En entendant la voix de Mme Kalin, je me retourne vivement. Je hoche la tête.

— Mais avant, dit Mme Kalin en me regardant dans les yeux, une main sur mon épaule, je dois te préparer.

— D'accord.

— L'homme que tu vas voir dans ce laboratoire est un Conf qui a subi de graves blessures en combattant des Déchiqueteurs à l'Extérieur.

Elle secoue la tête.

— Il a beaucoup sacrifié pour notre sécurité.

— Que lui est-il arrivé ?

— Il a été pris en embuscade par une bande de Déchiqueteurs. Ils lui ont arraché son masque et l'ont obligé à inhaler de la poussière.

Elle secoue de nouveau la tête.

— Il a perdu la raison.

— La folie de la poussière.

Les mots sont sortis de ma bouche, portés par un souffle bref.

Elle incline la tête.

— Oui, c'est une bonne façon de décrire le phénomène que nous observons.

— Pourquoi saigne-t-il?

Elle passe son bras autour de mes épaules et m'entraîne vers la porte.

— Il s'est automutilé. On l'a ligoté pour l'empêcher
de se faire encore plus de mal. À titre expérimental, je lui
ai personnellement administré nos plus récents antidotes
à la poussière. Jusqu'ici, on ne note pas de véritables progrès.

— Des antidotes?

— Pour atténuer les effets de ce que tu appelles «la
folie de la poussière», répond-elle en me tapotant l'épaule.
Tu es sûre de vouloir t'approcher?

Je jette un autre coup d'œil par la vitre. L'homme tire
sur ses liens en hurlant. Je frissonne. Elle a raison. Rien ne
m'oblige à entrer là-dedans. J'ai moi-même été témoin
des effets d'une surdose de poussière et elle m'a déjà expliqué la situation de ce pauvre homme.

— J'espère que vous trouverez un antidote efficace.

— C'est notre objectif, affirme Mme Kalin en souriant.
Faire du Havre un endroit plus sûr pour tous. On va voir
ton ami, maintenant?

Je hoche la tête, mais, à chaque pas, je sens mon
malaise s'accentuer. Mon esprit s'embrouille, et j'ai l'impression de ne pas pouvoir me fier à mon jugement. Par
moments, tout me semble horrible, comme dans mes cauchemars d'enfant; l'instant d'après, les paroles de réconfort de Mme Kalin effacent mes peurs.

À notre passage, une large porte à deux battants
s'ouvre, et je jette un bref coup d'œil à l'intérieur. De part

et d'autre de la salle s'alignent des tables en métal. Sur chacune d'elles, une personne est ligotée. Un examen sommaire m'apprend qu'il y a là au moins certains Déviants, dont quelques-uns saignent et se tordent de douleur.

Je reviens sur mes pas.

— Que se passe-t-il ici? demandé-je en me tournant vers Mme Kalin.

Même elle ne pourra jamais me convaincre qu'il s'agit d'un traitement humain.

— C'est la salle de réadaptation.

— De réadaptation?

Elle prend une profonde inspiration et sonde mon regard. On dirait qu'elle se demande si elle peut se fier à moi. Quant à moi, je m'efforce de maîtriser ma Déviance pour éviter de lui faire du mal.

— J'ai signé l'accord.

— Ce n'est pas ça, répond-elle en secouant la tête. Tu es trop jeune pour être soumise à de telles choses. J'ai commis une erreur en t'emmenant ici.

— Non, dis-je en lui touchant le bras. Je veux en apprendre le plus possible, c'est tout.

— Tu es une jeune femme très courageuse.

Son sourire me chavire le cœur.

— Ta mère devait être très fière de toi. Moi, en tout cas, je le suis.

Ma Déviance se manifeste derrière mes yeux. Je ferme les paupières pour repousser les larmes et les émotions qui risquent de me trahir si je me laisse aller.

Elle s'avance vers la porte, l'ouvre et m'invite à entrer.

À l'intérieur, plus de doute possible : il y a là des Déviants. La femme allongée sur la première table est retenue par une sorte de collier en acier et d'épaisses menottes. Elle dort.

— C'est…

— … une Déviante, oui.

Mme Kalin m'étudie, à la recherche d'une réaction, mais je conserve une expression neutre.

— Pourquoi est-elle là ?

Mme Kalin consulte l'écran d'une machine installée à la tête du lit.

— Elle est volontaire.

— Pour quoi ?

— Pour nous aider à comprendre le lien entre Déviants et Déchiqueteurs. Plus nous accumulerons de connaissances, mieux nous serons en mesure de prévenir la folie.

— Et elle s'est portée volontaire…

— Nous offrons cette possibilité aux Déviants qui n'ont pas commis de graves entraves aux politiques.

Mon estomac se révulse.

— L'hôpital ou la liquidation ?

— Oui.

Elle marque une pause.

— Que choisirais-tu, toi ?

Je baisse les yeux pour dissimuler ma frayeur. J'ai des palpitations dans le ventre. Sait-elle que je suis Déviante ? Je respire avec difficulté.

Lorsque je relève enfin la tête, je constate que le regard de Mme Kalin est calme et fier.

— En théorie, évidemment. Si tu étais Déviante, que choisirais-tu?

— Je… je ne sais pas.

— Tu préférerais vraiment les Déchiqueteurs à ceci? demande-t-elle en désignant les tables. Nous nous occupons bien de nos sujets, et ils ne regrettent pas leur choix.

J'observe la rangée de lits. De ce côté-ci de la pièce, il y en a huit. Tous les sujets dorment paisiblement. Aucun d'eux ne semble souffrir.

— Vous avez raison, je suppose. Ça vaut tout de même mieux que le sort que leur réserveraient les Déchiqueteurs.

— Indiscutablement.

Mais pourquoi tous les Déviants ne se prévalent-ils pas de cette option? me demandé-je.

— Je peux voir Scout, maintenant?

— Bien sûr.

Nous sortons de la salle, et je regarde droit devant moi. Un peu plus loin, Mme Kalin s'arrête et ouvre une porte. J'entre à sa suite dans une petite pièce faiblement éclairée et tranquille.

Scout est allongé sur un lit. Des draps blancs le recouvrent jusqu'au cou. Son visage est tuméfié et enflé. Je me précipite vers lui.

— C'est Glory, Scout. Ça va?

Il garde les yeux fermés. Je touche son front, la seule partie indemne de son visage. Scout est tiède et il respire. C'est déjà quelque chose.

— Nous faisons l'impossible, dit Mme Kalin en s'avançant vers moi.

Je m'appuie contre elle, mon corps soudain sans force, et elle m'enveloppe de ses bras.

— Ne crains rien. Nous appréhenderons le terroriste qui a fait ça à ton ami.

— Le terroriste ? Je croyais que c'était un accident.

Son expression se durcit.

— Non. C'est l'œuvre d'un terroriste. D'un terroriste déviant.

CHAPITRE
VINGT ET UN

Le bureau de Mme Kalin est le contraire de ce que j'avais imaginé. Dans l'hôpital, aussi violemment éclairé que le Centre, tout est blanc et stérile. Son espace de travail, en revanche, est confortable, paisible et feutré.

Elle me guide vers un fauteuil rembourré avec des accoudoirs en bois et je m'y laisse tomber avec reconnaissance. De l'autre côté d'un petit secrétaire, elle s'assied dans un fauteuil au haut dossier et, au moyen de quelques gestes, accède au Système. Puis, pour me permettre de voir, elle agite les mains, et l'écran se met à planer au-dessus du meuble.

Elle appuie sur quelques touches, et une vidéo apparaît. On voit le Centre. C'est la nuit, à en juger par la lumière et l'absence de passants. La caméra est d'abord braquée sur les niveaux inférieurs de l'échafaudage, puis elle remonte en panoramique. Mme Kalin appuie sur une touche, et la vidéo défile en accéléré, la caméra montant et descendant tour à tour, puis l'image s'embrouille. Elle arrête alors la vidéo et recule de quelques secondes.

Une personne habillée en noir, une clé anglaise à la main, se tient au pied de l'échafaudage.

Je recule dans mon fauteuil. On dirait Burn. Avec horreur, je le vois desserrer un boulon sur le côté. Il répète le même geste à plusieurs reprises. Puis, passant du côté opposé de la structure, il recommence. La caméra zoome. Mme Kalin appuie sur une touche, et la vidéo se fige sur le visage de Burn. Pas de doute possible. C'est lui.

Le sang afflue à mes oreilles. Je me sens nauséeuse. Trahie. Puis ma colère se transforme en haine. J'ai les yeux qui picotent, signe que ma Déviance se manifeste. Impossible que la personne que je vois à l'écran soit Burn. C'est Zina. Cette certitude n'arrange rien. Une personne que je connais a sciemment commis un crime. A sciemment tué des innocents et failli enlever la vie à Scout. Sans compter que, à cause de Zina, les Confs considéreront Burn comme le coupable.

— Je me rends bien compte que c'est tout un choc pour toi, dit Mme Kalin en se penchant vers moi sur le secrétaire. Je me suis dit que tu devais savoir que l'auteur de ce crime odieux est le Déviant qui t'a enlevée.

Je ne peux pas regarder Mme Kalin. C'est trop dangereux. Je ne peux même pas parler. Je n'ai aucune idée de ce que je devrais dire. Elle ignore que je connais bien Burn, le vrai Burn.

— Je vois que tu as peur, dit-elle. Ne crains rien. Les agents de conformité vont le retrouver. Je vais veiller à ta sécurité. Ce Déviant ne nous échappera plus.

Il me déplaît de penser que quelqu'un, même un être aussi sournois que Zina, ait pu se rendre coupable d'un tel crime, et je me demande comment Rolph réagira en apprenant la nouvelle. Elle sera exclue de L'AL, aucun doute à ce sujet. Mais puisqu'elle est mon unique contact pour l'instant, comment vais-je informer Rolph du crime qu'elle a commis ?

Je ne peux pas y réfléchir en ce moment – pas en présence de Mme Kalin –, malgré la confiance qu'elle m'inspire. Sur ce point, je ne peux pas m'ouvrir à elle. Lui confier mes secrets est une chose ; lui parler de ceux de tiers en est une autre.

Je lève les yeux vers elle. Son regard trahit l'inquiétude. Je romps le contact visuel au moment où, tendant le bras au-dessus du secrétaire, elle me prend la main.

— Je regrette beaucoup ce qui est arrivé à ton ami et à ses collègues de travail. Mais je te promets que ce Déviant et ses complices éventuels seront capturés et tués.

Mme Kalin m'invite à souper dans la salle à manger des VP. Bien que le poulet qu'on nous sert soit assaisonné avec une substance qui me pique la langue et que les carottes soient aussi colorées et sucrées que celles que j'ai dégustées à l'Extérieur, la nourriture a un goût de poussière, et je ne peux rien avaler. Mme Kalin finit par renoncer à m'inciter à manger. Comme le couvre-feu est passé, elle demande à un Conf de m'escorter jusqu'à la caserne.

Je trouve Cal dans la salle de loisirs. Il n'a plus de pansement sur le nez, mais l'enflure semble pire qu'avant. Je m'avance vers lui avec hésitation, en proie à un vif malaise. J'apporte des nouvelles à la fois bonnes et mauvaises, et je me demande comment il va réagir.

Le Cal que je connais depuis l'enfance serait ravi d'apprendre que son frère est vivant et en voie de guérison, mais furieux de découvrir que la chute de l'échafaudage n'a pas été accidentelle. Le Cal que je connais depuis l'enfance accueillerait ces nouvelles avec calme. Il réfléchirait avant d'agir.

Le problème, c'est que le garçon que j'ai vu défoncer le mur d'un coup de poing, puis ligoté à un lit et saignant à cause des efforts qu'il déployait pour se libérer de ses liens, n'est plus le Cal que je connais depuis l'enfance. Je pense qu'il vaut mieux ne pas lui dire que son frère a été victime d'un sabotage.

À ce stade-ci, en savoir plus sur l'accident de Scout n'aidera Cal en rien. Aux Confs de s'en occuper. Et si Cal apprend un jour que je suis liée à Zina et à l'AL, il ne me le pardonnera jamais. Jamais au grand jamais. La meilleure solution, en ce moment, consiste à lui dire que Scout est effectivement en bonnes mains.

Cal me regarde.

— Glory…

Se levant d'un bond du fauteuil, il traverse la pièce au pas de course. Puis il se jette sur moi et me serre fort dans ses bras en me soulevant de terre.

— Où étais-tu passée ?

— Je vais bien. Ne t'inquiète pas.

Je caresse ses cheveux sur sa nuque ; son corps tremble contre le mien, qu'il presse fort. Je prends des respirations lentes et mesurées dans l'espoir de lui communiquer un peu de mon calme, par osmose, et de recharger ses batteries afin qu'il retrouve sa personnalité normale. Mais je me raconte des histoires. Je suis loin d'être calme. Et plus je m'éloigne de Mme Kalin, plus je me méfie d'elle. Elle ne m'a pas gardée prisonnière à l'hôpital, au moins.

Après une bonne dizaine de minutes, me semble-t-il, Cal me lâche et recule d'un pas. Il m'entraîne vers un long banc en métal posé contre un mur.

— Ça va? lui demandé-je.

— Moi? répond-il en écartant les cheveux de mon visage. On m'a remis en liberté et je ne t'ai trouvée nulle part. J'étais mort d'inquiétude.

— Comment te sens-tu?

Je saisis ses poings recouverts de pansements.

— Je vais bien.

Je touche sa joue, et le contact rassurant des poils piquants m'ancre dans la réalité. Un frisson remonte mon bras jusqu'à ma poitrine.

— Je suis allée à l'hôpital.

Aussitôt, les yeux de Cal trahissent l'alarme.

— Quoi? C'est vrai? Pourquoi?

— J'étais avec Mme Kalin.

Il hoche la tête, visiblement soulagé.

— Comment se porte Scout?

— Il dormait.

Était-il plutôt inconscient?

— Il est grièvement blessé, mais vivant. Selon Mme Kalin, Scout a de bonnes chances de se rétablir complètement.

Cal s'adosse au mur.

— Que le Havre soit béni. Je commençais à penser que j'avais rêvé la visite de Mme Kalin, cet après-midi.

— Elle est venue.

J'étudie l'expression de Cal. Par rapport à sa réaction de ce matin, au moment où on l'a sorti de la classe, son calme a quelque chose de troublant.

— Mais on ne peut encore jurer de rien, ajouté-je pour être certaine de ne pas lui donner de faux espoirs. Il n'était pas beau à voir.

Cal se tourne vers moi, le regard inquiet.

— Mme Kalin veille sur lui, hein ?

Je hoche la tête.

— Merci.

— Pour quoi ? Je n'ai rien fait.

— Merci d'avoir obtenu l'aide de Mme Kalin.

Il prend mon visage entre ses mains et m'embrasse tendrement.

— J'ai beaucoup de chance de t'avoir.

— C'est moi qui ai de la chance de t'avoir, dis-je en passant mes bras autour de sa nuque.

Sans Cal, comment est-ce que je m'en sortirais ?

Son bras raffermit son étreinte autour de moi, et j'enfouis mon visage dans son cou. Il sent le savon et la sécurité.

— Qu'as-tu vu d'autre à l'hôpital ? demande-t-il.

Brusquement, la question me ramène à la réalité. Que devrais-je lui dire ?

— C'est moins terrible que nous l'imaginions dans notre enfance.

Une image du Déviant, écartelé et saignant à profusion, me traverse l'esprit. Je secoue la tête, et elle disparaît.

— Qu'est-ce qui ne va pas ? demande Cal.

— Je pensais aux histoires que nous nous racontions sur l'hôpital.

— Je me suis toujours dit que c'était impossible.

Sa voix est si apaisante qu'elle a raison de mon scepticisme et de mes derniers doutes.

— À l'époque, nous croyions aussi que les Confs étaient des monstres.

— C'est vrai, dis-je. Les membres de la Direction ne sont pas tous horribles non plus.

La Direction ne pose pas de bombes ; elle ne sabote pas les échafaudages. Et la haine qu'elle voue aux Déviants se fonde sur l'ignorance et la peur plus que sur la cruauté. Ai-je choisi le mauvais camp en décidant de soutenir l'AL ?

Je chasse cette pensée et ferme les yeux. Non. Tous les membres de l'AL que j'ai rencontrés – à l'exception de Zina – sont de bonnes personnes qui n'ont qu'un seul but : aider les autres. Je parie que Mme Kalin, mise au courant de leur action, se rangerait de leur côté. Des images de l'hôpital défilent dans ma tête : le sourire rassurant de Mme Kalin, le doux éclairage de son bureau, les draps blancs recouvrant Scout.

Une table jonchée d'instruments tranchants. Des cris. Des gémissements.

Tremblante, je rouvre les paupières.

— Ça ne va pas ? s'inquiète Cal.

— Ce n'est rien, dis-je en secouant violemment la tête. Je suis seulement fatiguée.

Et désorientée. Cette nuit, je dois rendre visite à Jayma. Elle se fait sûrement beaucoup de souci pour Scout.

Descendant des genoux de Cal, je traverse la pièce en étirant les muscles tendus de mon dos et en m'efforçant de chasser les images horribles de mon esprit brumeux. Enfant, j'ai eu tant de cauchemars à propos de l'hôpital... Compte tenu des événements de la journée, des secrets et des mensonges qui encombrent ma tête, je ne peux me fier à mes pensées.

La pièce tourne. Reculant, je me laisse tomber sur une chaise.

— Qu'est-ce qu'il y a?

Cal pose un genou devant moi, les mains sur mes cuisses.

— Tu as blêmi tout à coup.

— J'ai besoin de sommeil.

Mon corps me semble bizarre. J'ai l'impression de flotter. J'aurais dû me forcer à manger un morceau, aussi. Depuis quelques jours, je suis sujette au vertige.

— Tu es sûr que Scout va bien? demande Cal en me saisissant les bras. Tu me caches quelque chose?

— Il va bien. Je t'assure.

J'ai une idée soudaine.

— Tu devrais t'en rendre compte par toi-même.

Une autre visite à l'hôpital – lorsque je serai bien reposée – m'aidera à mieux comprendre mes observations. Et si Cal m'accompagne, nous pourrons comparer nos impressions.

— Je vais demander à Mme Kalin si tu peux venir voir Scout.

— Tu ferais ça pour moi?

— Évidemment.

Il m'attire contre lui et m'embrasse avec une grande douceur. Je me sens de nouveau étourdie. Au moins, cette fois-ci, je sais pourquoi.

Je m'octroie quelques heures de sommeil avant de sortir en catimini de la caserne pour me rendre dans les Mans. L'étroit couloir qui conduit à l'appartement où habite la famille de Jayma est désert et paisible. C'est normal : à cette heure, les employés qui ne sont pas en service dorment à poings fermés. Je remonte ma lanterne, puis je me glisse sous le morceau de métal qui retient les murs branlants du couloir.

Devant la porte, je tends l'oreille. Aucun mouvement à l'intérieur. Je ne veux pas réveiller toute la famille, mais je dois dire à Jayma que j'ai vu Scout et qu'il est vivant.

Je frappe discrètement. Personne ne répond. Je recommence et, cette fois, la porte s'entrouvre.

— Qui est là ? demande le père de Jayma à voix basse.

— C'est Glory.

Il ouvre, m'agrippe par le bras pour m'entraîner à l'intérieur et referme rapidement. Je baisse ma lanterne vers le sol, où sa lueur se perd dans la quasi-obscurité.

— Que le Havre soit béni, lance-t-il. J'ai cru que c'était les RH ou les Confs.

— Pourquoi ?

Il essuie la sueur de son front.

— Jayma ne va pas bien.

Je me crispe aussitôt.

— Que se passe-t-il ? Racontez-moi.

Mon rythme cardiaque s'accélère. Je jette un coup d'œil au mince paravent qui sépare le lit de Jayma du reste du foyer.

Son père s'adosse à la porte. Il a l'air vieux et fatigué. Il a toujours été décharné, mais, cette nuit, je distingue des cernes violacés sous ses yeux creux.

— Après avoir appris la nouvelle, elle a refusé de demeurer au travail, explique-t-il en tirant sur la manche de sa chemise. Elle est bouleversée par ce qui est arrivé à Scout et affirme qu'elle ne retournera plus à son poste.

Il s'effondre.

— Je ne peux pas la perdre.

— Je vais lui parler, dis-je en serrant le bras maigre de l'homme.

Si Jayma ne se présente pas au travail demain, elle sera dénoncée aux autorités. Elle risque alors d'être considérée comme un Parasite et liquidée. À cause du retard dans le traitement des dossiers, on n'agira peut-être pas tout de suite. Cela dit, une fois le signalement dans le Système, son avenir sera compromis. Elle n'obtiendra pas d'avancement. Elle risque plutôt d'être rétrogradée et affectée aux égouts ou à un autre boulot dangereux.

Son père se laisse glisser et s'affale sur le sol, la tête enfouie dans les mains. Je passe de l'autre côté du paravent et trouve Jayma assise en tailleur sur son matelas, dos au mur, les genoux serrés contre la poitrine.

— Salut, lui dis-je en m'agenouillant à côté d'elle.

Elle ne répond pas. Elle regarde dans le vide, droit devant elle. Je me demande même si elle sait que je suis là.

— Je suis désolée, Jayma. Je n'imagine même pas… Mais j'apporte de bonnes nouvelles.

Comme elle ne réagit pas, je m'approche un peu plus. Sous le mince matelas de Jayma, je sens la dureté du sol. Je me suis habituée au luxueux matelas de près de cinq centimètres de la caserne.

— J'ai vu Scout.

Elle tourne la tête vers moi, les yeux exorbités.

— Son cadavre ? On l'a déjà amené à l'usine de compostage ?

— Non, lui dis-je en lui serrant le bras. Il est vivant. Il a subi quelques fractures et des blessures à la tête, mais on s'occupe de lui, et il a commencé à se remettre.

Elle s'écarte brusquement en plissant les yeux.

— Tu mens. Tu es des leurs, dorénavant.

Je suis estomaquée.

— Non, c'est moi, Glory. Ton amie. La VP de la S et S m'a emmenée à l'hôpital. Elle m'a laissée voir Scout.

— Écoute-toi…

Sa voix est si glaciale, différente de celle de la Jayma que je connais.

— Tu es membre de la Direction, maintenant. Comment peux-tu te fier à ces gens-là ?

— J'ai vu Scout, dis-je.

Ma voix se brise.

— J'ai touché son visage. Il est vivant. Les médecins s'occupent de lui.

— Jure-moi que tu dis la vérité.

Elle me comprime l'avant-bras, ses doigts fins s'enfoncent dans ma chair, malaxent des bleus et des muscles meurtris par l'entraînement.

— Jure-moi que ce n'est pas un subterfuge pour me convaincre de retourner au travail.

— Je te le jure, Jayma. Sur ma vie.

Ses yeux se mouillent. Dans un élan, elle me serre dans ses bras et sanglote avec abandon. Ses larmes trempent mon cou, et je lui caresse le dos, résistant à l'envie de pleurer, moi aussi. À cause du stress et de la fatigue, j'ai le sentiment de marcher au bord d'un précipice. En me laissant aller et en cédant au réconfort des larmes, je risque de tomber. Je me demande si je parviendrais alors à remonter la pente pour finir ce que j'ai commencé.

Je n'ai toujours pas trouvé le fils de Gage. Je n'ai toujours pas identifié la taupe. Et je ne sais toujours pas comment je réussirai à convaincre les rebelles de renoncer à provoquer des explosions le jour de l'Anniversaire du Président, dans seulement quatre jours.

Lorsqu'elle reprend son souffle, Jayma attrape ma main et s'y cramponne, si fort qu'on dirait qu'elle ne la lâchera jamais.

— J'ai l'impression de vivre dans un cauchemar. D'halluciner.

— Je suis désolée, Jayma. Je voulais venir plus tôt.

Je la serre de nouveau dans mes bras.

— Je sais que c'est dur, mais tu dois te montrer courageuse. Pour Scout.

— Tu... Tu as vu Scout? Vraiment?

— Oui. Il est vivant, et les médecins croient être en mesure de le sauver.

— J'ai tellement de peine que j'en perds la raison.

Elle prend une inspiration longue et rauque.

— Je ne sais pas ce que j'ai. J'ai même cru apercevoir le Déviant… Celui qui t'a enlevée.

Je me raidis et la repousse pour la regarder dans les yeux.

— Où ça?

A-t-elle vraiment vu Burn? Ou était-ce Zina? Est-ce plutôt son imagination qui lui joue des tours, comme elle le pense?

— Sur le toit, répond-elle.

Son expression se durcit.

— Il a surgi de nulle part, puis il a essayé de me parler, mais je me suis mise à hurler. Je lui ai ordonné de partir et il a disparu.

Elle frissonne.

— C'est sûrement une illusion. Une créature de cette taille ne peut pas se déplacer aussi rapidement.

Sa description correspond bien au signalement de Burn, en tout cas.

— Où l'as-tu vu? Je dois le savoir. Que t'a-t-il dit?

Ce n'est pas le fruit de son imagination, mais je n'arrive pas à décider si elle a croisé Burn ou Zina.

Elle plisse le front.

— Il m'a demandé de te dire qu'il voulait te voir.

— Où? Quand?

Je ne sais trop comment je réagirai en voyant Zina, compte tenu de ce qu'elle a fait à Scout. Mais puisqu'elle est mon seul lien avec l'AL, je n'ai pas le choix.

— Sur le toit.

Ma poitrine se comprime.

— Quand ?

— La nuit. Il a dit qu'il serait aux aguets, qu'il ouvrirait l'œil, répond-elle dans un frisson. J'en ai froid dans le dos.

— C'était quand ?

Ma respiration s'accélère, et mes jambes sont animées de mouvements convulsifs. Elles veulent courir sur le toit, là, tout de suite.

— Plus tôt ce soir. Juste après l'allumage de la lune, précise-t-elle en serrant ma main dans la sienne. N'aie pas peur. J'étais bouleversée à propos de Scout et je craignais pour sa vie. D'où ces souvenirs de ton enlèvement. C'est sûrement pour cette raison que j'ai imaginé ce monstre.

Ses yeux se remplissent de larmes, et elle se laisse choir contre le mur.

— Un rêve de mauvais augure… Je vais te perdre, toi aussi.

— Non.

Je repousse ses cheveux d'une main tremblante. L'idée que Burn se trouve à l'intérieur du Havre me terrifie et m'électrise en même temps. Le plus probable, cependant, est qu'il s'agit de Zina. Elle a abordé Jayma dans l'intention de me menacer. De me prouver qu'elle peut sans problème s'approcher de ceux que j'aime. J'en ai des haut-le-cœur.

Et si Zina savait que Scout était membre de l'équipe d'ouvriers juchés sur l'échafaudage ? Et si elle avait ciblé Scout en sachant qu'elle m'atteindrait en s'en prenant à lui ? Nous hait-elle donc à ce point, Burn, mon père et moi ?

Si Zina a desserré ces boulons pour m'envoyer un message, c'est par ma faute que Scout a chuté et repose à l'hôpital. Par ma faute que ses collègues sont morts.

La culpabilité m'envahit. Qu'ai-je fait ? En voulant aider les autres, j'ai mis mes amis en danger. Puisque Zina va et vient comme elle l'entend, mon frère et mon père courent peut-être aussi des risques. Je sais qu'elle déteste papa.

— Qu'est-ce qu'il y a ? demande Jayma, les yeux vitreux.

Je secoue la tête.

— Jure-moi que tu iras au travail, demain.

Elle fait signe que oui, mais je ne suis pas certaine de la croire.

Je l'embrasse sur le front.

— Il faut que j'y aille.

Elle me saisit par les épaules.

— Tu veux bien me promettre une chose ?

— Ce que tu veux.

— Promets-moi de ne jamais me mentir à propos de Scout.

Elle avale sa salive avec effort.

— Même si on le tue, je veux que tu me le dises. Jure-le.

Je la serre une dernière fois dans mes bras.

— Je te le jure, Jayma. Je ne te mentirai pas et je ne laisserai personne faire du mal à Scout.

———

CHAPITRE VINGT-DEUX

Atterrissant sur un toit en position accroupie, je me retourne : rien. Pourtant, je suis certaine d'être suivie. J'ai attendu Burn pendant une heure, mais il n'est pas venu. Je dois y aller. Et il est trop tard pour rendre visite à la femme de Gage.

Après ma discussion avec Jayma, je me sens anxieuse, paranoïaque, et je crois voir Zina partout. Elle affirme être en mesure d'emprunter l'apparence de n'importe qui, en tout temps, en tout lieu, et j'ai froid dans le dos à l'idée qu'elle puisse prendre mes amis pour cibles.

Une ombre se profile à l'autre bout du toit.

Je me laisse tomber sur le gravier et, en clignant des yeux, je fixe l'endroit où j'ai cru percevoir le mouvement. Rien. Je rampe donc jusqu'à l'autre extrémité, puis je m'engage sur la passerelle large de trente centimètres qui relie cet immeuble au suivant.

En dessous, des dizaines d'autres ponts de fortune s'entrecroisent, m'empêchent de voir le sol, au moins une vingtaine d'étages plus bas. Cette passerelle-ci, la plus haute, est très étroite : elle se compose de deux poutres en métal qui descendent en pente vers l'autre toit. J'avance rapidement pour garder mon équilibre et éviter une chute mortelle.

Un bang me fait sursauter.

Je bascule d'un côté, me stabilise et franchis les trois derniers mètres au pas de course. Puis je saute et j'atterris une fois de plus en position accroupie. La trappe crasseuse d'un logement construit sur le toit se soulève, et le visage d'un homme apparaît.

Le couvre-feu est tombé il y a des heures, déjà, mais je m'approche de lui comme si ma présence en ce lieu était parfaitement naturelle. Il me regarde venir, les yeux plissés, en fixant un point situé derrière moi. Puis son regard trahit l'inquiétude.

Je me retourne vivement. Il n'y a personne.

J'avance sur le toit en prenant de profondes inspirations pour ralentir les battements de mon cœur. Au bord, je ne découvre rien de plus qu'une étroite échelle en métal qui monte jusqu'à la saillie en pierre qui entoure l'immeuble voisin. L'échelle rouillée est en mauvais état, et je l'examine pour déterminer s'il reste assez de barreaux solides ou si j'aurais plutôt intérêt à tenter de sauter.

Je rejette cette dernière idée. La distance à franchir est de six ou sept mètres, et le pont en contrebas est hérissé de pointes de fer. En cas de chute, je risque d'être empalée.

Sous mon poids, l'échelle ploie d'une façon inquiétante. Pour un peu, je rebrousserais chemin et je rentrerais par un autre moyen. Regardant par-dessus mon épaule, je constate que l'homme m'observe toujours avec méfiance. Rien à faire, je continue.

Au milieu de l'échelle, un barreau cède sous mon pied et, tombant entre les montants, je m'accroche à un côté.

Suspendue par une main, j'attends que mon cœur se calme en scrutant les pointes en métal en contrebas. Je ne suis plus qu'à quatre mètres de la saillie, mais l'échelle grimpe à un angle aigu, et il reste trois barreaux à l'aspect fragile entre ma destination et moi. Mieux vaut remonter ainsi, une main après l'autre, que de risquer de poser les pieds sur les barreaux.

Accrochée à l'échelle, suspendue au-dessus du vide, j'aurai du mal à me hisser sur la corniche. Pourtant, je dois réaliser cet exploit ou me résigner à une chute mortelle. L'échelle vibre et oscille à chaque mouvement de mes mains. J'espère que les crochets qui l'ancrent dans le béton sont solides.

Un éclat métallique me transperce la paume, et la douleur monte de mon bras jusqu'à mon cou. Je ne peux pas lâcher. Plus que deux mètres et je pourrai hisser ma jambe sur la saillie.

Une ombre se profile au-dessus de moi. Quelqu'un atterrit sur la corniche.

— Donne-moi ta main, ordonne une voix grave et profonde.

Burn.

Je me fige. C'est peut-être Zina, plus susceptible de me tuer que de me sauver.

Je me retourne. Quelqu'un, sans doute l'homme que j'ai croisé, a relevé un panneau qui m'empêche de remonter sur le toit d'où je viens. Je suppose que je devrais lui être reconnaissante de ne pas avoir décroché l'échelle.

— Toujours aussi têtue, à ce que je vois, dit Burn.

Je ne tiendrai plus très longtemps, suspendue ici. Ignorant ma peur, je poursuis mon ascension, du sang dégoulinant sur mes poignets et mes avant-bras. Le liquide poisseux menace de me faire lâcher prise.

— Laisse-moi t'aider, dit Burn.

— C'est vraiment toi?

Quelque chose dans sa voix me fait croire que oui.

— Qui voudrais-tu que ce soit?

— Dans ce cas, aide-moi.

Je tends la main. Même s'il s'agit de Zina, là-haut, je n'ai plus le choix. En attendant d'être en sécurité sur la saillie, je décide donc de croire que j'ai affaire à Burn.

Il descend sur l'échelle, m'agrippe par les avant-bras et me tire vers lui. Je plane au-dessus des montants, à portée de la corniche, et les barreaux grincent sous notre poids combiné. Il les lâche et se hisse sur la saillie.

— Maintenant, tu peux te débrouiller toute seule.

C'est une affirmation et non une question.

Il avance de trois ou quatre mètres et se glisse dans une entrée de l'immeuble.

Haletante, je grimpe à mon tour et me demande si je dois le suivre. Je ne connais pas d'autre moyen d'entrer dans cet immeuble. Toutes les fenêtres que j'ai vues du haut de l'échelle étaient barricadées.

Chancelante, je m'adosse au mur et penche la tête. La distance qui me sépare du sol me semble interminable. J'ai parcouru je ne sais combien de fois des corniches semblables et je n'ai jamais eu le vertige. Jusqu'à maintenant.

À petits pas prudents, j'avance le long de la paroi. Devant l'entrée, un simple trou percé sur le côté de l'immeuble pour agrandir une fenêtre, j'empoigne une pierre au bord inégal et me donne un élan.

Au bout du couloir luit une faible lumière. Je plisse les yeux dans l'espoir de distinguer les formes des ombres.

La grosse main de Burn m'attrape le bras.

Ou est-ce Zina ? La répulsion me retourne l'estomac. Je me dégage.

— Assassin.

Le mot est monté du fond de mes entrailles.

— Mon ami se trouvait sur cet échafaudage.

— Quel échafaudage ?

La voix grave de Burn, imitée par Zina, bourdonne en moi, et je lui en veux de m'avoir si bien trompée. Mais, au fond de moi, quelque chose me dit qu'il s'agit cette fois-ci du vrai Burn. Dommage que je ne dispose d'aucun moyen de m'en assurer.

— Tu devrais appliquer de la pression sur ces coupures.

Burn bouge, et la faible lumière éclaire son visage, ricoche sur les arêtes dures de ses joues et se reflète dans ses yeux… Ses yeux qui, pénétrant les miens, me laissent croire qu'ils voient à l'intérieur de moi, voient mon cœur battre, mes poumons se remplir d'air, mon esprit élaborer des pensées. *Est-ce bien Burn ?*

L'être qui se cache sous ce corps très masculin, quel qu'il soit, ouvre son long manteau et en sort une bandelette de tissu. Sans rien demander, il saisit mon bras et enveloppe ma paume dans un pansement serré.

— Les blessures ont bien saigné, mais rince-les quand même en rentrant chez toi.

Je dégage ma main.

— Si tu as l'intention de me tuer, vas-y maintenant. Ne t'en prends pas à mes amis.

— Te tuer? s'étonne-t-il en se penchant en arrière. Pourquoi est-ce que je te tuerais?

— Je sais que c'est toi, Zina.

— Zina?

Il assène un violent coup de poing au mur derrière lui.

— La salope!

La méfiance embrouille mon jugement et je recule d'un pas.

— Peux-tu me prouver que tu n'es pas elle?

Il s'élance et plaque ses mains de part et d'autre de ma tête pour m'immobiliser. Geste typique de Burn. Je me penche pour passer sous un de ses bras et je détale. Au bout de quelques mètres, il m'agrippe par-derrière et me retient.

— Cette salope a pris mon apparence?

Sa voix tonne dans mon oreille, et je m'efforce de maîtriser les battements de mon cœur, ma respiration.

Sa poigne de fer se relâche, et je baisse mon centre de gravité dans l'intention de le renverser en le faisant basculer par-dessus moi, mais il est trop massif. Je devrai trouver une autre méthode.

— Calme-toi, Glory. Je sens ton cœur qui s'affole. Je t'assure que c'est moi.

Il me presse contre lui.

— À quoi s'est donc amusée Zina? Si elle s'en est prise à toi, je vais la tuer.

— Je ne suis pas encore certaine de ne pas avoir affaire à elle.

Il me retourne pour m'obliger à le regarder en face. Ses mains se cramponnent à mes épaules. Les tendons de son cou tremblent et se raidissent, sa mâchoire se durcit. Si c'est le vrai Burn, il risque de se transformer en monstre.

Il me libère et recule de quelques pas.

— Je peux te prouver que c'est moi.

Il tire une ficelle du col de sa chemise.

— Regarde.

Un objet brillant luit à son extrémité.

Mon cœur s'arrête. L'anneau de ma mère.

— Où? Comment?

— Je suis retourné là-bas pour le chercher.

Il s'adosse au mur opposé.

Je m'affale par terre, mon énergie sapée par les souvenirs de la dernière fois où j'ai vu cet anneau, sans parler de l'atroce vérité qui m'a poussée à le lancer au loin. Je l'ai jeté dans les bois en apprenant que j'avais tué ma mère.

Au cours des trois années ayant suivi mon crime ignoble, j'ai pensé que c'était mon père qui en était l'auteur. Et mon père m'a laissée le croire. M'a laissée le haïr. S'est laissé liquider à seule fin de me protéger. Pendant tout ce temps, j'ai porté l'anneau de ma mère, qui me réconfortait.

La ficelle, que Burn passe au-dessus de sa tête, soulève ses cheveux.

— Tiens.

Il me montre l'objet.

Mes entrailles se figent. Zina personnifiait Burn à la perfection, jusqu'à son manteau caractéristique… son apparence, sa voix. De toute évidence, elle a pu utiliser sa

Déviance pour créer une illusion parfaite. J'ignore jusqu'où elle peut aller.

— Parle-moi de l'anneau, dis-je d'une voix tremblante. Comment l'as-tu trouvé ?

— Je viens de te le dire.

— Je veux des détails. Des choses que seuls Burn et moi savons. Raconte-moi tout ce qui s'est passé, ce jour-là.

Il glisse le long du mur pour s'asseoir en face de moi et plie ses longues jambes à la hauteur des genoux pour se caser dans l'espace exigu, sa botte à quelques centimètres de ma hanche.

— Tu as voulu sauter du haut d'une falaise, commence-t-il. Je t'en ai empêchée. Tu étais éplorée, fâchée. Tu as jeté cet anneau.

Personne d'autre ne peut être au courant de ça.

— Je suis retourné le chercher.

— Pourquoi ? demandé-je d'une petite voix étranglée.

Il passe sa main dans sa chevelure épaisse.

— Je me suis dit que tu voudrais peut-être le récupérer un jour.

Des émotions envahissent mon esprit, ma poitrine, mes yeux. Je devrais fermer les paupières pour éviter de lui faire du mal, mais je ne peux me détourner de son visage, de son corps, de son regard débordant de passion et d'avidité. J'ai peine à croire que je n'ai pas vu la vérité plus tôt… maintenant et face à Zina.

J'ai peine à croire que je l'ai laissée me duper. Malgré les mois écoulés, jamais Burn ne m'aurait traitée aussi froidement. Zina avait beau emprunter son apparence, elle était impuissante à reproduire son magnétisme. Elle avait beau imiter sa voix à la perfection, elle était impuissante à trouver ses mots.

— C'est vraiment toi.

Je pose une main sur sa botte et je jure que je sens une onde de chaleur s'infiltrer dans le cuir élimé.

— Tu en as douté ? demande-t-il d'une voix mesurée.

— J'aurais dû savoir. Excuse-moi. Zina a soutenu…

Je me déplace pour m'asseoir à côté de lui avec la sensation d'être plus légère, plus libre. Maintenant que j'ai trouvé Burn, je suis de nouveau en contact avec l'AL.

Burn garde le silence, et je l'entends respirer à côté de moi, perçois la chaleur de son corps. Je voudrais me blottir sous son bras pour me sentir en sécurité. Mais je me raconte des histoires. Avec Burn, personne n'est en sécurité.

— Tu as vu Drake et mon père ?

Il hoche la tête.

— Ils m'ont demandé de te dire qu'ils… t'aiment.

Prononcer les mots lui coûte.

Je me penche vers l'avant.

— Comment vont-ils ? Que se passe-t-il là-bas ?

Au bout du couloir, une porte s'ouvre, et un rai de lumière envahit les ténèbres. Sans un mot, Burn me prend par la main et m'oblige à me relever. Nous restons adossés au mur jusqu'à ce que la porte se referme, puis nous nous dirigeons rapidement vers une fenêtre, d'où descend une corde. Ma main pansée glisse, mais tient bon, et je desserre ma poigne en entendant Burn se poser dans la rue. Malgré la distance, plus longue que je l'avais anticipé, il amortit mon atterrissage en me prenant par la taille.

Ses mains s'attardent plus longtemps que nécessaire. Quand je le regarde, il baisse les bras et s'élance vers la droite en m'entraînant à sa suite. La lumière d'un projecteur balaie la ruelle devant nous, et sa poigne se raffermit.

— Saute, dit-il une seconde avant de me serrer contre lui et de bondir.

Avec son autre bras, il agrippe un barreau à plus de six mètres du sol.

— Remonte tes jambes, murmure-t-il.

Nous nous replions juste avant que le faisceau lumineux passe sous nos pieds.

Pressée contre lui, je sens battre son cœur, et son odeur me rappelle des souvenirs où se mêlent les pins, le soleil chaud et la passion.

— Prête ? demande-t-il.

Il lâche prise sans me donner le temps de répondre. De retour sur les pavés, il détale, et je le suis dans un dédale de rues inconnues, certaines si étroites qu'il doit s'y glisser de côté pour permettre à ses larges épaules de passer.

J'ai l'habitude de courir, mais je manque de sommeil et j'ai les poumons qui brûlent lorsqu'il s'arrête brusquement, jette un coup d'œil autour de nous, ouvre une trappe au bas d'un mur, la soulève et la pose dans la rue.

— Descends.

En rampant, je me faufile dans l'obscurité du tunnel et je me demande s'il me suivra, comment il s'y prendra. Puis sa main effleure mon mollet, son corps envahit l'ouverture, et il se tortille pour y glisser ses épaules et sa poitrine.

Une fois à l'intérieur, il remet la trappe en place.

— Ta torche. Allume-la.

Il tient pour acquis que j'en ai une. Je la remonte. La faible lueur éclaire une petite pièce remplie de vêtements empilés jusqu'au plafond.

— C'est quoi, cet endroit? demandé-je.

— Un entrepôt.

Je ne pose plus de questions. Le lieu importe peu. Du moins dans le contexte actuel.

— Tu t'apprêtais à me parler de Drake.

Il hoche la tête.

— Il se porte bien. Il pousse comme de la mauvaise herbe, prend des forces. On ne croirait jamais qu'il a été paralysé.

— Il est... Il est heureux?

— Comment veux-tu que je le sache?

Je baisse les yeux.

Il s'éclaircit la gorge.

— Il va bien. Parle-moi plutôt de Zina.

Je me tourne vers lui. Burn, les bras croisés sur la poitrine, regarde devant lui d'un air renfrogné, plus intimidant encore qu'à son habitude.

— Elle a fait semblant d'être toi. Elle a dit que...

Je m'arrête avant de préciser que, selon elle, il avait une nouvelle petite amie.

— Elle a affirmé que tu étais Déchiqueteur.

Les mots ont jailli de ma bouche, et je secoue la tête en riant. Je n'avais plus songé à cette provocation ridicule.

— Elle a dit beaucoup d'idioties.

Son expression s'assombrit encore, et il serre les poings.

— Entre elle et moi, ce n'est pas exactement... le grand amour.

— Sans blague ?

Je préfère ne pas lui avouer qu'elle l'a accusé d'avoir tué son frère. Il est sans doute déjà au courant. À quoi bon évoquer un souvenir forcément douloureux ?

— Zina est une terroriste. Tu dois prévenir Rolph.

Il me regarde.

— Elle a desserré les boulons d'un échafaudage, au Centre.

— Qu'est-ce qui te laisse croire qu'elle a fait le coup ?

Mon cœur se serre.

— Tu veux dire que c'était toi ?

Ses narines se dilatent.

— Moi ?

— J'ai vu les images captées par les caméras de surveillance. On jurerait que c'est toi.

Il renverse la tête.

— Tu veux dire que les Confs me croient coupable de cet attentat ? lance-t-il en plissant les yeux. Génial.

— Scout était sur l'échafaudage.

— Scout ?

— Le frère de Cal.

Les épaules de Burn tressaillent lorsqu'il entend le nom, et j'avale ma salive.

— Je pense qu'elle a voulu m'envoyer un message. Me laisser savoir qu'elle pouvait m'atteindre.

Il se tortille.

— Le monde entier ne tourne pas autour de toi, Glory.

Mes joues s'embrasent.

— Peu importent ses motifs. Tu dois signaler ses agissements à Rolph.

Une fois informé par Burn, Rolph punira Zina ou, à tout le moins, la démobilisera.

Burn se penche vers l'avant.

— Pourquoi penses-tu que Rolph n'est pas déjà au courant?

— Il a vu les images? Tu veux dire qu'il sait déjà que c'était elle et non toi?

Je secoue la tête en souriant.

— J'aurais dû me douter que Rolph avait la situation bien en main. Que va-t-il lui faire?

Burn relève légèrement le menton.

— Pourquoi voudrais-tu qu'il intervienne? Le plus probable, c'est qu'elle a obéi à ses ordres.

CHAPITRE
VINGT-TROIS

Je recule en titubant et tombe à la renverse sur l'une des piles de vêtements et de couvertures.

— Ça n'a pas de sens.

En proie à la fatigue et à la confusion, mon esprit tourbillonne.

Burn garde le silence et m'observe jusqu'à ce que, perdant patience, je m'extirpe de ce doux amas de vêtements et m'avance vers lui à grandes enjambées.

— Jamais Rolph n'aurait ordonné à Zina de saboter l'échafaudage. Pas s'il savait que des ouvriers risquaient d'être blessés. L'AL n'entreprendrait jamais une action comme celle-là. Il faut que ce soit un coup des terroristes.

— C'est blanc bonnet et bonnet blanc.

— Qu'est-ce que ça veut dire?

Il secoue la tête.

— Une vieille expression, rien de plus. Terroristes, combattants pour la liberté, rebelles, révolutionnaires… Tout ça, ce n'est jamais qu'une question de perspective.

— De perspective? Tu rigoles? Des gens sont morts!

— On est en guerre, Glory. L'AL combat la Direction pour libérer tous les employés du Havre. Pas un ou deux seulement.

— Mais, en sabotant des échafaudages et en tuant des ouvriers innocents, l'AL se rabaisse au niveau des terroristes.

Je déglutis dans l'espoir d'éliminer la boule dans ma gorge.

— Non. L'AL ne descendrait pas aussi bas.

Je me rends compte que je ne sais presque rien de l'AL et de ses méthodes, les extractions mises à part. En me recrutant, on m'a chargée d'identifier et de sauver d'autres Déviants comme moi. Rolph a refusé de me parler des projets plus vastes de l'Armée, au cas où je serais capturée.

— L'AL n'est pas une organisation terroriste.

Burn repousse ses cheveux vers l'arrière.

— Glory, Rolph m'a envoyé ici pour prendre contact avec ceux que tu appelles « les terroristes ». Notre objectif est de conclure une alliance. Le seul nom dont je dispose est celui d'Adele Parry, et je n'arrive pas à la trouver.

J'en ai le souffle coupé. J'en aurais long à raconter à Burn. Mais pas avant d'en savoir plus sur ses intentions.

— Les terroristes posent des bombes, Burn. Ils tuent des gens. Le fait que nous poursuivions le même but n'a pas d'importance. La fin ne justifie pas toujours les moyens.

— Ne sois pas naïve.

— Je ne suis pas naïve et je ne suis pas une tueuse.

Il hausse les sourcils.

Je détourne les yeux. Nous savons tous les deux que je suis bel et bien une tueuse.

Des pensées contradictoires ébranlent mon esprit. De quel droit puis-je réprouver les méthodes des terroristes, moi qui ai tué ma mère et au moins trois Déchiqueteurs ? Pourtant, je les rejette totalement. J'ai enlevé la vie à ma mère par accident – je ne garde d'ailleurs aucun souvenir de l'événement – et j'ai tué les Déchiqueteurs pour protéger des êtres chers.

En plus, depuis que j'ai rencontré Mme Kalin, je ne vois plus la Direction du même œil. La guerre n'est pas la solution. Tuer des gens n'est pas la solution.

Je me redresse et me racle la gorge.

— Si elle recourt à ce genre de tactiques, l'AL ne vaut pas mieux que la Direction.

— L'AL n'est pas comme la Direction, riposte-t-il en s'approchant. Loin de là.

— Il ne faut pas mettre tous les membres de la Direction dans le même sac, tu sais. Rien à voir avec ce que tu m'as raconté. Certains tentent de réformer le Système et d'arranger les choses… de l'intérieur, sans tuer personne.

Il grogne.

— La Direction tue sans arrêt. Elle cible les faibles, les malades et tous ceux qui, à ses yeux, représentent une menace.

Il baisse la tête, et son expression s'adoucit.

— Tu es déjà au courant.

— Je ne sais plus quoi penser. Ce que je sais, en revanche, c'est que l'AL, si Zina travaille bel et bien sous les ordres de Rolph, a failli tuer Scout, et que c'est la Direction qui lui a sauvé la vie.

Burn laisse entendre un bruit moqueur.

— Elle lui a sauvé la vie ?

— À l'hôpital.

Burn me dévisage comme si j'étais une demeurée et, en ce moment, je ne supporte pas de le regarder. J'ai besoin de m'éloigner pour réfléchir. Je plonge vers la trappe. Il m'attrape par la cheville et me tire vers lui.

— Tu n'iras nulle part avant de t'être calmée.

— Me calmer, moi?

À force de ruer, je l'atteins au moins une fois.

— Zina a failli tuer mon ami. Scout est à l'hôpital, entre la vie et la mort. Et tu voudrais me laisser croire que Zina a eu raison d'agir comme elle l'a fait? Comment peux-tu me demander de me calmer? Je pensais que tu haïssais Zina.

Je me débats. Mon corps est comme une valve sous pression, sur le point d'exploser.

Il me retourne sur le dos et me cloue les épaules au sol. Je me cabre dans l'espoir de le désarçonner. Mais il est assis sur mes hanches. Je suis paralysée. Je vaux pourtant beaucoup mieux. Il a beau être gros, je devrais être en mesure de le déloger.

Je cesse de lutter pour lui faire croire que j'ai abandonné. Dès qu'il relâche la pression sur mes épaules, je m'assieds brusquement et lui assène un violent coup de tête sur le nez.

Il jure, lève une main pour étancher le sang qui me coule sur la poitrine.

Je me tortille, essaie de m'enfuir, mais il me cloue de nouveau au sol. C'est alors qu'il commet une grave erreur: il me regarde dans les yeux.

Toutes les émotions dont j'ai besoin comme carburant sont là, à la surface. Et, au bout de quelques secondes, je le tiens. Sans visée particulière, je serre et je tords, et le choc dans son regard cède la place à la douleur. Il roule sur le côté, me presse contre sa poitrine.

Incapable de supporter la douleur dans ses yeux, je ferme les miens.

Il me projette au loin et je m'écrase contre une pile de vêtements. Haletante, j'essaie de reprendre mon souffle. Bien qu'ayant honte de lui avoir fait du mal, je suis toujours en colère.

Burn se remet sur pied.

— Ne te fie pas aux membres de la Direction. Ils mentent tous.

— *Tu* mens. *Rolph* ment. Quand j'ai accepté de travailler pour l'AL, personne ne m'a dit que je devrais cautionner le meurtre et la mutilation d'innocents. Je refuse de jouer le jeu.

— Tu n'as blessé personne.

— L'AL, oui.

Il s'accroupit près de moi et me regarde dans les yeux. Compte tenu de ce qui vient de se passer, c'est très courageux de sa part.

— Pense au portrait d'ensemble. Pense à la réalité d'ici, aux personnes en qui tu peux avoir confiance. La Direction ne soigne pas ton ami à l'hôpital. Ne le crois pas un seul instant. Il ne va pas survivre. Pas là-bas. Pas tel que tu l'as connu.

Je secoue la tête.

— Tu te trompes. J'ai bien vu Scout. Je suis allée à l'hôpital.

Burn tourne brusquement la tête et il fronce les sourcils.

— Je me moque de ce que tu as cru observer là-bas. Ils ont contrôlé tout ce qu'ils t'ont laissée voir. Ne te fie à *aucun* membre de la Direction. Et ne remets jamais les pieds dans cet hôpital.

Debout, il me tend la main.

— Quant à ton ami Scout... Je suis désolé. C'est comme s'il était mort.

— Il n'est pas mort, et je n'ai pas l'intention de l'abandonner.

Quoi qu'en dise Burn, je retournerai à l'hôpital demain, cette fois en compagnie de Cal.

Burn m'aide à me relever, puis il reste immobile, plus près de moi que nécessaire. Impossible de reculer sans tomber dans les piles de vêtements. Moins de trente centimètres séparent nos corps, et je suis pleinement consciente de chacun d'eux, de chacune des molécules qui abolissent cette distance.

Ma colère s'évapore. C'est contre Zina que j'en ai, et peut-être aussi contre Rolph. Je ne devrais pas me défouler sur Burn, qui a tant fait pour moi et pour Drake.

Burn, qui est retourné chercher l'anneau de ma mère.

Cette attention me rappelle ce que j'ai ressenti la première fois qu'il m'a tenue dans ses bras, la première fois que nous nous sommes embrassés, son corps pressé contre le mien, sur ce rocher au bord du lac. Les joues cuisantes, je lève les yeux.

Il me regarde d'un air avide.

— Désolé pour ce qui est arrivé, ce jour-là, sur le rocher, dit-il d'une voix douce et grave. Je n'avais pas l'intention de te faire du mal. Ça ne se produira plus jamais.

Mon cœur bat à m'assourdir.

Il se penche, et c'est comme si le temps décélérait. Au lieu de prendre quelques secondes, il met des minutes, voire des heures, à combler la distance entre nous. L'air s'épaissit. Je n'arrive plus à respirer.

Je fais un pas de côté.

— Il faut que j'y aille.

Il détourne le regard.

— Ça va, j'ai compris.

Je ne crois pas qu'il comprenne vraiment. Je ne crois pas qu'il comprenne pourquoi je ne peux pas rester près de lui, le laisser m'embrasser. Ce n'est pas que j'ai peur, du moins au sens où il l'entend.

Je ne trahirai plus Cal. Et même si Cal n'était pas dans le portrait, je n'ai pas de temps à consacrer à ce genre de futilités, en ce moment. L'heure est trop grave : Scout est à l'hôpital, Jayma déprime, une taupe sévit au sein du PFAC, et les terroristes projettent de dynamiter le Centre.

Il n'y a plus rien de facile, plus rien de tranché, et j'ai l'impression que le monde se dérobe sous mes pieds, que je déboule une pente abrupte.

Burn fixe le sol, les mains plantées dans ses poches, et je m'en veux de l'avoir blessé.

— Je suis contente de t'avoir vu, dis-je.

Mon ton me semble toutefois emprunté, et mon cœur cogne dans ma poitrine.

— Je dois rentrer à la caserne. Sinon je risque d'avoir des ennuis.

Il relève la tête, et nos regards se croisent.

— Viens avec moi. Je vais te ramener à la maison… dans la Colonie.

Pour un peu, son expression et ses mots me feraient perdre l'équilibre.

— Je ne peux pas. Je… Pas maintenant.

— Je t'attendrai. Je t'attendrai ici… toutes les nuits, dit-il d'une voix profonde, presque inaudible. Toutes les nuits. Je ne partirai pas sans toi.

CHAPITRE
VINGT-QUATRE

Le lendemain, je suis encore toute retournée à l'idée d'avoir revu Burn lorsque Mme Kalin nous emmène à l'hôpital, Cal et moi. Les yeux de la VP trahissent son inquiétude, et elle glisse mes cheveux derrière mon oreille, tandis que Cal parcourt l'accord de confidentialité.

— Tu as l'air fatiguée, dit-elle. On t'en demande trop ? Je peux dire un mot à tes instructeurs…

— Non.

Sa bienveillance déferle sur moi comme une vague.

— Merci, mais ça ira. Je suis juste un peu inquiète pour Scout.

Et en raison d'un million d'autres choses dont je ne peux pas lui parler. Le simple fait de constater qu'elle se préoccupe de moi me rassérène.

À présent, son inquiétude se colore de fierté.

— D'accord, je ne m'en mêle pas, concède-t-elle. Que ta mère demande aux instructeurs du PFAC de te ménager n'aurait pas un effet très positif sur sa crédibilité, je suppose.

Mon cœur s'enraie.

— Ma mère ?

Elle a un large sourire.

— Tu sais ce que je veux dire.

Je hoche la tête, et c'est comme si un sourire se répandait dans tout mon être.

— Je sais bien que je ne pourrai jamais remplacer ta vraie mère, dit-elle. Je ne peux pas simplement me substituer à elle, mais je tiens beaucoup à toi. Je te considère comme ma fille. Tu le sais, ça, n'est-ce pas?

Je fais signe que oui, les joues en feu.

— Qu'est-ce que ça signifie? demande Cal en montrant un bloc de texte à l'écran.

Il se tourne vers Mme Kalin, tandis que nous nous approchons.

— Simple formalité, répond-elle. Tu n'as rien à craindre.

Cal signe sans lire le reste. En général, il ne renonce pas aussi facilement, mais il ne verra son frère qu'à condition de signer l'accord. Je comprends. Je l'ai signé, moi aussi.

— Bon, je crois que tout est conforme. Allons voir Scout.

La voix de Mme Kalin est enjouée et joviale, et, pendant qu'elle marche, son manteau léger flotte autour de son pantalon.

— Je suis sûre qu'il sera ravi d'avoir des visiteurs.

Cal sourit largement et tient la porte pour Mme Kalin et moi. J'ai hâte de revoir Scout pour pouvoir rendre compte de sa guérison à Jayma et la sortir de sa déprime.

Mme Kalin et Cal marchent devant moi. Elle lui expose les grandes lignes des recherches en cours à l'hôpital, reprenant à son bénéfice les explications qu'elle m'a fournies la première fois. Au fur et à mesure que nous nous avançons dans l'établissement, je me souviens de mes autres raisons de vouloir revenir ici. Je veux être certaine de ce que j'ai vu. Je veux pouvoir discuter des expériences avec un autre témoin et décider si j'ai raison de me fier à Mme Kalin.

Un cri strident retentit dans l'une des chambres devant lesquelles nous passons, et je m'arrête.

— Qu'y a-t-il là-dedans ?

— Un laboratoire de recherche, répond Mme Kalin.

— On peut jeter un coup d'œil ?

J'essaie d'ouvrir, mais la porte est verrouillée. Les fenêtres sont bouchées.

— Qui a crié ? demande Cal.

Mme Kalin met la main sur le bras de Cal, et il se tourne vers elle.

— Pas de souci. Avant leur admission, certains volontaires souffraient de maladies très douloureuses. Nous nous efforçons d'assurer leur confort.

Elle pivote vers moi, mais, les nerfs en boule, je regarde ailleurs.

— Nos laboratoires ne sont pas des lieux d'infamie. On n'y mène que des expériences scientifiques. Glory est au courant.

— Mais vous ne voulez pas que nous entrions dans cette salle, constaté-je.

— Qu'est-ce qui te fait croire ça ? répond-elle en revenant vers moi, tout sourire. Vous pouvez jeter un coup d'œil dans toutes les salles de l'hôpital. Nous n'avons rien à cacher.

Elle saisit un code d'accès sur un pavé numérique et ouvre la porte.

J'entre la première et je pousse un petit cri.

Contre un mur, six patients sont retenus par des fers. Le sang qui dégouline de leurs plaies s'évacue par des drains. Tous sauf le premier, un jeune homme, portent un appareil respiratoire relié à un conduit qui court le long du plafond. Une préposée, vêtue d'une ample combinaison bleue, introduit un couteau tranchant dans le haut du bras de la quatrième patiente, qui hurle au moment où le sang gicle.

Je m'élance.

— Que se passe-t-il, ici? Pourquoi tailladez-vous la peau de cette femme? Que respirent ces gens?

Les tuyaux qui raccordent les appareils respiratoires au conduit portent des numéros qui vont de vingt à cent, à intervalles réguliers.

Derrière moi, Mme Kalin dit à Cal quelques mots que je ne saisis pas. Je fais le geste d'accrocher la préposée armée du couteau, mais Mme Kalin pose la main sur mon avant-bras, et je me tourne vers elle.

— Calme-toi, dit-elle d'une voix sévère. Laisse-moi t'expliquer ce que tu observes.

Je secoue la tête, les yeux rivés sur son front. J'essaie de réprimer la colère et la répulsion qui attisent la Déviance derrière mes yeux.

Personne ne dit la vérité. Personne. Et si je la regarde dans les yeux, je vais la tuer.

Cal étudie un tableau posé sur le mur.

— Ces sujets sont des volontaires, commence Mme Kalin en se tournant vers moi pour établir le contact visuel. Dans ce laboratoire, nous analysons les effets thérapeutiques de la poussière. Georgina ici présente (la préposée incline la tête) incise avec soin et précision la peau de patients à qui on administre diverses doses de poussière. Nous pourrons ainsi déterminer à quelle concentration celle-ci a des effets curatifs.

Malgré mon malaise persistant, je dois admettre, à la réflexion, que les propos de Mme Kalin sont remplis de bon sens. Je croise son regard et hoche la tête, écartant les questions que j'aimerais lui poser. Elle a raison. Comment, sinon, établir quelle quantité de poussière on doit utiliser pour guérir les patients sans risquer de les rendre fous? Je me souviens de la terreur que j'ai ressentie en voyant mon père faire respirer de la poussière à Drake pour la première fois, de la folie qui a semblé s'emparer de Gage lorsqu'il en a trop pris. Il importe de savoir combien on peut en administrer à un patient sans le transformer en Déchiqueteur.

Cal s'avance.

— Ce sont tous des Déviants? demande-t-il. En FG, on nous a appris que les Normaux ne pouvaient pas inhaler de la poussière sans s'étouffer.

Mme Kalin sourit.

— C'est ce que nous croyions autrefois. Je sais que c'est ce qu'on enseigne toujours en FG, mais nos recherches ont démontré que la plupart des humains peuvent tolérer de petites doses de poussière sans s'en porter plus mal. En fait, d'infimes quantités ont parfois des effets bénéfiques. Les expériences que nous menons ici et ailleurs ont pour but d'explorer ces limites.

Ses yeux ont un éclat de sincérité. Je suis submergée par un sentiment de culpabilité.

— Excusez-moi de m'être emportée, lui dis-je.

Elle me caresse l'épaule.

Le laboratoire est moins sinistre que je l'ai d'abord cru. Par mesure de sécurité, les sujets sont retenus au mur et ils ne donnent aucun signe d'inconfort. Du moins pas vraiment. Pas plus que nécessaire. Tout me semble normal, civilisé et conforme à ce que j'ai appris et observé sur la poussière pendant mon séjour à l'Extérieur.

Je ne comprends pas pourquoi j'ai douté de Mme Kalin. Ma confusion et ma paranoïa sont sûrement le résultat des mises en garde lancées par Burn, la nuit dernière. J'ai vu cette expérience sous un éclairage sinistre parce que j'étais conditionnée à l'interpréter de cette façon.

Je vacille, mais Mme Kalin m'attrape avant que je heurte le sol.

Cal accourt.

— Ça va ?

— Glory se sent nauséeuse à la vue du sang, explique Mme Kalin. Plus d'incisions pendant que nous sommes là.

— Entendu, acquiesce la préposée.

Cal me caresse le dos, et je me sens un peu mieux.

— Ça va, dis-je. Je suis un peu gênée, c'est tout.

— Il n'y a pas de raison, répond Mme Kalin.

Près de la porte, je me retourne et je cligne des yeux. Ma vision me joue des tours, comme si un rideau remontait et descendait sans cesse devant moi. Une minute, tout me semble normal ; la minute suivante, j'ai affaire à une chambre de torture où des gens saignent et se tordent de douleur.

Je me tourne vers Mme Kalin, et ma confusion s'évanouit. Ici, tout est conforme aux explications qu'elle a fournies. Mon esprit a été si déformé par les histoires d'horreur concernant l'hôpital que j'ai entendues dans mon enfance et si embrouillé par les propos tenus par Burn, la veille, que je ne vois pas la vérité sous mes yeux. Mme Kalin n'a eu que des égards pour moi, et j'ai eu tort de me méfier d'elle.

Je me détourne d'elle et, au moment où nous sortons de la pièce, une autre pensée s'immisce dans ma conscience. Compte tenu du grand nombre d'expériences en cours, il doit y avoir une importante quantité de poussière dans l'air. Et si elle faussait ma perception et celle de Cal ? Et si elle faussait aussi celle de Mme Kalin ?

Assise sur le toit de notre caserne avec Cal et, me semble-t-il, l'ensemble des recrues de notre classe, je balaie des yeux les environs immédiats pour voir si d'autres sont à portée de voix. Je veux entendre ce que Cal a pensé de l'hôpital, et c'est la première fois que nous nous retrouvons en tête à tête. Notre classe a subi une interrogation orale à la fin de la journée et nous avons été opposés à un groupe de Confs et d'instructeurs qui nous ont bombardés de situations imprévisibles, truffées d'informations contradictoires. Malgré la nature non physique de l'épreuve, nous sommes tous épuisés et affalés sur le toit plutôt que dans la salle de loisirs en train de jouer à SIM.

— Scout semblait assez bien, non ?

Cal, allongé sur le toit, contemple les étoiles scintillantes. De toute évidence, les ampoules à DEL de cette portion du ciel sont remplacées plus souvent que celles du quartier où nous avons grandi.

— Mme Kalin t'a-t-elle dit quand il recevrait son congé? demandé-je.

Scout n'avait droit qu'à un visiteur à la fois. J'ai donc attendu dans le couloir, pendant que Cal était dans la chambre.

— Bientôt, répond-il en plissant le front.

— Mais quand? T'a-t-elle précisé une date? T'a-t-elle fourni des détails sur sa convalescence?

Cal s'appuie sur ses coudes.

— Pourquoi es-tu si négative? Mme Kalin a dit que tout allait bien.

— As-tu observé des détails dérangeants, à l'hôpital? Des détails qui confirment ce qu'on nous a raconté quand nous étions enfants?

À notre sortie de l'hôpital, j'étais sereine. Mes doutes, cependant, persistent.

— Et toi? demande-t-il.

— Je voulais juste avoir tes impressions.

Il secoue la tête.

— C'était exactement comme tu l'avais dit.

Il roule sur le côté et pose sa main sur ma taille.

— Je regrette d'avoir douté de toi.

— Donc, tu n'as rien vu ni entendu de sinistre, là-bas?

— Comme quoi, par exemple?

— Des gens qu'on torture, qu'on gave de poussière ou qu'on lacère à coups de couteau et qui appellent à l'aide?

Il a un mouvement de recul.

— Non. Pourquoi? Tu as vu quelque chose pendant que j'étais avec Scout?

— Non. Je suis restée devant la porte.

— Pourquoi cette question, alors? s'étonne-t-il. Nous avons observé les mêmes choses. On y soigne des patients confortablement installés dans leur lit.

Je prends une profonde inspiration et ferme les yeux pendant un moment.

— Je continue de voir d'étranges scènes fulgurantes, des scènes d'horreur.

Il me caresse l'épaule.

— Tu as besoin de sommeil. D'accord, certains patients souffraient beaucoup, mais c'est inévitable. Ils sont malades et blessés.

— Quand même, je me demande…

Je me mordille la lèvre.

— J'ai l'impression que les explications données par Mme Kalin sont trop faciles. Comme si elle récitait un boniment appris par cœur…

Si, à l'hôpital, nous étions affectés par la poussière, peut-être Mme Kalin l'était-elle aussi. Peut-être tous ceux qui y travaillent sont-ils victimes de la folie de la poussière. Leur empathie ainsi compromise, ils seraient aussi cruels que des Déchiqueteurs.

La main de Cal glisse sur mon flanc.

— Tu avais raison à propos de Mme Kalin. C'est un membre de la Direction en qui nous pouvons avoir confiance. Scout est en bonnes mains.

J'expire longuement. L'opinion de Cal sur Mme Kalin apaise mes craintes. Elle a beaucoup fait pour moi, s'est montrée très ouverte. Beaucoup plus que l'AL, qui ne m'a strictement rien dit de ses méthodes.

Cal se rapproche, nos jambes se touchent, et il se penche sur moi.

— Quelque chose te tracasse. Parle-moi.

— Je croyais que c'était ce que nous faisions.

— Tu es une vraie petite boule de stress, dit-il en me tirant par le bras. Qu'est-ce qui ne va pas ?

Il se rapproche un peu plus.

— Tu travailles toujours pour M. Belando ?

J'opine du bonnet.

— Il avait raison. Je suis presque certaine qu'il y a une taupe… un Conf.

Cal écarquille les yeux.

— Ah bon ? Qui ça ? As-tu identifié le suspect ?

— Je n'en suis pas encore sûre. Tout ce que je sais, c'est qu'il y a bel et bien une taupe.

— Sois prudente, dit-il en m'embrassant sur le front. Promets-moi de ne pas courir de risques.

— Vous vous pelotez en public, à présent ? lance la voix de Stacy, derrière nous. Je devrais vous dénoncer.

Cal retire sa main en vitesse, et je regarde ma camarade de chambre d'un air furieux.

— Nous peloter ? Tu exagères un peu, non ?

Stacy, qui mâchouille un bout de bois, une main sur la hanche, ne répond pas.

— Cal ! lance une autre recrue, de l'autre côté du toit. Amène-toi !

Il me consulte du regard, et je hoche la tête en souriant. Il se lève et va rejoindre les autres garçons à grandes enjambées.

— Il a besoin de ta permission pour parler aux autres, maintenant ?

Elle secoue la tête avec dédain.

Je me lève.

— Il se montrait poli. Tu le connais, ce concept ?

Elle laisse entendre un petit rire de mépris, et je ferme les paupières pour évacuer ma colère. Je n'ai pas d'énergie à consacrer à Stacy.

En rouvrant les yeux, j'aperçois son sourire narquois.

— Suis-moi, dit-elle avec un geste de la tête. Il faut qu'on parle, toi et moi.

Je secoue la mienne.

— Nous partageons la même chambre. Nous parlerons avant l'extinction des feux.

— Nous ne pouvons pas parler dans ta chambre.

Elle se penche sur moi et ajoute à voix basse :

— Parce que Stacy est là.

Je tressaute.

— Zina ?

En me décochant un sourire suffisant par-dessus son épaule, elle se dirige d'un pas vif vers la partie ombragée du toit. Je réprime une envie de crier aux autres que ce n'est pas Stacy, que c'est la terroriste responsable de l'effondrement de l'échafaudage et de Dieu sait combien d'autres décès. Mais je n'ai pas de preuve. On me croira folle, sauf si je réussis à les mettre côte à côte, Stacy et elle.

Je sens la peur et la colère me transpercer, mais je m'efforce de les repousser et je la suis. Dès que nous sommes hors de portée, je croise les bras sur ma poitrine.

— Mon ami était sur cet échafaudage !

— Quel échafaudage ?

Elle sourit largement, incline le menton et me regarde d'une façon qui indique sans ambiguïté qu'elle sait très bien de quoi je parle.

— Tu n'as donc pas de conscience ? Tu es une meurtrière !

Elle hausse les épaules avec un sourire suffisant.

Mon corps tremble de fureur, le dégoût me retourne l'estomac, et j'essaie de croiser son regard. En ce moment, je pourrais la tuer. Quelle hypocrite je fais ! Tuer Zina servirait peut-être notre intérêt supérieur, mais n'est-ce pas de cette façon qu'elle-même justifie ses actions ? Je refuse de m'abaisser à son niveau.

Elle s'approche, si près que je sens son souffle sur mon visage. Sur le plan physique, elle ressemble à Stacy comme deux gouttes d'eau. Cela dit, ma camarade de chambre a beau être une brute désagréable, Zina me voue carrément de la haine.

Le sentiment est réciproque.

— Tu t'attaques à des innocents, des gens que l'AL s'est donné pour but de libérer. Comment peux-tu justifier de telles actions ?

— Je ne vois pas de quoi tu veux parler.

Mes poings se serrent le long de mon corps, et je me retiens difficilement de m'en servir. Je voudrais l'affronter, discuter avec elle, mais à quoi bon ? Elle n'admettra rien et je n'ai pas de preuve.

— Qu'est-ce que tu veux ?

— On te confie une nouvelle mission.

— Bien. Donne-moi les noms et les numéros d'employés.

Compte tenu des récents événements, je serai heureuse de sauver quelques Déviants. J'accueillerai cette distraction avec plaisir, même si je dois confier les jeunes rescapés à Zina.

— Il ne s'agit pas d'extractions. C'est plus important.

Je recule d'un pas.

— Je n'entreprendrai rien sous tes ordres. Tu n'es plus mon contact avec l'AL, à supposer que tu l'aies déjà été.

Zina est une menteuse. Et même si elle a une mission légitime à me confier, je ne suis plus du tout certaine de vouloir collaborer avec l'AL, maintenant que je connais ses tactiques.

— Crois-moi, je ne suis pas ici par choix, dit-elle en grimaçant comme si elle venait de goûter à de la viande pourrie.

— Parfait. Trouve quelqu'un d'autre.

— Rolph a besoin de ton don particulier.

Je fronce les sourcils.

— Il veut envoyer un message à la Direction, la frapper où ça compte.

Elle croise les bras sur sa poitrine.

— Tu as accès à la Haute Direction. La prochaine fois que tu seras en présence d'un VP, tue-le.

Je secoue la tête.

— Pas question. Je ne tuerai pas pour Rolph. Je ne tuerai pour personne, en fait.

Elle roule les yeux.

— J'ai dit à Rolph que tu n'étais pas assez forte, que tu ne serais pas capable de mener une action pareille.

— J'en serais tout à fait capable, dis-je, l'estomac serré. Mais je m'y refuse.

— N'aie pas peur, dit-elle. Si tu as bel et bien les talents que te prête Rolph, on croira à une mort naturelle.

— Je ne vais pas commettre de meurtre. Et ça n'a pas de sens. Quel genre de message une mort naturelle enverrait-elle ?

Manifestement, Zina me tend un piège.

— Laisse Rolph s'inquiéter de ces détails.

— La réponse est non, dis-je en levant le menton. À moins que l'AL me confie une nouvelle extraction, c'est terminé, pour moi. Fini.

Il est mal de tuer, quelle que soit la raison invoquée.

Elle carre les épaules.

— Ce n'est pas une demande, soldate. C'est un ordre.

— Et si je refuse ?

Le sourire narquois est de retour.

— Dans ce cas, petite fille, tu es fichue. Si tu n'obéis pas aux ordres, nous ne pourrons plus avoir confiance en toi. Et, précise-t-elle en plissant les yeux, tu en sais beaucoup trop sur nous pour rester en vie.

De retour dans la caserne, je bondis sur ma couchette et ferme les paupières. Je tremble sans pouvoir m'arrêter. Zina a été on ne peut plus claire : si je n'obéis pas aux ordres de l'AL, je suis morte.

Sa faculté de se métamorphoser a quelque chose de terrifiant. Elle va au-delà de ce dont je croyais les Déviants capables. Je me couche sur le côté, en chien de fusil, et je glisse ma main sous l'oreiller.

Plus rien n'a de sens. Je croyais mon existence compliquée, à l'époque où je sortais en douce de la caserne du PFAC, la nuit, pour sauver des Déviants, mais cette vie de duplicité me semble désormais simple et facile. Je courais des dangers, certes, mais, au moins, je poursuivais un objectif précis. Au moins, j'avais le sentiment de faire le bien. Au moins, je savais à qui me fier.

Maintenant, tout est sens dessus dessous. Une femme de la Direction est devenue pour moi ce qui se rapproche le plus d'une mère, l'hôpital soigne Scout et s'est donné pour but de permettre aux Normaux de vivre à l'Extérieur, et l'AL exige que je tue pour elle.

Je dois parler de tout ça à quelqu'un. Mais à qui? Je suis complètement coupée de papa et de Drake, je ne peux pas m'adresser à Cal sans trahir l'AL et le mettre en danger.

Et je ne peux pas non plus parler à Burn. Je ne le comprends plus. Je sais qu'il se sent horriblement mal quand il tue: j'en ai été témoin et je lui en ai parlé. Comment peut-il approuver les actions de l'AL et des terroristes?

Sa réapparition m'a remuée jusqu'au fond de moi, m'a retournée, m'a chavirée. Je suis tout étourdie, incapable de voir clairement le sentier devant moi. Si seulement je pouvais remonter le temps, ma vie retrouverait un soupçon de normalité et j'aurais de nouveau l'impression de servir à quelque chose.

Je dois réaliser une extraction. Si je trouve un Déviant, Burn devra le conduire en sécurité.

Mes yeux s'ouvrent tout grands. *Les membres de la famille de Gage.* Je les ai trouvés dans le Système, il y a quelques jours, et tout indique que le garçon, Tobin, est en danger. Extraire Tobin aura comme avantage supplémentaire d'obliger Burn à quitter le Havre et donc à s'éloigner des rebelles. Je ne sais toujours pas comment je m'y prendrai pour les empêcher de dynamiter le Centre, mais je peux à tout le moins veiller à ce que Burn ne prenne pas part à l'attentat.

Sous l'oreiller, mes doigts effleurent quelque chose. Un bout de papier.

Tremblante, je lis le mot «Buanderie», la date de demain et les chiffres «2300» pour indiquer l'heure. Étant donné l'emplacement, je crois qu'il est raisonnable de penser qu'il s'agit du lieu et du moment d'un rendez-vous avec les rebelles. Mais qui a laissé ce message ici?

Ma poitrine se fige. *Le traître.* Qui qu'il soit, il sait à quoi je m'occupe. Il sait que j'ai rencontré les rebelles et il a accès à ma chambre.

CHAPITRE
VINGT - CINQ

Je secoue le rabat en tissu qui tient lieu de porte chez Gage, et une femme le soulève en brandissant un couteau.

Des cheveux grisonnants frisottent autour de son visage, et elle me dévisage d'un air féroce.

— Va-t'en. Laisse-nous tranquilles.

Elle a la voix éraillée.

— Attendez.

Exposant mes doigts au danger, j'attrape le bord du rideau avant qu'il retombe.

— J'ai connu votre mari, Theresa. Je veux vous rencontrer, vos enfants et vous.

Risquant une attaque à l'arme blanche, je glisse mes doigts entre la porte en tissu et son cadre métallique. La respiration rauque de la femme m'indique qu'elle se trouve juste de l'autre côté, espérant sans doute que j'abandonnerai, de guerre lasse, mais je tiens bon.

Enfin, le tissu, en se soulevant, forme une longue ouverture triangulaire.

— Dépêche-toi, dit la femme.

Je me glisse à l'intérieur, et elle remonte une petite lanterne. Une fille à l'aspect fragile, à qui on ne donnerait pas ses quatorze ans, s'accroche à sa mère.

— Tu dois être Kara, dis-je en souriant. Je m'appelle Glory.

Je voudrais lui dire que Gage a survécu à sa liquidation, mais c'est impossible. Parler de l'Extérieur est contraire au protocole de l'AL. D'ailleurs, j'aurais l'impression de commettre une injustice en parlant de lui avant d'avoir l'assurance de pouvoir réunir sa famille.

— J'ai connu ton papa.

Theresa m'agrippe par le t-shirt et m'attire vers elle.

— Ne parle pas de cet homme à ma fille. C'était un Déviant. Il a été liquidé. Nous nous efforçons d'oublier que nous l'avons connu.

— Désolée, dis-je en levant les mains en signe de capitulation. Mais Gage a été gentil avec moi. En apprenant ce qui s'est passé, j'ai voulu rencontrer sa famille. Je regrette d'avoir mis trois mois à me décider.

Elle libère mon t-shirt et je regarde l'espace exigu autour d'elle.

— Où est Tobin?

Kara lâche sa mère et recule de quelques pas. La peur inonde les yeux fâchés de Theresa.

— Qui? demande-t-elle d'une voix chevrotante.

— Votre fils.

— Je n'ai pas de fils.

Le ton de Theresa est sec, et sa main, lorsqu'elle coince ses cheveux en broussaille derrière son oreille, tremble.

— Qu'est-ce qui te fait croire que j'ai un fils?

— Ne vous inquiétez pas, Theresa, dis-je en m'avançant presque imperceptiblement. Je ne le dénoncerais jamais. Peu importent les circonstances.

Elle tressaille.

— Impossible de dénoncer quelqu'un qui n'existe pas.

— D'accord.

Mon ventre se contracte. Theresa est désagréable, mais son attitude est compréhensible. Elle se méfie de moi et tente de protéger son fils.

— J'ai dû mal comprendre quand Gage m'a dit avoir deux enfants.

Elle braque la tête d'un côté.

— Cet homme est un menteur. Comportement typique des Déviants.

Elle a craché le dernier mot comme un poison. Je baisse les yeux.

— Bon, je le connaissais moins bien que je le croyais, je suppose.

Elle plisse les yeux.

— Comment l'as-tu rencontré, au juste ?

Je lui sers la réponse que j'ai préparée.

— Dans la queue du magasin où sont distribuées les rations, au Centre.

Theresa serre les bras contre son corps.

— Il ne mettait jamais les pieds au magasin. C'est moi qui me chargeais des provisions.

— Toujours ?

J'incline la tête sans me laisser démonter. Puis je souris et je fais signe que oui, comme si la mémoire me revenait.

— C'est sûrement pour cette raison qu'il m'a demandé mon opinion sur la poudre vitaminée la plus fraîche. J'avais oublié.

Je secoue la tête.

— Je me rappelle surtout toutes les choses gentilles qu'il a dites sur vous et les enfants.

Elle redresse les épaules.

— Enfant. Au singulier. J'ai un seul enfant. Une fille.

Mon cœur s'emballe. Plus elle nie l'existence de Tobin, plus je suis déterminée à le sauver. À condition que je n'arrive pas trop tard. Un frisson glacé me parcourt. Gage m'a dit qu'il avait été dénoncé aux Confs par un proche. Je commence à me demander si sa femme ne serait pas derrière cette trahison. Ce serait horrible. J'en ai la nausée. Et si elle avait agi de même pour Tobin? Aurait-elle pu vendre son propre fils?

— Je vais mettre de l'eau à bouillir, dit Kara du fond de la petite pièce. Tu veux boire quelque chose?

Theresa se tourne vivement vers sa fille, puis vers moi.

— Oui, assieds-toi, dit-elle en désignant le sol. Où sont mes manières? Bois quelque chose avant de t'en aller.

Je m'installe par terre, tandis que Kara sort avec une petite casserole remplie d'eau, sans doute pour utiliser la cuisinière mise à la disposition des occupants de cette portion des Mans. La pièce est d'une forme différente, mais en gros de la même taille que celle où j'ai grandi. De cinq à six mètres carrés, à vue de nez. Au moins, notre appartement avait une porte et des murs de tous les côtés, apparemment parce qu'il avait servi à l'entreposage de vêtements, ALP. De toute évidence, celui-ci a déjà fait partie d'un ensemble beaucoup plus grand.

— Kara est encore plus jolie que Gage l'avait laissé entendre, dis-je à Theresa, une fois sa fille sortie. Il a parlé de vous tous avec beaucoup de chaleur et d'amour.

La joue de Theresa tressaille.

— On ne peut pas se fier à un Déviant. Ces gens-là ont pour but de détruire le Havre.

Gardant mon sang-froid, je ne réagis pas. Je me suis aventurée en terrain miné. Je balaie la pièce des yeux, à la recherche de cachettes possibles.

— Mon appartement n'est pas assez bien pour toi, peut-être ? demande Theresa. Tu as l'air bien nourrie. Tes parents sont membres de la Direction ?

— Non, dis-je en secouant la tête. Je trouve votre logis plutôt accueillant. J'ai grandi dans un appartement des Mans semblable à celui-ci.

Tobin n'est pas ici. Pas de meubles. Qu'un matelas roulé dans un coin et une petite boîte en métal. Nulle part où se cacher, en somme.

— Tu viens vraiment des Mans ?

Je confirme d'un geste.

Se penchant, elle prend sa tête à deux mains.

— C'est tellement dur. À deux, nous arrivions à peine à nourrir les enfants. Maintenant que je suis toute seule…

Sa voix s'estompe, elle lève son regard vitreux et se détourne de moi.

— Les enfants ? dis-je.

Elle fait signe que non.

— Kara. Un enfant seulement.

— Vous pouvez avoir confiance en moi, dis-je.

Elle se penche vers l'arrière.

— Pour quoi, au juste ?

— Pour tout ce que vous auriez envie de me confier.

Je m'incline vers la lanterne et tourne la manivelle sans qu'elle proteste.

— Tu connais des Déviants ? demande-t-elle. À part mon regretté mari, je veux dire ?

J'opine du bonnet. C'est peut-être l'ouverture que j'espérais. Peut-être admettra-t-elle enfin l'existence de Tobin et me dira-t-elle où je peux le trouver.

— Mon père a été liquidé il y a trois ans.

Elle secoue la tête.

— Alors tu sais combien c'est difficile pour ma Kara. Découvrir la trahison de son père et rester seule avec sa mère…

— Ma mère est morte avant la liquidation de mon père.

— Oh.

Elle se penche vers moi, et son expression se radoucit.

— Alors tu es toute seule ? Sans personne ? Pauvre petite.

Je ne réponds pas. Je ne souhaite ni mentir de nouveau, ni mentionner Drake, ni préciser que mon père a survécu à sa liquidation. Au point où j'en suis, serais-je plus à risque si je parlais ? Je suis vulnérable. Si cette femme a dénoncé Gage et son fils aux Confs, je pourrais très bien être la prochaine sur sa liste.

— Ah ! s'écrie-t-elle en saisissant mon poignet et en tapotant mon bracelet. Je constate que tu n'es pas tout à fait seule.

Un coin de sa bouche se retrousse, et la mélancolie s'empare de ses yeux.

— Un jeune homme, dit-elle en promenant ses doigts sur le bracelet. Comment s'appelle-t-il ?

— Cal.

— Et il a un bon travail ? Il est heureux ?

Mon estomac se serre.

— Construction et Entretien.

Ce n'est pas complètement un mensonge. Avant de commencer le PFAC, Cal a été affecté au Service de C et E pendant deux ans.

Kara revient, plonge une tasse en fer-blanc dans l'eau fumante et me la tend.

— Désolée. Nous sommes à court de poudre aromatisée jusqu'à la prochaine journée de ravitaillement.

— C'est merveilleux, dis-je en saisissant la tasse d'eau chaude et en sentant la vapeur monter dans mes narines. Délicieux.

Kara sert sa mère, puis elle-même, et s'assied en tailleur à côté de moi.

— Tu aimes la FG ? demandé-je à Kara. Quelle est ta matière préférée ?

Elle hausse les épaules et je me souviens d'avoir été irritée quand des adultes m'interrogeaient sur la FG et mes cours, comme s'il s'agissait du seul sujet de conversation possible avec des enfants. Mais la négation de l'existence de Tobin dresse un mur entre nous, et je ne trouve pas d'autre question à aborder. Je dois les mettre à l'aise pour gagner leur confiance.

La main de Kara heurte ma jambe. Au début, je fais celle qui n'a rien remarqué en me disant que je risque de la gêner en attirant l'attention sur son geste. Elle insiste. Je glisse ma main le long de ma jambe et la pose à côté de celle de Kara. Elle me remet ce qui a l'aspect d'un bout de papier. Comment s'est-elle procuré un objet rationné?

Sans la regarder, je range l'objet sous ma jambe. Feignant de me gratter, je le cache sous la ceinture de mon pantalon.

— Tu as fini la FG? me demande Kara, dont les joues rosissent.

— Oui, au dernier trimestre.

— Où travailles-tu? lance Theresa.

Je bois mon eau en essayant de déterminer comment répondre. Je suis à court de mensonges, et je n'ai plus la force d'en inventer.

— Il vaut mieux que je me sauve, dis-je en me mettant debout et en tendant la tasse à Kara. Je viens de me rappeler que je me lève à l'aube, demain. Le couvre-feu est tombé, et je vais devoir redoubler de prudence en rentrant.

— Où habites-tu? demande Kara.

— Dans les Mans, au fond du secteur est.

Au moins, c'est là que je vivais, autrefois.

— Tu as un bon bout de chemin à parcourir, alors.

Theresa entreprend de se lever à son tour, et je lui tends la main. À ma grande surprise, elle accepte mon aide. Sa paume est froide et rugueuse.

— Merci beaucoup pour la boisson chaude, dis-je. J'ai été enchantée de vous rencontrer. Je suis désolée pour... Gage.

Les liquidations se prêtent mal aux formules de politesse.

Theresa détache les crochets qui retiennent la porte en tissu.

— Repasse nous voir, un de ces jours.

— Merci, dis-je.

À son ton, j'ai compris qu'elle m'invitait uniquement pour la forme. Pourtant, j'ai l'intention de repasser. Je dois gagner sa confiance pour pouvoir aider Tobin. La prochaine fois, je la persuaderai que je suis en mesure d'assurer la sécurité de son fils.

En marchant dans le couloir, je sens le papier de Kara me piquer la peau et je m'arrête sous la faible lueur d'une lampe pour lire le message.

Une adresse et le mot « toit ».

Tobin. L'aurais-je trouvé ? Bien que Theresa soit résolue à nier l'existence de son fils, sa petite sœur, elle, ne l'a pas oublié.

Je songe à Drake, et le picotement derrière mes yeux me donne envie de partir tout de suite à la recherche de Tobin. Mais je dois d'abord discuter avec Burn d'un plan d'extraction. Si Tobin se cache sur le toit, sa sœur lui apporte sans doute de la nourriture. Il peut tenir une nuit de plus.

CHAPITRE
VINGT-SIX

— Pourquoi y a-t-il un mur à l'extérieur du Havre? demanda Ansel à notre instructeur, pendant que nous étudions tous la carte que M. Mendell projette à l'avant de la classe.

On y voit l'empreinte du dôme, mais aussi le grand lac qui s'étend du côté sud et le mur qui ceinture le Havre à une distance d'environ un kilomètre et demi.

J'essaie de me concentrer. Je suis vraiment curieuse de savoir comment M. Mendell expliquera ce mur, dont la plupart des résidants ignorent l'existence, mais je suis distraite, impatiente que la journée prenne fin.

Après avoir discuté avec Burn et sauvé Tobin, je devrai assister à la réunion des rebelles et les dissuader de faire sauter le Centre. L'Anniversaire du Président est dans deux jours. Comme si ce n'était pas suffisant, Zina, quelque part dans le Havre, se prépare peut-être à me tuer. Comment suis-je censée suivre les leçons, dans ces conditions?

— Des idées? demanda M. Mendell.

Son communicateur sonne, et il place sa main contre son oreille.

— Glory Solis ?

— Oui, monsieur ?

— Tu as un visiteur, dit-il. Au bureau principal.

Je me dirige vers la porte en frottant mes mains sur mes cuisses. Tout le monde me regarde. Cal a été le dernier élève invité à sortir. En général, de mauvaises nouvelles attendent la personne qu'on appelle ainsi. Je me dis que c'est sans doute Mme Kalin qui a du nouveau à propos de Scout.

Je me précipite vers le bureau principal et, en voyant qui est là, je freine brusquement et glisse sur le sol : le père de Jayma.

Il s'avance vers moi, le visage blême.

— J'ai besoin de ton aide, Glory.

— Tout ce que vous voulez, dis-je, le cœur battant.

Il regarde autour de nous.

— Il y a un endroit où nous pouvons parler ?

Les cernes violacés sous ses yeux sont encore plus foncés qu'avant.

Je m'éloigne du bureau. Il y a un coin que ne balaie pas la seule caméra de surveillance fonctionnelle.

— Ici, ça ira, dis-je. Mais parlez doucement.

— L'état de Jayma s'est détérioré, dit-il en secouant la tête. Après ta visite, elle s'est sentie un peu mieux. Même qu'elle est allée travailler, hier. Mais elle était distraite. Elle a oublié de verrouiller son bac de triage et a causé un accident.

Je l'agrippe par le bras.

— Elle a été blessée ?

— Une de ses collègues l'a poussée avant qu'un morceau de ferraille lui tombe dessus. Par contre, les RH ont mis un blâme à son dossier. Le Service de Vérification mène une enquête, et on dit qu'elle ne retournera plus jamais travailler.

— Je vais aller la voir cette nuit, très tard.

Je passerai après avoir accompli tout le reste. Tant pis pour le sommeil.

— Ce n'est pas tout, ajoute-t-il en regardant de nouveau autour de lui. À cause des récentes activités terroristes, on la soupçonne de sabotage. L'enquête la concernant est considérée comme prioritaire.

Le sang se glace dans mes veines.

— Jayma ? Mais c'est de la folie !

L'inquiétude creuse le front de l'homme.

— Même si les vérificateurs concluent à un accident, elle aura à son dossier une tache qui va la suivre jusqu'à la fin de ses jours.

Il s'affale contre le mur.

— Et il y a pire. Si les Confs la voient dans cet état, ils la conduiront à l'hôpital.

Il ferme les yeux.

— L'idée de perdre un autre enfant dans ces conditions m'est insupportable.

Mon estomac se serre.

— Où est-elle ?

— Elle se cache dans une ruelle du secteur industriel nord, pas très loin de l'endroit où je travaille. Derrière des bacs de déchets chimiques, dans le NS27... à supposer qu'on ne l'ait pas encore trouvée.

Il agrippe mon bras de sa main tremblante.

— Aide-la. S'il te plaît.

— Ne craignez rien, dis-je.

Je serre le père de Jayma dans mes bras en essayant de lui cacher ma peur.

— Je vais faire mon possible.

Après avoir pris quelques bouchées et glissé le reste de mon repas dans un bout de tissu, je sors en douce de la caserne dans l'espoir de trouver Jayma avant qu'on éteigne le soleil. Les membres du PFAC sont dispersés dans la salle d'étude et la salle de loisirs, et j'espère que personne, sauf Cal, ne remarquera mon absence. Je lui ai raconté que j'avais rendez-vous avec M. Belando, les mensonges s'ajoutant aux mensonges. Si j'avais dit la vérité à Cal, il aurait tenu à m'accompagner.

Au moins, je n'ai eu aucune difficulté à trouver Jayma, prostrée près de l'endroit où son père l'avait cachée. Elle m'a suivie sans poser de questions. Mais, au fur et à mesure que nous avançons, son pas ralentit. Si elle n'accélère pas, on nous capturera, c'est certain.

Au bout du pont de corde tendu entre deux immeubles, je me tourne vers elle :

— Il faut que tu ailles plus vite.

Elle me regarde à travers ses larmes.

— Laisse-moi. Tout ce que je veux, c'est mourir.

Mon estomac se contracte.

— Tu n'en penses pas un mot.

— Tu te trompes.

Elle saisit la corde qui pend le long du pont et regarde en bas. Le pont oscille.

Rapidement, je lui attrape le bras. Réprimant une envie d'essuyer ses joues mouillées et de la serrer dans mes bras, j'affiche une mine sévère.

— Tu nous mets en danger, toutes les deux. C'est ça que tu veux ? Que nous tombions de ce pont ou que nous soyons arrêtées et liquidées ?

Elle secoue la tête.

— Alors arrête de pleurer, dis-je, en dissimulant ma frayeur, d'une voix volontairement dure. Tu ne vois pas devant toi à travers tes larmes. Tu vas trébucher ou causer une autre catastrophe.

Elle tressaille. Je la serre fort.

— Excuse-moi.

Je me suis montrée cruelle en évoquant l'accident.

— Nous devons nous dépêcher de te trouver une cachette.

Nous sommes près de l'immeuble de la Direction, à quelques coins de rue seulement de la caserne. La lumière du soleil décline. Si je ne rentre pas bientôt, on notera mon absence. Je ne sais pas très bien ce que je projetais en entraînant Jayma de ce côté, sauf que, compte tenu de tout ce que j'ai à accomplir, je préfère l'avoir près de moi. En plus, je sais qu'il n'y a pas de caméra de surveillance fonctionnelle sur le toit de l'immeuble de la Direction, et je réussirai peut-être à accéder à cette grande boîte en métal.

Dès qu'elle sera en sécurité, je foncerai vers l'entrepôt de vêtements où j'ai vu Burn la dernière fois. Il a dit qu'il viendrait m'y attendre, et j'espère qu'il tiendra parole. Je n'y amènerai toutefois pas Jayma avant de m'être assurée qu'elle y sera à l'abri. D'ailleurs, elle risque de paniquer en voyant Burn. Je ne suis pas prête à faire face à une telle éventualité.

— Grimpe sur mon dos, lui dis-je. Je vais te porter.

— Non, répond-elle d'une voix rauque. Je vais aller plus vite. Je me moque bien de ce qui va m'arriver, mais je ne veux pas que tu aies des ennuis à cause de moi.

J'ai envie, en même temps, de la serrer dans mes bras parce qu'elle accepte de coopérer et de la secouer comme un pommier pour avoir osé dire qu'elle était indifférente à son propre sort. Au moins, elle s'est mise en marche. Profitant de sa résolution, je cours jusqu'au bout du pont, heureuse de la voir me suivre.

De l'autre côté, je grimpe à une corde et roule sur la corniche avant d'atterrir sur le toit. Jayma est juste derrière moi et je lui tends la main pour l'aider à se relever.

— Halte!

Une voix masculine se répercute contre le toit au-dessus de nos têtes et je me retourne, prête à me battre.

C'est un Conf en tenue de combat complète. Il pointe son foudroyeur sur nous. Inutile d'engager le combat. Inutile aussi de courir.

Je lève les mains pour montrer que je ne représente pas une menace.

— C'est une zone défendue, dit-il derrière son masque. Que venez-vous faire ici?

Je m'avance lentement.

— Je suis inscrite au Programme de formation des agents de conformité. Vous êtes sûr que ce toit est une zone défendue? Je pensais qu'on nous avait autorisés à y accéder dans le cadre de nos exercices.

Je secoue la tête, en proie à une frustration feinte.

— J'ai dû me tromper, alors, deux ou trois immeubles avant celui-ci.

Je remonte ma manche. Ainsi, il pourra se servir de sa lampe à rayons ultraviolets pour voir la marque du PFAC.

Il ne sort pas sa lampe et, à un peu plus d'un mètre de lui, je m'arrête pour le supplier.

— Je suis en exercice de formation. Je dois faire traverser la ville à cette volontaire civile et la conduire à la caserne sans qu'on me voie. Je touche au but. Il faut que je rentre avant le souper. Sinon, j'aurai un échec. Vous ne pourriez pas me donner une chance?

— Tu es trop petite pour être inscrite au PFAC.

Il soulève sa visière. Des rides creusent son front.

— Ma sœur voulait être Conf, continue-t-il. On ne lui a même pas permis de passer les examens d'admission. À cause de sa taille. Et elle est plus grande que toi.

— J'ai eu beaucoup de chance, moi. M. Belando, le VP de la Conformité, ça vous dit quelque chose?

Il hoche la tête, et je poursuis.

— Disons qu'il s'intéresse à moi. Et il tient beaucoup à ce que j'obtienne mon diplôme, question de prouver qu'il a pris la bonne décision en me choisissant. Et si j'échoue à cet exercice…

Le Conf abaisse légèrement son pistolet.

Je m'avance encore d'un pas et je murmure:

— Entre vous et moi, la dernière fois qu'une recrue m'a battue pendant un exercice de combat, M. Belando l'a fait expulser du programme pour avoir triché.

Je baisse la voix un peu plus.

— Et il n'avait pas triché, ce garçon.

Le Conf remonte la tête, comme pour absorber physiquement toute cette information.

— Tu veux dire que Belando risque de s'en prendre à moi si je t'arrête ? De mettre un blâme à mon dossier, aux RH ?

Je hausse les épaules, l'air de dire que, à sa place, je laisserais passer notre petite transgression, mais que ce n'est pas à moi de décider.

L'inquiétude gagne les yeux du Conf, qui baisse son arme et penche la tête de côté.

— Dans ce cas, filez. Et vite. Il y a une échelle au bout de ce toit. De la caserne, elle conduit à un pont qui se termine non loin de la porte de derrière. En principe, personne n'est au courant de son existence, explique-t-il en plissant les yeux. Alors n'en parle pas à tes amis. Quand j'étais en formation, certains garçons s'en servaient pour aller retrouver leur partenaire attitrée, à la nuit tombée.

Je sais exactement de quel pont il veut parler, et je parie que la moitié des élèves de la classe le connaissent.

— Merci. Je garderai le secret.

Je me tourne vers Jayma et la trouve roulée en boule sur le toit. Je lève les yeux au ciel, prends le Conf à témoin.

— Ces civils…

Je la tire par les épaules et lui dis tout bas :

— Allez. En route.

Elle m'emboîte le pas, essaie de courir. Ses jambes semblent entravées par de lourdes chaînes. Devant l'échelle, je me retourne, et le Conf me salue de la main.

Nous nous engageons sur le pont étroit qui conduit au quatrième étage de la caserne. À mi-chemin, je m'arrête pour donner à Jayma le temps de me rattraper. Je lui montre du doigt l'immeuble voisin, où il y a une plate-forme, environ cinq mètres plus bas et plus de trois mètres sur la droite. Le saut est dangereux, mais je ne peux pas l'amener dans la caserne des Confs.

— Tu vois ce palier ?

— Ou-oui, répond-elle d'une voix fluette et éteinte.

— Tu peux l'atteindre ?

Je sais que Jayma, dans son état normal, en serait capable. Cette Jayma-ci, déprimée, voire suicidaire ? Moins sûr. Elle n'a sans doute rien avalé depuis l'accident subi par Scout.

Elle hoche la tête, mais je détecte de la peur dans son regard. Je décide que c'est bon signe. Si elle a peur, c'est qu'elle n'a pas l'intention de se jeter dans le vide.

— J'y vais en premier, dis-je en fixant la plate-forme.

Je suis déjà passée par là sans problème. La plate-forme fait environ un mètre cinquante de longueur sur un mètre vingt de largeur. La surface en métal n'est pas trop glissante. Malgré les plaques de rouille, elle a résisté sans mal à mon poids, la dernière fois. En raison de l'absence de balustrade, elle est plus facile à atteindre ; en même temps, il est plus difficile de s'y accrocher. Rien n'est parfait.

Je plie les jambes, bondis, étire mon corps, mobilisant tous mes muscles pour me propulser vers l'avant. Le mur derrière la plate-forme fonce vers moi, et je me rends compte, en plein vol, que j'ai pris beaucoup trop d'élan.

Mes mains heurtent le mur en béton, mes bras absorbant tout le choc, et je parcours en tombant le mètre et demi qui me sépare encore de la plate-forme. J'ai les paumes qui chauffent et une douleur cuisante dans les poignets, mais j'ai réussi. Jayma constatera que je me suis forcée pour rien. Avec un peu de chance, elle sera plus en confiance.

Face à moi, elle se tourne d'un côté, comme si elle avait entendu quelque chose, se jette du haut du pont et s'élance vers moi. Je me tasse pour lui laisser le champ libre, et elle se pose tout au bord de la plate-forme. Incapable de garder son équilibre, elle penche dangereusement vers l'arrière. Je plonge, mes genoux heurtant la surface en métal, et je la saisis par les jambes.

Trop tard. La gravité l'entraîne, et même si je tiens ses jambes, elle menace de basculer. Je libère une de ses jambes, qu'elle laisse se balancer dans le vide pour faire contrepoids. Fléchissant la taille, elle tend les bras vers moi.

La terreur se lit dans ses yeux. Elle est pliée en deux, un pied sur la plate-forme, l'autre ballant dans le vide. À genoux, j'agrippe son bras d'une main et son mollet de l'autre. Mes genoux glissent sur la surface en métal.

Nous allons tomber.

J'étire une jambe derrière moi et essaie de planter le bout de ma botte dans l'un des trous de rouille que j'ai vus au fond. Dès que j'y réussis, je ramène Jayma vers moi. Alors que ses coudes heurtent la plate-forme, ses jambes basculent dans le vide. Je la saisis sous les bras et je tire, tandis qu'elle se balance et se contorsionne pour me faciliter la tâche.

Je sens son poids se porter sur la plate-forme. Nous avons vaincu la gravité, mais je refuse de la lâcher. Je glisse mes bras autour de son torse fluet et je la remonte. Haletantes, nous nous cramponnons l'une à l'autre. Je voudrais la regarder dans les yeux pour la rassurer, ou pour me rassurer, moi, sauf que je ressens le picotement caractéristique. Quelle tristesse de ne pas pouvoir courir le risque de regarder ma meilleure amie dans les yeux à cause d'un trop-plein d'émotions !

— Merci, murmure-t-elle, tandis que, allongées, nous reprenons notre souffle et tentons de nous ressaisir.

— Tu n'avais pas envie de mourir, en fin de compte, dis-je en me redressant.

— Je suppose que non, concède-t-elle en roulant sur le dos et en pliant les genoux.

Me levant, je lui tends la main.

— Viens. Il y a une corde, au coin. Elle n'est pas facile d'accès, mais, de là, nous pouvons atteindre le toit de cet immeuble.

Si la boîte en métal n'est pas vide, je cacherai Jayma dans les ombres derrière, pour le moment.

Elle me laisse l'aider à se mettre debout.

— C'est quoi, cet immeuble ? demande-t-elle.

— Celui de la Direction.

Elle a un mouvement de recul.

— C'est trop dangereux.

— Tout ira bien. Fais-moi confiance.

Elle a peut-être raison, mais je n'entends pas le lui avouer.

Jayma hoche la tête et me suit, tandis que, bondissant d'un rebord de fenêtre à un autre, j'arrive au coin, où la corde est à portée de main.

CHAPITRE
VINGT-SEPT

Après avoir quitté Jayma, je passe jeter un coup d'œil à l'entrepôt de vêtements. Comme Burn n'y est pas, je décide de partir à la recherche de Tobin. Cal doit se demander où je suis. Si je ne suis pas rentrée avant l'extinction des feux, mon absence sera découverte. Mais si la cachette de Tobin est convenable, je pourrai y mettre Jayma aussi.

Au sommet d'une corde, je balaie du regard le toit de l'immeuble indiqué par Kara. Elle s'est sûrement trompée. À cet endroit, le ciel est si rapproché que je suis incapable de me hisser sur la surface avec mes bras sans me cogner la tête. Je dois plutôt balancer un pied vers le haut, trouver prise et rouler sur le côté.

Aussitôt, mes mains et mes habits se couvrent de crasse, et je me demande quelle justification je vais bien pouvoir fournir. Bon, j'y penserai plus tard. L'air me fait suffoquer, et je relève le col de mon t-shirt sur ma bouche. Je dois avancer à quatre pattes, et ce filtre de fortune ne tient pas en place. Malgré tout, mon dos heurte un faisceau lumineux suspendu dans les ténèbres. Je me mets à plat ventre et je rampe.

Promenant ma torche à gauche et à droite, je me félicite de l'avoir remontée au maximum avant de quitter la corde. Sinon je ne m'y retrouverais pas dans cette obscurité déroutante.

Le faisceau lumineux révèle un vieux système d'aération dans le ciel, mais les pales du ventilateur sont si couvertes de crasse graisseuse que j'ai du mal à imaginer la dernière fois qu'il a tourné. Pas étonnant que l'air soit si vicié, ici : les bouches d'aération sont cassées. Je dirais qu'aucun courant d'air n'a traversé cet espace confiné depuis des décennies et que les fumées industrielles que laissent fuir les grandes cheminées trouées s'y accumulent pour l'essentiel. Résultat ? Un épais résidu noir, recouvert d'une croûte de cendres, semblable à un lac de boues huileuses.

— Hou ! hou ! crié-je. Il y a quelqu'un ? Tobin ? Je connais ton père. C'est Kara qui m'a expliqué où te trouver. Tu ne risques rien. N'aie pas peur.

Mon instinct me dit que Kara ne m'a pas joué un tour cruel en m'envoyant jusqu'ici pour rien. Mais si Tobin s'est un jour caché à cet endroit, rien ne prouve qu'il y soit encore.

J'avance en rampant, éclaire à gauche et à droite, remonte mon t-shirt sur ma bouche pour respirer un air moins toxique.

Sur ma droite, je perçois un bruissement. Je brandis ma torche de ce côté et note un mouvement.

— Tobin ?

Pas de réponse. C'est peut-être un rat. Sauf qu'aucun rat ne resterait dans ce coin horrible. Sans compter que, au-dessus d'une usine, un rongeur ne trouverait rien à manger. Je rampe jusqu'à l'endroit où j'ai cru deviner une présence, et un courant d'air frais me frappe en plein visage. J'exagère un peu, mais, par rapport à l'air lourd et humide qui règne ici, le moindre souffle produit l'effet d'une brise au sommet d'une colline à l'Extérieur.

J'oriente la torche vers la source du mouvement, mais la lumière qu'elle diffuse a tellement pâli qu'elle ne sert presque plus à rien. Libérant mes deux mains, je la remonte. Devant moi se dresse un mur bas qui m'empêche de voir l'extrémité du toit.

Mon initiation aux méthodes de combat et de patrouille me commande d'être sur mes gardes. Il est stupide de ramper à l'aveuglette vers quelque chose ou quelqu'un d'invisible. Sauf qu'il s'agit d'une mission de sauvetage et non de combat. En tout cas, je l'espère.

Toujours à quatre pattes, j'avance, la torche révélant des éclaboussures de poussière noire chaque fois que mes mains se posent par terre. Bientôt, je suis tout près du mur. Environ un mètre plus loin, le bord du toit touche le ciel (c'est du moins ce qu'il me semble), mais je constate que de faibles souffles d'air montent le long de la paroi de l'immeuble et s'échappent par le mince interstice entre le toit et le ciel.

— Tobin, dis-je doucement. Je sais que tu es là. Je suis une amie. Je suis là pour t'aider. C'est Kara qui m'envoie.

Pas de réponse. Je poursuis donc jusqu'au mur. Derrière, je ne vois toujours rien.

Ma lumière s'estompe de nouveau, et je m'aplatis dans l'intention de la remonter une fois de plus. Puis, dans l'obscurité, l'ombre d'une tête apparaît et disparaît contre le ciel, comme si quelqu'un avait jeté un coup d'œil par-dessus le côté de l'immeuble. Tobin ne s'est tout de même pas accroché au bord en attendant que je parte ? Cette pensée est presque suffisante pour que je rebrousse chemin. Sauf qu'il ne sera pas dit que je suis venue jusque-là pour rien. Si Tobin est là, je ne peux quand même pas le laisser derrière. Comment le convaincre de me faire confiance?

Ayant décidé de ne pas remonter la torche éteinte, je m'avance en rampant, lentement, et implore mes yeux de s'adapter à la quasi-obscurité. Le bord du toit me semble lisse: pas de doigts cramponnés à la surface. J'espère que le garçon n'est pas tombé.

— Tobin? dis-je. Viens. Tu ne risques rien. Juré.

Sa tête réapparaît tout doucement, en silhouette, suivie de ses épaules. Je ne sais pas sur quoi il s'appuie, mais il ne s'accroche pas au bord de l'immeuble.

— Salut, dis-je en lui tendant la main. Je m'appelle Glory. Ça va?

Il s'avance, vif comme l'éclair. Un objet réfléchit la faible lumière, et je me rends compte qu'il tient un éclat de métal acéré.

— Si tu t'approches, je te tranche la gorge.

Sa voix se brise sous l'effet conjugué de la préadolescence et de la peur.

— Je ne te veux aucun mal.

Il s'élance en brandissant son couteau de fortune, et je lui attrape l'avant-bras.

— Lâche-moi!

Sa voix tremble. Sous son t-shirt, derrière, il a une bosse, comme s'il portait un baluchon sur ses épaules.

— Laisse tomber ton couteau et je te libère.

— Pas question. Tu vas me poignarder.

Je pose ma lanterne et, avec mon coude, j'appuie sur la main qui tient le couteau. Sous l'effet de la douleur, ses doigts se desserrent. Je m'empare de l'arme et la lance le plus loin possible sur le côté.

— Là, dis-je. Personne n'a de couteau, maintenant.

Le dos de son t-shirt semble presque palpiter. On dirait que la chose qui s'y cache est vivante. J'espère ne pas avoir affaire à deux opposants.

— Tobin…

— Comment sais-tu mon nom?

— Je connais ton père.

— Mon père est mort.

— Et j'ai parlé à ta sœur.

Je décide de ne pas mentionner sa mère. Si elle l'a rejeté, ainsi que j'en ai le soupçon, le seul fait de l'évoquer risque de se retourner contre moi.

— Kara m'a dit où je te trouverais. Je peux t'aider.

— M'aider? répète-t-il d'une voix tremblotante. Comment?

En m'approchant, je constate que ses jambes pendent dans le vide, sur le côté du toit. Il n'y a qu'un tout petit espace entre son corps et le ciel, mais, en bas, on voit une plate-forme, et l'air, ici, est résolument meilleur.

— Comment as-tu découvert cet endroit? lui demandé-je.

Comme il ne répond pas, je pose une autre question sur un ton léger, rassurant.

— C'est une plate-forme? Géniale, cette cachette.

Je m'avance un peu plus en desserrant mon emprise sur son bras. Nos têtes ne sont plus qu'à trente centimètres l'une de l'autre, et je me rapproche encore. Il a un mouvement de recul, et son dos cogne le ciel.

— Doucement.

Nos visages se touchent presque. Je libère son bras en souriant.

— Je peux me débrouiller tout seul.

Il s'éloigne et, en se faufilant dans l'ouverture, disparaît.

Vite, je jette un coup d'œil en dessous. Il se rencogne sur une plate-forme d'environ un mètre cinquante de longueur sur un mètre de largeur, coincée entre l'immeuble et une poutre du ciel à la forte inclinaison. La plate-forme est ouverte aux deux extrémités. Une chute accidentelle se terminerait au moins cinquante étages plus bas. Malgré tout, je suis heureuse de constater que Tobin ne vit pas sur le toit crasseux.

— Depuis combien de temps es-tu là ? lui demandé-je.

Il se tourne et se frotte le dos, comme s'il avait des démangeaisons.

— Quand as-tu mangé pour la dernière fois ?

Il hausse les épaules.

— Tiens.

Je lui tends la nourriture que j'ai glissée dans ma poche. Il saisit un morceau de viande et l'engouffre avec avidité.

J'examine de nouveau sa cachette. Son isolement la rend aussi très difficile d'accès. On ne risquerait pas d'apercevoir Tobin et Jayma, ici, mais l'immeuble, à l'extrémité ouest du Havre, est trop loin de la caserne. S'ils doivent passer quelques jours ici, le temps que Burn mette au point un plan d'évasion, j'aurai trop de mal à les approvisionner en eau et en nourriture. Et je doute que Jayma accepte de grimper sur ce toit immonde.

— Y a-t-il un autre moyen d'arriver jusqu'à ta plate-forme?

Il secoue la tête sans s'arrêter de manger.

— Écoute-moi bien, lui dis-je. Je peux t'aider. J'ai un ami qui connaît ton père, lui aussi. Il peut te conduire en sécurité, quelque part où personne ne te reprochera d'être Déviant.

Il vient près de tomber dans le vide.

Je me penche vers lui.

— Ne crains rien. Je suis Déviante, moi aussi.

— Que fais-tu?

— J'aide des Déviants à se réfugier dans un lieu où les Confs ne risquent pas de les trouver.

Il se lèche les doigts, et j'ai un mouvement de dégoût à la pensée de la quantité de crasse qui les recouvrait quand il a commencé à manger.

— Non. Que fais-tu?

Pendant un moment, je crains qu'il m'interroge sur mon travail, puis je me rends compte qu'il me pose la même question qu'Adele. Il veut que je lui parle de ma Déviance.

— Lorsque je suis effrayée ou très en colère et que je ressens de fortes émotions, je peux m'attaquer aux autres avec mes yeux.

Il se penche à son tour.

— Montre-moi.

Je secoue la tête.

— C'est trop dangereux.

— Tu mens. Tu n'es pas Déviante.

— Je ne peux pas déclencher ma Déviance juste comme ça.

J'y suis arrivée, mais je ne peux pas risquer de lui infliger de graves blessures.

— Menteuse.

— Il est tard, Tobin. J'ai une autre amie qui se cache, en ce moment. Je veux vous mettre en sécurité, tous les deux. Sauf que je n'ai pas toute la journée.

Je constate que mon ton trahit l'impatience. Oui, je suis impatiente. Je veux rentrer à la caserne avant l'extinction des feux et éviter d'être portée disparue. Puis, une fois Stacy endormie, je projette de ressortir en douce pour assister à la réunion des rebelles.

— Je n'irai nulle part avec toi, lance-t-il, tant que tu ne m'auras pas prouvé que tu dis la vérité.

La frustration bouillonne en moi et menace de se changer en colère.

— Bon, c'est toi qui l'auras voulu.

Je me concentre, tandis que mon don s'éveille et que des étincelles jaillissent derrière mes yeux. Songeant aux poumons du garçon, je serre.

L'inquiétude gagne son regard. La frayeur.

Je tourne la tête et baisse mes paupières.

— Qu'est-ce que tu m'as fait ?

En ouvrant les yeux, je vois ceux de Tobin exorbités. Il tremble.

Je lui prends le bras.

— Ça va ? Je t'avais prévenu : ma Déviance est dangereuse.

— Ça va, dit-il en se détachant du toit. Où va-t-on ?

— Tu as confiance en moi ?

Il hoche la tête.

— Alors en route.

— C'est l'immeuble de la Direction.

Tobin s'écarte de moi, prêt à détaler.

— Tu as promis de me faire confiance, tu t'en souviens ? Tu seras en sécurité, ici.

Je n'en suis pas absolument certaine, en réalité, mais je n'ai pas encore trouvé de meilleur plan.

Sur le toit, j'entraîne Tobin jusqu'à la grosse boîte en métal où j'ai laissé Jayma, et nous nous glissons derrière le panneau déformé qui lui tient lieu de porte. Je suis raisonnablement sûre que cette boîte en métal abritait un système de chauffage ou de climatisation ALP. Sauf que les pièces et l'appareillage ont depuis longtemps été convertis à d'autres fins. Il est d'ailleurs étonnant que la coquille subsiste. Sur le toit de tout autre immeuble, cette structure métallique aurait été démantelée ou serait habitée.

Assise dans un coin, Jayma regarde devant elle et ne semble pas remarquer notre arrivée. Mauvais signe.

— Jayma, je te présente Tobin.

Je m'accroupis et j'agite la main devant ses yeux. Elle se tourne enfin vers moi.

— Tobin a envie d'un peu de compagnie, lui dis-je. Tu veux bien rester avec lui, le temps que je vous trouve un refuge ? J'ai vraiment besoin de ton aide.

Au mot « aide », elle hausse les épaules, d'un geste si léger que je me demande si j'ai bien perçu le mouvement.

Tobin tire les bras vers l'avant, et la bosse sur son dos ressort davantage. Je demeure curieuse de connaître la nature de sa Déviance, mais, maintenant que j'ai réussi à le conduire dans un lieu relativement sûr, j'ai peur de l'effaroucher en lui posant trop de questions.

— Jayma ?

On dirait qu'elle n'a pas bougé depuis que je l'ai laissée là, quelques heures plus tôt.

— Tu veux bien sortir avec moi, une minute ? Il faut qu'on parle.

Comme elle ne bronche pas, je l'attrape par la main et tire.

— Suis-moi.

Puis, penchée sur son oreille, j'ajoute :

— J'ai besoin que tu m'aides. Je ne pourrai pas m'occuper de ce garçon sans toi.

Elle se laisse entraîner et vacille légèrement, ce qui confirme qu'elle est restée assise dans la même position pendant un long moment. Nous nous faufilons à côté du panneau déformé et, après quelques pas sur le toit, elle peut marcher toute seule. Elle parcourt les environs, à la recherche de signes de danger. Son attitude est encourageante.

— Comment vas-tu ? lui demandé-je.

— C'est qui, ce gamin ? riposte-t-elle. Qu'est-ce qui se passe, Glory ? Pourquoi es-tu crottée ?

— Tobin a besoin d'aide. Dès que je le pourrai, je vous ferai conduire en lieu sûr, tous les deux.

— Comme sur le toit de l'immeuble de la Direction ?

Sa voix est froide et dégoulinante de sarcasme. Je tends la main vers elle.

— Non. Dans un endroit où il n'y a ni Conf, ni Direction, ni Déchiqueteur. Un endroit vraiment sécuritaire.

Elle croise ses bras frêles sur sa poitrine.

— Il n'existe pas de lieu comme celui que tu décris.

— Mais oui. J'y suis allée moi-même. Tu vas adorer.

— Si c'est si génial, là-bas, qu'est-ce que tu fabriques ici?

Son scepticisme vaut tout de même mieux que l'ambivalence.

— J'y suis allée, mais j'ai dû revenir au Havre pour aider d'autres personnes à se mettre en sécurité.

Elle écarquille les yeux et recule d'un pas.

— Tu n'as pas l'intention de nous conduire là où ton kidnappeur t'a détenue, au moins?

Mon cœur se serre. Je referme l'espace entre nous et lui prends les mains.

— Je vais te confier un secret, Jayma, et tu dois me promettre de ne le répéter à personne. Jamais.

Elle hoche la tête.

— Et promets-moi de m'écouter jusqu'au bout et de garder l'esprit ouvert, quoi qu'il advienne.

Elle hausse les épaules.

Mon rythme cardiaque s'accélère, et j'inspire profondément.

— Ce type s'appelle Burn et il nous a emmenés à l'Extérieur, Drake et moi, jusqu'à un endroit beau et sécuritaire.

Je poursuis, malgré son front plissé.

— Je n'ai pas été enlevée. Je suis partie de mon plein gré. Et Burn ne m'a pas kidnappée. Il a sauvé Drake.

— Drake est vivant ?

Un sourire éclaire son visage, puis s'éclipse aussitôt. Elle retire ses mains d'entre les miennes.

— Non, c'est faux. Tu mens. Pourquoi racontes-tu des histoires pareilles ? Comment est-ce possible ? Il n'y a pas de vie à l'Extérieur.

— Si, je t'assure. Et Burn va t'emmener là-bas. Il peut te sauver.

— Me sauver ? Pourquoi aurais-je besoin d'être sauvée ?

Sa voix s'estompe, comme si la réponse lui était venue pendant qu'elle posait la question.

— On te soupçonne de sabotage, dis-je en lui reprenant la main. Si on ne te liquide pas, on t'amènera à l'hôpital pour soigner ta dépression.

Elle recule d'un pas.

— Mais tu as dit que l'hôpital était un endroit sûr !

— Ouais, eh bien…

Là, elle m'a eue. Lui expliquer mes doutes à propos de Mme Kalin aurait pour effet de compliquer inutilement la situation, et je n'ai pas le temps.

— Scout est mort, hein ?

Elle retire violemment sa main, puis elle se jette par terre et se roule en boule.

— Tu as menti.

— Non.

Je m'accroupis près d'elle et lui caresse le dos.

— J'ai vu Scout avant-hier. Cal l'a vu, lui aussi. Scout se portait bien. Il était encore inconscient, mais on essayait de le guérir.

Il vaut mieux que Jayma ne sache rien de mes doutes à ce sujet. Du moins dans l'immédiat.

— Burn va aider Scout à sortir du Havre. Vous partirez ensemble.

Elle lève la tête.

— C'est vrai?

— C'est vrai, dis-je en la relevant. Vous serez heureux à l'Extérieur. Crois-moi.

Elle secoue la tête et, tremblante, s'écarte de moi.

Mettant mes mains sur ses épaules et luttant pour maîtriser mes émotions, je la regarde dans les yeux.

— Il faut que tu me croies. L'Extérieur est habitable, même pour les Normaux. Je suis allée dans un lieu où il y a de l'air pur, et la lumière du vrai soleil, et un lac rempli d'eau. Une quantité d'eau que tu ne peux pas imaginer. Des aliments frais, aussi. Tout a si bon goût! Et les gens sont heureux. C'est là que vit Drake et…

Je m'interromps avant de mentionner mon père. Déjà, je demande à Jayma d'absorber trop d'informations d'un coup.

— Comment peut-on respirer à l'Extérieur sans être noyé par la poussière?

Déjà, dans sa voix, l'émerveillement transparaît sous le scepticisme.

— Là où nous vivons, il n'y a presque pas de poussière. En cas de tempête, les gens portent des masques.

Les informations jaillissent de moi. Je me sens plus légère, plus libre, presque étourdie. Je veux tout raconter à Jayma, lui confier tous mes secrets.

— Et les Déchiqueteurs ? demande-t-elle.

— Ils sont peu nombreux là-bas, à cause du manque de poussière. Mais des gardiens sont en poste, juste au cas.

— Et les Déviants ? On n'accepte pas les Déviants là-bas, n'est-ce pas ?

Mes poumons se vident, mon vertige s'évanouit.

— Nous vivons tous ensemble, en harmonie.

À elle de décider ce que j'entends par là. Je lui en ai déjà sans doute trop dit. Je ne peux pas lui révéler que je suis Déviante. Ce serait prématuré.

— Nous devrions retourner auprès de Tobin. Il a vraiment besoin de ton aide. Il est tout seul et il a peur.

— O. K. Je vais m'occuper de lui.

Je la serre dans mes bras.

— Je savais que je pouvais compter sur toi.

Nous nous dirigeons vers l'abri de fortune. Un signal d'alarme retentit.

Jayma sursaute, et je l'entraîne dans l'ombre. Mon cœur bat la chamade. Nous restons cachées, mais je comprends bientôt que l'alarme ne nous concerne pas. Si c'était nous qui l'avions déclenchée, les Confs auraient déjà pris le toit d'assaut.

— Viens.

Je l'entraîne et l'aide à entrer la première dans la boîte.

Jayma pousse un hurlement.

CHAPITRE
VINGT-HUIT

Je me précipite à sa suite et me mets en position de combat, prête à affronter la menace qui pèse contre Jayma et Tobin.

Du doigt, Jayma montre l'autre bout de l'abri, la bouche toujours ouverte sur un cri désormais muet. Dans la lueur de la torche, son visage est si pâle que ses taches de son ressemblent à des plaques noires. Je ne me souviens pas de l'avoir vue si effrayée. Tobin s'est tassé au fond, recroquevillé dans un coin.

— Qu'est-ce qu'il y a?

Les poings serrés, les jambes fléchies, je reste prête à me battre.

— Déviant, répond Jayma d'une voix aiguë et tendue. T-Tobin… n'est pas Normal.

— Oh.

Je m'avance vers elle, mon corps soudain plus décontracté.

— Ne crains rien. Il est inoffensif.

Me tournant vers Tobin, je l'invite à sortir de l'ombre.

— C'est vrai que tu es inoffensif, non?

J'aurais préféré que la Déviance de Tobin demeure secrète, mais, de toute évidence, c'est raté.

En tremblant, Tobin s'avance d'un pas. La torche révèle son visage, puis son torse nu. Rien qui sorte de l'ordinaire. Puis il se rapproche encore un peu, et je tressaille. Des ailes. Des ailes argentées sur le haut de son dos. Je m'approche, et elles battent, créent un courant d'air dans l'abri.

J'ai peine à respirer.

— Sont-elles fonctionnelles ?

— Sont-elles fonctionnelles ? répète Jayma en se portant à ma hauteur. C'est ça, ta question ? Ce garçon est un Déviant qui, à force de tromperies, t'a convaincue de l'aider, et c'est tout ce que tu trouves à lui demander ?

Tobin tend la main vers son t-shirt.

— Tu te sens mieux, torse nu ? Alors laisse tomber, lui dis-je. Je parie que ton t-shirt entrave tes ailes quand elles poussent. C'est l'alarme qui t'a surpris ?

Il hoche la tête en serrant le vêtement contre sa poitrine.

Jayma me saisit par le bras, ses doigts s'enfonçant dans ma chair.

— Il est Déviant, souffle-t-elle d'une voix dure, comme si je ne comprenais pas.

Je me tourne vers elle, la prends par les épaules et respire à fond pour apaiser mes émotions avant de la regarder dans les yeux. Nous y sommes. C'est le moment de vérité. Celui que j'ai appelé de tous mes vœux et redouté en même temps. Mais si je ne m'ouvre pas à elle maintenant, elle ne croira jamais rien de ce que je lui raconte.

Elle n'aura pas confiance en moi. Elle ne laissera pas Burn la sauver.

— Je savais que Tobin était Déviant, Jayma, lui dis-je en avalant ma salive.

— Et tu l'as amené ici ? Pourquoi ne l'as-tu pas livré ? Que se passe-t-il ? Sa voix tremble, ses yeux sont remplis de confusion.

— Nous sommes amies, n'est-ce pas, Jayma ?

— Pour la vie.

Son front se plisse.

— Amies pour la vie, quoi qu'il advienne, n'est-ce pas ?

Je frissonne intérieurement, mais elle fait signe que oui.

— Tobin est Déviant, dis-je en inspirant à fond, et moi aussi.

Elle s'éloigne de moi.

— Non, c'est faux.

Elle tend les bras vers moi d'un air suppliant. Quand je veux serrer ses mains, elle les range derrière son dos.

Ma gorge se ferme presque.

— Je suis Déviante. Drake est Déviant. C'est pour cette raison que j'ai dû le cacher. Le faire sortir du Havre.

Les mots jaillissent en un flot rapide, comme pour suivre le rythme de mon cœur affolé.

— Non, réplique-t-elle en secouant énergiquement la tête. Les Confs sont venus chercher Drake parce qu'il était un Parasite.

— Ça aussi. Tu sais, Jayma, Drake peut marcher, désormais. Ses jambes ont guéri peu à peu, à l'Extérieur.

— Comment ? C'est impossible.

Jayma recule, et son dos heurte le mur. Les vibrations sont assourdies par l'alarme qui sonne toujours.

— Jayma, dis-je en m'approchant avec un grand sourire. Je ne comprends pas vraiment ce qui s'est passé. Tout ce que je sais, c'est ce que j'ai vu. Drake peut marcher.

Lui dire que la poussière a des propriétés curatives, mais qu'elle peut aussi créer une dépendance, ne ferait qu'ajouter à sa confusion. Mieux vaut attendre.

— Pourquoi dis-tu que tu es Déviante ? demande-t-elle, les joues parsemées de taches rouges. Pour qu'il se sente mieux ?

Elle désigne Tobin, dont les ailes sont repliées. Il est assis par terre, tête baissée.

— Je *suis* Déviante, Jayma, répété-je d'une voix qui se brise. Je regrette de ne t'avoir rien dit, de n'avoir rien pu te dire.

— Depuis quand es-tu au courant ?

Son nez se retrousse légèrement, son expression trahit un soupçon de dégoût.

— Qu'est-ce que tu as d'*anormal* ?

La question me fait l'effet d'une gifle. Au lieu de la laisser me désarçonner, je l'encaisse et j'inspire profondément. Au moins, Jayma a recouvré un peu de sa vitalité.

— J'ai pris conscience de ma Déviance environ neuf semaines après mon quatorzième anniversaire.

J'ai alors, pour la toute première fois, tué un rat avec mes yeux. Inutile de mentionner que ma Déviance s'est manifestée quand j'avais treize ans, sans que je m'en rende compte et sans que je m'en souvienne. Dans le cas contraire, je devrais expliquer ce qui est arrivé à ma mère.

Mieux vaut réserver cette confession pour le moment où nous serons tous en sécurité.

— Et Jayma, ajouté-je, je n'ai rien d'*anormal*.

Comment l'expliquer? Cette affirmation va à l'encontre de ce qu'on lui enseigne depuis qu'elle est toute petite.

— Tu sais que je n'ai pas mon égale pour tuer des rats?

Elle hoche la tête.

— C'est ça, ma Déviance.

— Ta Déviance tue des rats? Comment?

— Je n'en suis pas certaine. Je capte leur regard et…

Les siens s'écarquillent.

— C'est pour cette raison que tu détestes établir le contact visuel! Tu tues aussi des gens!

Sa voix vacille.

Je tente de la regarder dans les yeux, mais elle s'y refuse. Je souffre intérieurement.

— Je ne te ferais pas de mal, Jayma. Jamais au grand jamais. Je ne me sers plus de ma Déviance. Même pas sur des rats. J'apprends à la maîtriser.

— Les Déviants n'auront de cesse que le jour où ils auront assujetti le Havre.

Sa voix s'estompe, et je la vois réfléchir, vois les engrenages qui tournent en tous sens dans son esprit.

Ces choses, je les vois, mais pas au sens propre. Sans intervention de ma Déviance. Quand on connaît une personne depuis aussi longtemps que je connais Jayma, qu'on a partagé avec elle ses secrets, ses espoirs et ses craintes, on n'a pas besoin de pouvoirs surnaturels pour lire dans ses pensées.

— Je suis au courant de ce qu'on nous inculque, dis-je d'une voix posée. On nous répète que les Déviants sont dangereux, qu'ils sont des monstres. Maléfiques.

Je secoue la tête.

— C'est faux. Je ne suis pas maléfique. Mon frère n'est pas maléfique. Tu trouves que Tobin a l'air maléfique, toi ?

Je marque une pause.

— Je suis celle que tu connais depuis toujours.

Elle se décide enfin à croiser mon regard.

— Tu ne m'as jamais rien dit, fait-elle d'une voix tremblante. Pourquoi ?

Mes oreilles se bouchent.

— Excuse-moi. Je n'étais pas certaine que tu comprendrais. Je ne pouvais pas exposer Drake à des risques encore plus grands que…

— Je comprends.

Ses lèvres tressaillent.

— Je suis blessée, mais je comprends.

Elle me regarde bien en face, les yeux grands ouverts.

— Cal est au courant ?

Je secoue la tête. La culpabilité me comprime la poitrine.

— Je veux me confier à lui, mais je n'y arrive pas. Il ne sait même pas que j'ai été à l'Extérieur.

— Oh, Glory.

Elle s'avance et me touche l'avant-bras. Je la serre contre moi, heureuse que ma meilleure amie ne me haïsse pas.

— Attends, dit Tobin, maintenant tout près. C'est là que ton ami va me conduire?

Sa voix est chevrotante.

— À l'Extérieur? Où je mourrai, sauf si je me transforme en Déchiqueteur?

Jayma se précipite vers lui.

— Ne crains rien. Tu seras en sécurité. Il y a de l'air frais, et un lac, et… et…

Elle a du mal à se rappeler tout ce que je lui ai confié.

L'alarme se tait enfin.

— Il faut que j'y aille. Est-ce que vous…

— Ça ira, dit Jayma. Ne t'inquiète pas pour nous.

Reconnaissante, je sors de la boîte et m'adosse à la paroi en métal.

Jayma sait que je suis Déviante. Le soulagement est si total que je me sens presque immatérielle, aérienne.

Il y a tellement longtemps que j'ai peur. Peut-être aurais-je dû lui avouer la vérité bien avant. Elle est ma meilleure amie; j'aurais dû avoir confiance en elle, savoir qu'elle comprendrait et accepterait ma différence.

Le moment est venu de tout dire à Cal.

À cette idée, je sens l'angoisse s'insinuer de nouveau en moi. Que Jayma m'accepte – du moins dans l'immédiat – ne signifie pas nécessairement que Cal réagira de la même façon. Il est si respectueux des règles. Mais Burn a raison. Je dois apprendre à me fier aux autres. Pour décider en qui avoir confiance, je dois exercer mon jugement.

Jayma et Tobin ont confiance en moi.

Puis l'inquiétude attise mon malaise. Et si je me révèle incapable de tenir mes promesses? Et si Burn ne peut pas ou ne veut pas les sauver? Et si je ne le revois jamais?

Je songe à partir de nouveau à la recherche de Burn, mais on vient d'allumer la lune, et je dois rentrer à la caserne pour le couvre-feu. Mon absence sera alors remarquée, à supposer qu'elle ne l'ait pas encore été. J'ai besoin de temps pour déterminer si je dois ou non parler à Burn de la réunion des rebelles.

Sa mission consiste à les trouver. Quant à moi, je ne suis pas certaine de vouloir qu'il y réussisse.

Quand Stacy s'endormira, je devrai avoir pris ma décision.

CHAPITRE
VINGT - NEUF

Je réussis à rentrer à la caserne sans qu'on me remarque, exploit qui ravive ma confiance. Maintenant que j'ai trouvé Tobin et avoué ma Déviance à Jayma, je me crois capable d'accomplir l'impossible, y compris les secourir, empêcher les rebelles de dynamiter le Centre et sauver tout le monde.

Si j'avais révélé ma Déviance à Jayma des années plus tôt, j'aurais eu quelqu'un à qui parler, à part mon petit frère. Depuis une semaine, jamais je ne me suis sentie plus légère ; depuis que j'ai appris la mort de Clay et d'Arabella, jamais je ne me suis sentie plus forte.

Après ma douche, je songe à m'octroyer quelques heures de sommeil, mais, si je m'endors, je risque de ne pas me réveiller, et je ne peux absolument pas rater la réunion des rebelles.

Je me dirige plutôt vers la salle de loisirs, où Cal vient s'asseoir à côté de moi. Il me prend la main et m'embrasse sur la joue sans me demander où j'étais passée. À part lui, personne ne remarque rien. Je suis née pour l'espionnage.

Bientôt, les lumières clignotent et, en grognant, mes camarades de classe posent leurs jeux et quittent la pièce. Quand je me lève pour les suivre, Cal me retient dans la salle de loisirs sombre et déserte.

— Nous devons regagner nos chambres avant l'extinction des feux, lui dis-je en lui serrant le biceps. On risque de nous surprendre en flagrant délit.

Plus tôt je me mettrai au lit, plus tôt Stacy s'endormira, et plus tôt je pourrai sortir en douce. Je veux dire la vérité à Cal, mais je n'ai pas le temps. Pas maintenant.

Cal penche sa tête sur la mienne et éveille de délicieuses sensations qui stimulent davantage ma confiance et aiguisent mon esprit.

Je sais qui je suis, je sais ce que je suis et je sais distinguer le bien du mal. Je dois mettre Cal au courant, mais pas ce soir.

— Reste avec moi un moment, dit-il d'une voix basse et profonde. Je t'ai à peine vue, aujourd'hui.

Je hoche la tête, et il m'embrasse : je me sens plus forte, prête à défier le monde entier. Lorsque nos lèvres se séparent, je pose la main sur son cou pour l'obliger à se pencher de nouveau. Pour affronter la nuit qui s'annonce, j'ai besoin d'un supplément de force.

Il résiste.

— Il faut qu'on parle.

— Maintenant ? demandé-je en lui caressant la nuque. Depuis des mois, tu insistes pour que je t'embrasse. Et là, tu veux qu'on parle ?

Il rapproche ses lèvres de mon oreille.

— Quels sont tes projets ?

Je me crispe en essayant de me rappeler ce que j'ai confié à Cal et ce que je lui ai tu.

— Mes projets ?

— M. Belando va te donner un coup de main ?

— M. Belando ?

Tout à coup, j'ai la bouche sèche.

— Tu as disparu, aujourd'hui. Je sais que tu es en mission d'infiltration. As-tu identifié la taupe ? Les Confs ont-ils étouffé la menace terroriste ?

— Je… Je ne peux pas en parler.

Les yeux de Cal traduisent l'inquiétude, mais aussi la confiance. L'inquiétude est justifiée, mais, pour un peu, sa confiance me tuerait. C'est le moment. Je dois tout lui raconter. À bien des égards, j'ai traité Cal avec désinvolture, et il est temps que je répare mes torts, coûte que coûte. Avant de libérer Scout de l'hôpital, je devrai d'ailleurs parler à Cal. Je devrai lui offrir la possibilité de quitter le Havre avec son frère. Si quelqu'un avait emmené Drake sans me prévenir, je ne le lui aurais jamais pardonné.

Jayma a accepté la vérité. Cal en sera capable, lui aussi.

— D'accord, dis-je, le cœur bondissant. Je vais te raconter.

Il pose sa main sur ma joue et m'embrasse sur le front.

— Asseyons-nous.

Il se dirige vers les chaises.

— Cal, commencé-je, la bouche sèche.

Je me mords l'intérieur des joues.

Il se retourne, et j'aperçois son visage confiant. J'essaie pour ma part, sans grand succès, d'adopter une expression neutre.

— Tu peux tout me dire, lance-t-il. Aie confiance en moi. Je ne te trahirai jamais.

— Je suis Déviante.

Ma voix est rauque, et mon cœur affolé bat à un rythme saccadé.

Cal garde le silence pendant une heure, me semble-t-il, et j'observe son profil éclairé par la douce lumière du couloir. Son expression va de la stupéfaction à la colère en passant par l'amusement.

— Ce n'est pas drôle, dit-il enfin.

— Non, tu as raison, concédé-je en gonflant mes poumons. Mais c'est la vérité. Je suis Déviante.

— Tu mens. Je sais que tu mens, réplique-t-il en me saisissant la main. Pourquoi dis-tu ça? Si tu étais Déviante, je le saurais.

J'entremêle mes doigts aux siens et les serre fort.

— Je le sais depuis que j'ai quatorze ans. Mon frère est Déviant, lui aussi, sauf que sa Déviance est plus difficile à dissimuler: quand il a peur, son dos et sa poitrine se recouvrent d'une armure. C'est pour ça que je le cachais.

— Tu cachais Drake parce qu'il était blessé, dit Cal.

Sa voix est dure, sa mâchoire crispée.

— Et ton frère est mort. Pourquoi parles-tu de lui comme s'il était encore vivant?

Mon estomac se noue.

— Drake n'est pas mort.

Cal dégage ses doigts et traverse la pièce à grandes enjambées. Il se tient debout près de la porte, ses épaules montant et descendant tour à tour; pendant un moment, je crains qu'il aille prévenir quelqu'un. Mais c'est de Cal qu'il s'agit. Il réfléchit. Il est déchiré. Je viens de réduire en lambeaux son sens de la loyauté.

Pendant que j'attends sa réaction, mes muscles se raidissent et tressautent. Je veux courir vers lui, lui expliquer, l'envelopper dans mes bras pour l'aider à comprendre, mais je le connais, ce garçon. Il a besoin de temps pour absorber ces faits nouveaux.

Il se retourne brusquement et fonce vers moi.

Je halète. Il est si en colère. Si blessé.

— Qu'est-ce que tu as d'*anormal*? demande-t-il.

Je tends la main vers lui, effrayée d'établir le contact visuel.

— J'aurais dû t'en parler plus tôt, avoir confiance en toi. Je n'aurais pas dû te mentir.

Il plisse le front et les yeux.

— Tu es une menteuse, d'accord, mais ce n'est pas ce que je veux savoir. Qu'est-ce que tu as d'*anormal*?

Ma tête a un mouvement de recul.

— Je n'ai rien d'*anormal*.

— Mais tu viens de…

— Je peux faire du mal aux autres, dis-je, parfaitement consciente de ce qu'il veut savoir.

— Ça, je l'avais compris, réplique-t-il d'une voix glaciale. Tu es Déviante.

Je tends la main vers lui. Il s'esquive.

— Les Déviants ne font pas tous du mal aux autres, Cal. La plupart d'entre eux en sont incapables. Nous ne sommes pas les méchants que la Direction voit en nous. Je te le jure.

Sa mâchoire tremble.

— Mais tu…, commence-t-il en secouant la tête, tu avoues avoir la capacité de faire du mal aux autres.

— Oui.

— Comment?

— Avec mes yeux, dis-je en baissant la tête. Je ne sais pas comment, mais, quand je suis fâchée ou vraiment effrayée, quand j'éprouve de fortes émotions négatives, je sens un changement derrière mes yeux. Et quand je fixe une autre personne, c'est comme si je voyais en elle. Je vois son sang couler. Je vois ses organes internes et je comprends leur fonctionnement. Dans ces cas-là, je n'ai qu'à m'accrocher et…

Rien de tout cela n'a de sens pour moi. Comment Cal pourrait-il s'y retrouver, lui?

— C'est pour cette raison que tu refuses de me regarder?

J'acquiesce d'un geste de la tête.

— Qui as-tu blessé?

Sa voix, bien que plus basse, demeure dure.

— Des rats, dis-je. Sur les toits des Mans. Pourquoi penses-tu que j'en attrapais tellement?

Il comprend, et son visage s'illumine.

— J'ai toujours su que tu ne te servais pas d'un filet. Personne n'est assez rapide. Même pas toi.

L'admiration se lit sur son visage, et je m'avance vers lui.

Au même titre que Jayma, il comprend. J'aurais dû accorder plus de crédit à mes amis, en particulier au garçon que j'aime depuis toujours. J'ai perdu beaucoup d'énergie à préserver des secrets et je suis soulagée de constater que Jayma et lui, mes amis les plus proches, ceux que j'aime, m'acceptent telle que je suis.

— Je suis tellement heureuse que tu comprennes, dis-je en souriant. Écoute, je cache Jayma, en ce moment. Elle est en difficulté. Tu veux venir la voir avec moi? Elle est sur le toit de l'immeuble de la Direction. C'est facile d'y aller. Je monte sur le toit à partir de la bouche d'aération du couloir et…

Il fronce les sourcils et recule d'un pas.

J'ai le sentiment d'avoir encaissé un coup de poing. Une boule se forme dans ma gorge.

— Pourquoi un terroriste déviant t'a-t-il enlevée? demande-t-il, la voix glaciale. Les terroristes convertissent-ils tous les Déviants à leur cause?

Il secoue la tête.

— Je n'y comprends rien.

J'avale douloureusement.

— Je n'ai pas été enlevée. Celui qu'on prend pour un kidnappeur s'appelle Burn. Il a sauvé Drake. Il a dû le faire sortir du Havre avant qu'on le liquide ou qu'on l'expédie à l'hôpital.

— Tu es partie avec ce monstre de ton plein gré?

Dans la voix de Cal, je décèle la stupeur et la souffrance. Il recule d'un pas et croise les bras sur sa poitrine.

— Et tu connais son nom?

— Burn n'est pas un monstre, dis-je, les joues brûlantes. C'est un garçon de mon âge, brave et fort. Il nous a sauvés, Drake et moi. Il a traversé des épreuves que nous ne pouvons même pas imaginer, toi et moi. Ne le traite pas de monstre.

Les bras de Cal tombent le long de son corps, comme s'il venait de perdre la maîtrise de ses muscles.

— C'est à cause de lui que tu te montres si distante depuis ton retour ! s'écrie-t-il en secouant la tête. Et moi qui te croyais traumatisée... Je n'y étais pas du tout, hein ? La distance... Ton refus de me laisser te toucher... C'était à cause de lui !

Je suis bouche bée. Mes mots et mon ton en ont révélé beaucoup plus que je l'avais escompté. Et Cal a réalisé des choses que, avant cet instant, je n'étais pas certaine de comprendre moi-même ! Je suis incapable de parler. Je ne sais pas comment répondre.

— Que s'est-il passé pendant ton absence ? demande Cal en relevant le menton. Tu l'aimes ?

Je m'élance et pose ma main sur le bras de Cal. Il se dégage aussitôt.

— Quand j'ai fait la connaissance de Burn, Cal, j'étais persuadée que tu m'avais trahie. Tu venais d'entrer au CJÉ. J'avais peur que tu livres Drake aux Confs. J'ai cru que les Confs étaient venus à cause de toi, cette nuit-là. Je nageais en pleine confusion.

Une expression blessée traverse son visage. Il ferme les paupières. Pendant que j'attends qu'il dise quelque chose, qu'il réagisse, je n'entends que les battements de mon cœur. J'ai la sensation que des heures s'écoulent.

Ses yeux se rouvrent, et il semble étrangement absent.

— C'est lui que tu veux, dit-il en faisant tourner le bracelet de fréquentation sur son poignet, comme s'il lui causait une douleur physique. Je l'ai compris à ta façon de parler de lui. J'aurais dû m'en douter. Depuis ton retour, c'est à peine si tu m'as laissé te toucher. Tu aurais pu dire quelque chose, quand même.

— Non.

J'avance ma main, puis je la retire juste avant de le toucher.

— Excuse-moi. J'étais déboussolée… et je le suis peut-être encore. Mais je serais perdue sans toi, Cal.

J'ai la nausée.

— Il faut que tu me croies. Je ne voulais pas te blesser. Et je ne veux toujours pas.

— Mais tu es *déboussolée*, reprend-il d'une voix glaciale.

— Tu fais partie de moi, Cal. Sans toi, je ne saurais pas respirer, je ne saurais pas marcher ni parler. Je pensais que tu avais trahi Drake. Je pensais que tu m'avais trahie, moi. J'avais l'impression d'être morte. Depuis que je suis revenue, je dois garder tous ces secrets et je me sens éparpillée, comme si on m'avait découpée en petits morceaux. Je ne reconnaissais même plus certains éléments de ma personnalité. C'est pour cette raison que je me montrais distante.

— Mais tu gardes des secrets depuis toujours, répond-il d'un ton cassant. Tu es une championne du mensonge. Tu es différente selon tes interlocuteurs.

Il me dévisage.

— Qu'est-ce qui me dit que tu ne te paies pas ma tête en ce moment?

Mon monde s'écroule. Ma poitrine va imploser.

— Non, Cal. S'il te plaît. Ce soir, j'ai dit la vérité, et ce qu'il y a entre nous depuis mon retour est réel. Vrai. Les sentiments que j'éprouve pour toi sont réels.

Ces paroles, je les prononce avec sincérité.

— Et lui? demande-t-il avec un mouvement de recul. Le Déviant? Comment appelles-tu ce que tu éprouves pour lui? Ces sentiments-là sont réels, eux aussi?

— Je…

Je me suis promis de jouer franc-jeu avec Cal, dorénavant. De toute façon, je suis trop fatiguée pour agir autrement.

— Je pourrais nier que j'éprouve quelque chose pour Burn, mais je mentirais. Il me comprend comme tu en es incapable, toi.

Cal grimace de douleur.

J'en ai des haut-le-cœur.

— Il faut que tu comprennes, Cal. Burn m'a sauvé la vie. Il a sauvé la vie de Drake. Il nous a conduits auprès de notre père.

— Votre père?

Cal recule en titubant. Il s'assied, les mains sur la tête, se relève aussitôt.

— Ton père est mort. Il a été liquidé il y a plus de trois ans. Je l'ai vu de mes yeux.

Il passe la main dans ses cheveux.

— Ce n'était donc qu'un tissu de mensonges?

Mon cœur cogne violemment contre mes côtes.

— Non. Pas ce soir. Tout ce que j'ai dit était la vérité.

Je recule vers le canapé.

— Asseyons-nous, s'il te plaît. Laisse-moi t'expliquer.

Je prends place, il s'avance, mais il reste debout, les yeux baissés sur moi.

— Papa est vivant, lui dis-je. Il habite à l'Extérieur avec Drake.

— Impossible, riposte Cal d'une voix tranchante.

— Je t'assure que c'est la vérité. La Direction ment à propos des conditions de vie à l'Extérieur. Je sais de quoi je parle. J'y suis allée. Il y a plus de poussière autour du Havre qu'ailleurs. La Direction agit délibérément.

Il secoue la tête, le visage fermé. Je le sens lointain.

— Pense à ce que tu as observé à l'hôpital et même à ce que nous avons appris au PFAC… Les enseignements de la FG et les informations fournies aux employés subalternes, tu le sais, ne correspondent pas toujours à la vérité.

— Veux-tu dire que ton père est devenu Déchiqueteur? demande Cal d'une voix empreinte de dégoût.

— Non.

Je me mords la lèvre. Pourquoi refuse-t-il de comprendre?

— Quand mon père a été liquidé, Burn et quelques collaborateurs l'ont tiré des griffes des Déchiqueteurs.

— Encore Burn.

Les narines de Cal frémissent, et ses yeux se plissent.

— Même si c'était vrai, ton père a tué ta mère. Pour cela, il méritait de mourir.

J'appuie ma main contre mon front et la lâcheté m'empêche de passer à l'ultime aveu. Je le retiens encore. Cal a raison. La personne qui a tué ma mère devrait être traduite en justice, mais c'est moi – moi, moi, moi – qui ai commis ce crime. J'ai beau avoir amorcé cette conversation avec la ferme intention de tout lui dire, je n'y arrive pas. Pas maintenant. Pas ça. Si je lui fais un tel aveu, il ne voudra plus jamais m'adresser la parole.

Cal ne peut pas me dénoncer. Trop de vies sont en jeu. J'ai besoin de son silence, ne fût-ce que pour pouvoir sauver Jayma et Tobin. Et je dois aussi sortir Scout de l'hôpital. Je dois être certaine que les rebelles ne feront pas sauter le Centre. Ma belle assurance d'il y a une heure s'est envolée.

— Tu vas me livrer ? lui demandé-je d'une toute petite voix.

Cal écarte les jambes et me regarde avec mépris.

— Es-tu une terroriste ? Parce que si tu es responsable de la chute de cet échafaudage, dit-il en s'agenouillant près de moi, je ne vais pas me donner la peine de prévenir les autorités : je vais te tuer.

La férocité de son regard me transperce, et je dois me détourner avant de répondre.

— Je n'ai rien eu à voir avec tout ça. Je m'efforce d'*arrêter* les terroristes.

Et, béni soit le Havre, personne n'a montré à Cal les images de Zina sous les traits de Burn desserrant les boulons.

Luttant pour assimiler toutes ces informations, Cal appuie ses paumes sur ses tempes.

— Et M. Belando ? C'était un mensonge, ça aussi ?

Ses yeux se remplissent d'horreur et de haine.

— La taupe, c'est toi ?

— Bien sûr que non.

— Béni soit le Havre.

Son ton est sincère et non sarcastique. Il fait les cent pas dans la pièce, et je presse mes mains contre ma poitrine dans l'espoir d'y retenir mon cœur.

Cal se laisse tomber sur le canapé à côté de moi. Nous sommes à bonne distance l'un de l'autre, mais c'est déjà un progrès.

Je suis dans de si beaux draps, en ce moment, qu'il est difficile de savoir où réside le plus grand danger. Je suis certaine qu'il ne vient pas de Cal. J'aurais dû lui avouer la vérité beaucoup plus tôt. Cal, avec son calme et son sang-froid, loyal à l'excès. Il ne se retournera jamais contre moi, même s'il n'arrive pas à m'accepter en tant que Déviante. Membre du CJÉ, il ne m'a pas dénoncée en découvrant que je cachais Drake.

Doucement, je pose ma main sur son épaule.

— À quoi penses-tu ? Tu as des questions ? Je vais te dire tout ce que tu veux savoir.

Il se cale dans le canapé et se tourne vers moi.

— Que veux-tu que je pense ? Je croyais t'aimer. Et là, tu viens de m'annoncer que tu es une de ces créatures qu'on m'apprend à détester et à craindre depuis que je suis tout petit. En plus, il est évident que tu en sais long sur les gens qui ont failli tuer mon frère. Tu possèdes des informations que tu caches aux Confs.

Sa tête heurte le mur en béton derrière nous.

— Doucement.

Il reste assis là et regarde devant lui en silence. Je sens l'angoisse tourbillonner en moi, ronger mon sang-froid. Il a besoin de temps pour réfléchir, digérer mes aveux. Sauf que je ne peux pas attendre. Si je ne pars pas maintenant, je n'aurai pas le temps de chercher Burn avant la réunion des rebelles.

Je lui agrippe le bras.

— Tu ne diras rien, hein ? Tu ne parleras de moi à personne ? Ni de Jayma ? J'ai besoin de temps pour la mettre en sécurité.

— En sécurité? répète-t-il en secouant la tête. Sur le toit de l'immeuble de la Direction? Comment est-ce possible?

Je l'observe avec un million de questions dans les yeux. Implorants.

Il bondit sur ses pieds.

— Cal, dis-je en me lançant à ses trousses. Ne fais rien avant de m'en avoir parlé. S'il te plaît. Promets-le-moi.

Il se retourne vivement.

— On peut dire que tu ne manques pas de culot, toi! Comment oses-tu exiger des promesses de ma part?

CHAPITRE TRENTE

L'angoisse me tient éveillée jusqu'à ce que Stacy s'endorme et se mette à ronfler. En me levant, je découvre un autre bout de papier. Prise de panique, je cours le risque d'allumer ma lanterne et je cache la lumière sous ma couverture pour lire le message.

«Buanderie compromise», proclame-t-il. Une autre adresse est mentionnée.

Mon estomac se serre. Je ne doutais pas un instant d'avoir été identifiée par la taupe, mais j'ai maintenant l'impression d'être épiée par un millier d'yeux, moi qui me berçais de l'illusion de pouvoir agir en secret.

La taupe est-elle au courant pour Jayma et Tobin? Je dois m'assurer qu'ils sont en sécurité, même si cela signifie que je n'aurai pas le temps de partir à la recherche de Burn avant la réunion.

Mes pieds touchent le sol à côté des couchettes superposées, et mes jambes hurlent de douleur. Dans son sommeil, Stacy grogne et se retourne sans se réveiller. Je sors en catimini de la chambre, puis, dans le couloir, je me glisse dans la bouche d'aération fermée par un grillage et je suis les conduits jusqu'au toit.

J'entends un bruit métallique, plus bas, et je me dis que mon compte est bon. Je me fige, mais le bruit a cessé. En position accroupie, je traverse vite le toit et gagne l'immeuble de la Direction en courant.

De l'autre côté du panneau tordu, je découvre Tobin assis par terre, ses ailes déployées. Jayma, derrière lui, promène ses mains sur ses frondes, semblables à des plumes. Elle a réussi, j'ignore comment, à le décrotter, et la peau de Tobin a une teinte plus foncée que je l'aurais cru, presque olivâtre. Il tient de Gage plus que de Theresa.

Jayma se tourne vers moi et sourit.

— Salut.

Je m'assieds à côté d'eux.

— On dirait que vous allez mieux, tous les deux.

— Les ailes de Tobin s'ankylosent quand il est tassé sur lui-même.

Tobin se tourne, et ses ailes se replient sur son dos. J'aimerais savoir si elles se rétractent entièrement, mais il me semble impoli de vérifier. De toutes les formes de Déviance que j'ai observées, la sienne est de loin la plus *cool*, et je me demande s'il peut voler comme l'oiseau que j'ai admiré au-dessus du lac, non loin de la Colonie. L'idée ne lui en est peut-être pas venue. Après tout, il n'a jamais vu d'oiseau.

— Quand ton ami va-t-il venir nous chercher? demande Tobin avec empressement.

— Sois patient.

Jayma lui touche le bras, et je souris intérieurement, heureuse que mon amie ait trouvé un projet. Quelqu'un à entourer de ses soins. À moi de tenir mes promesses, maintenant.

— Bientôt, dis-je. Je m'en vais le voir de ce pas. Demain, je vous exposerai notre plan.

— C'est comment, à l'Extérieur ? demande Tobin. Je vais vraiment pouvoir montrer mes ailes ?

— Ouais. Une fois dans la Colonie, en tout cas.

Je me rends compte que rien ne m'empêche d'utiliser ce mot. Ce n'est pas comme si, dans l'éventualité où l'impensable se produirait, il existait une carte géographique marquant son emplacement.

— Vous avez ce qu'il vous faut ? demandé-je à Jayma.

Elle hoche la tête.

— Les réserves d'eau des ouvriers chargés de l'entretien ne sont pas fermées à clé. Nous avons pu décrasser Tobin.

— Merci beaucoup.

Mon cœur déborde d'amour envers mon amie.

— C'est plutôt à moi de te remercier, dit-elle.

Je ne proteste pas. Le temps presse.

— Il faut que j'y aille. Je reviendrai le plus tôt possible.

Après avoir quitté Jayma et Tobin, je me glisse dans la trappe qui donne accès à l'entrepôt. J'espère y trouver Burn, et je suis terrorisée à l'idée qu'il n'y soit pas. Tobin et Jayma ont besoin de lui. Moi aussi.

Il a dit qu'il m'attendrait, qu'il ne quitterait pas le Havre sans moi. A-t-il changé d'avis ? Dans les ténèbres, je ne détecte aucun mouvement, aucun son, et j'attends, immobile, que mes yeux s'acclimatent à ce nouvel environnement.

Burn émerge de l'ombre.

— J'étais sûr que tu reviendrais, dit-il.

— Montre-moi l'anneau.

— C'est moi.

— Il faut que je m'en assure.

Il couvre en un instant la distance qui nous sépare et, m'attirant vers lui, me chuchote à l'oreille :

— Je ne devrais pas avoir besoin d'un anneau pour te convaincre.

Sa voix profonde se répercute en moi, et son souffle me réchauffe le cou.

Je sens mes jambes fléchir, tandis que ses lèvres s'attardent au-dessus de ma gorge, de ma joue et de mes cheveux, sans jamais me toucher, mais si proches qu'elles me brûlent. Blottie dans ses bras, je voudrais oublier la réalité. C'est impossible. Je me dégage.

— Montre-moi l'anneau.

Prenant ma tête entre ses mains, il se penche et, trouvant mes lèvres, les embrasse. Mes mains remontent sur sa poitrine, mais elles refusent de le repousser. Je ne suis pas certaine d'y tenir. Ma résolution s'étiole, au même titre que mon bon sens. Mes doigts glissent sur son torse, absorbent les battements de son cœur et sa chaleur.

Je coupe court au baiser.

— Non.

Il me libère, et je recule en vacillant.

Un souffle s'échappe de sa poitrine.

— J'ai cru que tu saurais que c'était moi.

Je ne doute plus. C'est bel et bien Burn.

— Montre-moi l'anneau.

La douleur se lit sur son visage.

Je baisse les yeux. Je ne veux pas le blesser, mais je suis avec Cal, à supposer qu'il accepte encore de me parler.

S'il croit que je n'éprouve plus rien pour lui, Burn acceptera plus facilement ma relation avec Cal.

En toute honnêteté, je me rends compte que je souhaite qu'il en soit ainsi parce que ce serait moins compliqué pour moi.

— Zina est revenue me voir, lui dis-je, question surtout de changer de sujet.

Il sort l'anneau et le brandit devant moi.

— Elle t'a fait du mal?

Au moment où il tend le bras vers moi, je m'esquive et, dans l'espace chargé de tension qui nous sépare, sa main se referme sur du vide.

— Elle m'a confié une mission en m'assurant que l'ordre venait directement de Rolph.

— Quelle mission?

— Elle veut que je tue un VP, dis-je.

Je baisse de nouveau les yeux, puis je les relève pour défier ma peur.

— En cas de refus, elle affirme qu'elle me tuera. Franchement, je commence à en avoir assez de ses menaces.

Il prend mes épaules entre ses mains énormes.

— Je ne la laisserai pas te faire du mal.

— Je peux me défendre toute seule. Si elle me menace encore, je vais saisir et comprimer son cœur glacé, à condition qu'elle en ait un, ajouté-je en souriant dans l'espoir d'alléger l'atmosphère.

Le regard de Burn est si fort, si intense que je suis impuissante à maîtriser mes émotions. Je délaisse ses yeux pour me concentrer sur sa bouche, mais ses lèvres me rappellent le baiser.

Des ondes de chaleur se répandent en moi, et ses mains, toujours sur mes épaules, créent une impression de confort et de sécurité. Je me demande toutefois si Burn lui-même réussirait à me protéger contre Zina. Elle peut apparaître à tout moment, emprunter tous les visages. Comment se prémunir contre un tel pouvoir?

— Tu crois que l'ordre de mission vient vraiment de Rolph?

Délaissant mes épaules, il glisse les doigts dans ses cheveux.

— Possible. La situation évolue rapidement.

— Qu'est-ce qui se passe?

— Beaucoup de choses.

— Bonnes ou mauvaises?

— Certaines sont bonnes, d'autres…

Il s'interrompt.

— Nous avons pris contact avec d'autres groupes de survivants établis à l'Extérieur.

Il fronce les sourcils.

— Rolph a conclu quelques alliances douteuses, mais les effectifs et la force de frappe de l'AL augmentent.

Je vois bien que ce n'est pas tout. Qu'il garde des informations pour lui.

— Quoi? demandé-je. Quelles nouvelles de ma famille?

— Ton père et Drake vont bien. Si je ne te révèle pas tout, c'est que, à cause des risques que tu cours à l'intérieur, moins tu en sauras, mieux ça vaudra.

— Tu n'as pas confiance en moi, dis-je en croisant les bras sur ma poitrine.

— Au contraire.

Il se rapproche, et la chaleur de son corps m'envahit.

— Je ne crois pas un mot de ce que raconte Zina.

Mes épaules se dressent d'un coup.

— Quoi?

— Elle a raconté à Rolph que tu fournis aux Confs des renseignements sur l'AL. Elle soutient que c'est à cause de toi que Clay a été tué.

Ses mots m'atteignent comme un coup de poing.

— Non. Je ne serais pas capable d'une chose pareille.

Il secoue la tête.

— Je te crois.

— Pourquoi raconte-t-elle ces mensonges? Pourquoi me déteste-t-elle autant? Elle me connaît à peine.

— Il ne s'agit pas de toi. Elle te hait à cause de ton père, de son frère et de moi. Et tu aurais dû prévenir quelqu'un à l'instant où tu t'es inscrite au Programme de formation des Confs. Cette nouvelle a miné ta crédibilité auprès de Rolph.

Je me sens coupable. J'ai supplié Clay de ne rien dire à Rolph quand il a lui-même su. Je cache tellement de choses à tellement de gens que, surtout depuis ma conversation avec Cal, j'ai le sentiment d'être la personne la moins digne de confiance de la planète.

— Et toi, tu as encore confiance en moi?

Il prend mes bras dans ses mains et m'attire vers lui.

— Comment peux-tu en douter?

Évitant les siens, mes yeux se posent sur sa poitrine, et la vue de son corps, de sa masse et de sa force embrouille mes pensées. Je ferme les paupières et tente d'ignorer la chaleur de ses doigts qui m'irradie, m'invite à m'avancer, à me blottir contre lui. Non, je ne peux pas. Je suis avec Cal, et d'ailleurs Burn est trop dangereux.

Burn semble avoir oublié que sa Déviance nous empêchera à jamais d'être ensemble. D'un autre côté, il m'a embrassée sans subir de transformation. Aurait-il appris à mieux maîtriser sa Déviance?

— Regarde-moi, ordonne-t-il en glissant un doigt sous mon menton pour m'obliger à lever les yeux. J'ai confiance en toi parce que je te connais. Je sais qui tu es vraiment.

— Qui suis-je?

Ma voix est faible. Il y a quelques heures, je croyais le savoir, mais, à présent, je n'en suis plus si sûre.

— Tu es Glory, répond-il. Tu es forte. Tu es bonne. Tu es loyale.

J'ai un mouvement de recul qui me détache de lui. *Forte?* Peut-être. *Bonne?* Là, j'ai des doutes. *Loyale?* Envers qui? Je ne me suis jamais sentie aussi divisée entre mes allégeances.

Devant mon silence, Burn plisse les yeux. Je le regarde donc de nouveau en face.

— Tu as raison. Je suis loyale envers mes amis, envers ma famille. Mais il y a une chose que je ne t'ai pas confiée. Que je n'ai pas confiée à Clay.

Il hoche la tête pour m'encourager à poursuivre.

— M. Belando croit que j'espionne pour son compte. Il m'a donné l'ordre de te retrouver, d'infiltrer l'AL et de lui fournir des renseignements.

Je regarde Burn dans les yeux et je secoue la tête.

— Je ne vous trahirai jamais, ni toi ni l'AL.

— Je sais.

Ses bras se soulèvent de quelques centimètres, comme s'il s'apprêtait à me toucher.

C'est trop. Comme je risque de céder, cette fois-ci, j'augmente la distance entre nous.

Mon dos heurte le mur.

— Quant à savoir si je suis bonne, je suis moins certaine. Je me demande si je connais encore le sens de ce mot. Surtout depuis que tu m'as dit que Rolph a approuvé le sabotage de l'échafaudage.

Il secoue la tête.

— Parfois, le bien passe par le mal.

— Ça n'excuse rien. Scout est toujours à l'hôpital.

Ses yeux expriment une sympathie muette.

— À cause de l'AL, Scout est à l'hôpital. Nous sommes donc responsables. Il faut que tu m'aides à le sortir de là.

— Impossible.

— J'ai le code d'accès de la porte de derrière.

Comme Burn ne répond pas, je continue.

— J'ai trouvé Tobin, le fils de Gage. Et il est Déviant. Tu dois l'emmener, lui aussi.

— Je ne *dois* rien faire du tout.

— Si, absolument, dis-je en m'avançant. Et Jayma. Tu dois la prendre avec toi.

— Quoi? Pourquoi? Elle n'est pas Déviante.

Il hausse les sourcils.

— N'est-ce pas?

Je secoue la tête.

— Depuis que Scout est à l'hôpital, elle est déprimée. Elle a causé un accident au travail. Si tu ne la tires pas d'ici, on va la liquider.

Burn ne discute pas. J'y vois un consentement tacite.

— Quand veux-tu que je te les emmène? demandé-je.

— Où sont-ils, en ce moment?

— Cachés. Dans une boîte en métal sur le toit de l'immeuble de la Direction.

Il fonce vers moi.

— Pourquoi là?

Je brandis une main entre nous.

— C'est la seule idée que j'ai eue. M. Belando a désactivé les caméras de surveillance du toit pour me permettre d'aller et venir à ma guise. Pour nos rendez-vous. Je n'ai pas trouvé mieux.

Il serre et desserre les poings.

— Non, c'est parfait. Pas de problème. Laisse-les là et je te ferai signe, au moment opportun. Dans l'immédiat, j'ai d'autres priorités. Je dois mener ma mission à bien.

— Les rebelles…

Mon estomac se soulève. Je ne peux pas retenir l'information que je possède. Surtout qu'il s'apprête à venir en aide à mes amis.

— Les rebelles planifient un attentat contre le Centre pour l'Anniversaire du Président.

— Les rebelles? lance-t-il en s'avançant. Un attentat contre le Centre? Que sais-tu? Comment les as-tu découverts?

Mon estomac se contracte.

— J'ai trouvé Adele Parry et c'est elle qui m'a conduite auprès d'eux.

— Pourquoi ne m'as-tu rien dit? demande-t-il en plissant le front. S'ils planifient une action, il faut que je prévienne Rolph. Tu dois me conduire auprès d'eux.

— Je ne *dois* rien faire du tout.

Ses mots à lui, que je lui ressers.

Il croise les bras sur sa poitrine et arque un sourcil.

— Ne crains rien, lui dis-je. Je t'emmène.

J'arrive à peine à imaginer ce qui pourrait pousser les rebelles à dynamiter le Centre. Peut-être Burn saura-t-il les convaincre de s'en abstenir. J'espère à tout le moins qu'ils différeront leur projet, le temps d'en discuter avec Rolph et le reste de l'AL.

CHAPITRE
TRENTE ET UN

Je guide Burn vers l'adresse indiquée sur le bout de papier, où je suis aussitôt agressée par la chaleur des feux.

— Quel est cet endroit ? demande-t-il.

— Une usine de recyclage, je crois.

Des piles de ferraille, triée par type de métal, jonchent le sol en béton. Au bout de la pièce, des ouvriers versent dans des moules le feu liquide d'une cuve.

Adele sort de l'ombre.

— Tu devais venir seule.

— Vous vouliez un contact avec l'Extérieur, dis-je en désignant Burn d'un geste.

— Ton kidnappeur, réplique-t-elle en secouant la tête d'un air incrédule. Je le reconnais.

— Je n'ai pas été enlevée, expliqué-je.

— L'intrigue se corse.

Elle croise les bras sur sa poitrine.

— Je représente l'Armée de libération, déclare Burn. Ma mission consiste à prendre contact avec votre groupe. Nous devons concerter nos efforts contre la Direction.

Elle hausse les sourcils et opine du bonnet.

— Dans ce cas, vous devez rencontrer Sahid. Suivez-moi.

Nous passons devant des feux féroces qui baignent l'espace dans une lueur jaune et, dans le coin éloigné, nous franchissons une porte qui s'ouvre sur des piles de rebuts métalliques entassés pêle-mêle, dont certains, à en juger par la rouille qui les recouvre, viennent de l'Extérieur. Burn ramasse un long éclat au bord tranchant.

— Ça ferait un bon couteau.

— Ne touche pas, ordonne une voix.

Nous nous tournons vers un homme à la peau brune, de l'âge de mon père environ. Par endroits, ses cheveux foncés sont parsemés de gris.

Burn laisse tomber l'objet et se redresse. Le fracas ébranle mes nerfs. Dans cette pièce où il n'y a pas de feux, il fait plus frais et la lumière est aveuglante.

— Sahid ? demande Burn. Je représente le commandant de l'Armée de libération.

L'homme hoche la tête.

— Tu viens vraiment de l'Extérieur ? La fille a dit avoir des contacts, mais certains d'entre nous mettent sa parole en doute.

Il se tourne vers Adele.

— De toute évidence, Adele s'est trompée, dis-je. Et maintenant que vous avez établi le contact avec l'Extérieur, plus rien ne vous oblige à poser des bombes dans le Havre. Inutile de risquer la vie d'autres employés innocents. Les attentats à l'explosif ne règlent rien. Il y a d'autres moyens de changer les choses. Si nous coordonnons nos…

Adele me saisit par le bras.

— Ne nous dis pas quoi faire.

Burn lui lance un regard noir, et elle me lâche aussitôt.

— Nous ne prenons pas d'ordres de vous non plus, dit-elle, bien qu'elle soit manifestement intimidée par Burn.

Sahid lève la main, et Adele recule.

— Nous avons beaucoup de sujets à discuter. Et le temps presse.

— Je suis d'accord, acquiesce Burn. Parlons.

Sahid plisse les yeux, et sa mâchoire frémit. D'un doigt long et élégant, il tapote son autre bras.

— Nous projetons une mission dans moins de quarante-huit heures. Comment pouvez-vous nous aider?

— Le dynamitage du Centre? dis-je en m'avançant.

Sahid se tourne vers moi.

— Qui t'a parlé de ça?

Il foudroie Adele du regard.

— Alors c'est vrai? Vous n'avez pas le droit. Vous allez faire du mal à de nombreux innocents.

— Rien n'a encore été décidé.

D'un geste, il invite Burn à le suivre. D'autres personnes sortent de leurs cachettes, et bientôt nous sommes encerclés. Sahid et Burn discutent à voix basse, juste hors de portée, et je voudrais tendre l'oreille, mais je sens monter la pression en moi. Je voudrais injurier tous ces gens, les traiter de monstres. Pourtant, un examen sommaire de ceux qui m'entourent me convainc qu'ils n'en sont pas.

Ils sont comme moi. Bon nombre d'entre eux étaient déjà là la nuit où j'ai retrouvé Adele. J'aperçois Joshua. Il me salue de la tête, et je note aussitôt la ressemblance entre Sahid et lui, leur peau brune et leur long nez. Je parie que Sahid est son père.

Ces personnes, leurs visages, leurs âges approximatifs, le prénom de certaines d'entre elles... J'ai largement de quoi informer M. Belando.

Pourtant, je n'ai aucune envie de livrer d'autres Déviants. Dans ce cas, les rebelles seraient liquidés; par contre, si je tiens ma langue, ils feront sauter le Centre.

Je m'approche de Burn et de Sahid.

— Comment vous y prenez-vous pour échapper à la vigilance des Confs? demande Burn.

D'un geste, Sahid invite l'un des autres à venir le rejoindre et un homme musclé sort de l'ombre.

Je me pétrifie. Ma gorge se contracte, et tous les muscles de mon corps se raidissent.

C'est le capitaine Larsson.

Je me glisse dans la foule, mais il se tourne et me regarde fixement. Il n'a même pas l'air surpris.

Est-ce Larsson ou Zina? Je donnerais cher pour en être certaine.

Est-ce lui, la taupe?

Je me retourne, j'étudie les environs à la recherche d'une porte de sortie, et j'aperçois Zina aux limites de la foule, les bras croisés sur la poitrine.

Larsson m'agrippe par le bras. J'ai beau me débattre, il est trop fort.

— C'est vous, la taupe? demandé-je d'une toute petite voix.

— La taupe? répète-t-il. Qu'est-ce que tu racontes?

Il plisse les yeux.

— Tu es de quel côté, au juste ?

— Et vous ?

Mon cœur bat si vite que je crains que ma poitrine explose.

À sa façon de m'examiner, je m'aperçois qu'il a autant de questions pour moi que j'en ai pour lui. Tous les scénarios que j'échafaude pour expliquer sa présence ont des conséquences désastreuses pour moi.

S'il est là pour le compte des Confs, il croira que je suis l'une des terroristes. Si j'affirme être là à titre d'espionne désignée par M. Belando, plus personne ne me fera confiance. Si Larsson est un terroriste, il s'oppose à moi d'autres manières.

La confusion m'embrouille l'esprit. Je ne peux ni répondre à des questions ni en poser sans courir de risques. Tout ce que je sais, c'est que, à de multiples égards, sa présence en ce lieu aggrave mon cas.

Je me libère ; il m'attrape de nouveau. Avant que j'aie pu réagir, Burn saisit Larsson, le soulève de terre et le lance à bout de bras. Une pluie de ferraille s'abat sur la tête du capitaine.

Je détale.

Burn est à mes côtés.

— Qui est-ce ? demande-t-il à l'entrée de l'autre salle.

— Un Conf. Le capitaine du PFAC.

Burn ouvre la porte de l'immeuble, et nous courons dans l'étroite ruelle qui sépare cette usine de la suivante. La lueur de la lune réussit à peine à se faufiler entre les murs de briques, de pierre et de béton qui se dressent des deux côtés. Après la vive clarté de l'usine, on y voit avec difficulté.

— Monte.

Burn me tend le bras, et je grimpe sur son dos. Il bondit et attrape le dernier barreau d'une échelle. En haut, il se donne un élan et s'accroche à un petit balcon sur l'immeuble voisin.

Nous sommes suspendus dans le vide, et je suis sur le point d'agripper quelque chose pour alléger un peu notre poids combiné quand, avec ses bras, il effectue une sorte de traction extrême et se propulse vigoureusement vers le haut. Ses pieds atterrissent sur la plate-forme avec un fracas métallique.

J'ai déjà été témoin de la force de Burn, mais cette fois, il s'est surpassé. Il est devenu encore plus puissant, même sans métamorphose, et ce constat m'excite et me terrifie en même temps.

De la plate-forme, il saute jusqu'à une corde accrochée au toit et nous remonte vite, une main après l'autre, jusqu'au sommet. Sans s'arrêter, il traverse ce toit au pas de course et bondit sur le suivant, puis sur un autre, jusqu'à ce que nous soyons à au moins une vingtaine de coins de rue de l'usine. Il s'immobilise et se tortille pour m'indiquer que je dois descendre.

J'examine les environs. Nous sommes tout près de la limite du quadrant nord, et le ciel, fortement incliné et presque dépourvu de peinture bleue, se trouve à un peu plus de deux mètres au-dessus de nos têtes. Burn, haletant, prend de longues bouffées d'air chaud ; lorsqu'il repousse les cheveux qui lui barrent le visage, des gouttelettes de sueur l'éclaboussent.

— Tu as vu Zina ? demandé-je.

— Ouais.

— Tu savais qu'elle avait repéré les rebelles, elle aussi ?

— Ce n'est pas comme si nous nous tenions au courant de nos projets réciproques, tu sais.

— Et le Conf, tu crois qu'il appartient au groupe de rebelles ? Ou qu'il était là à titre d'espion ?

Je sais que Burn ne pourra pas répondre à ces questions et j'escompte une rebuffade bourrue, mais il secoue la tête en posant sur moi un regard interrogateur.

Je me retourne et j'avance de quelques mètres.

— J'ai paniqué. Je n'aurais pas dû déguerpir. Excuse-moi.

Je me campe devant lui.

— J'ai été déconcertée en voyant Larsson. Il me déteste.

Maintenant que je suis plus calme, je comprends que c'est sans doute Larsson, la taupe. Il n'aurait eu aucune difficulté à introduire les mots que j'ai trouvés. Mais je ne peux en être certaine. De la même façon que je ne peux être certaine de ses motivations. Il pourrait tout aussi bien travailler pour l'autre camp.

— Ne t'inquiète pas, dit Burn en posant sa main sur mon épaule. Quelque chose ne tournait pas rond, là-bas.

Il lève les yeux vers le ciel et repousse une fois de plus ses cheveux.

— Au moins, je sais maintenant comment joindre Sahid. Une fois qu'il sera en lien avec Rolph, j'aurai mené ma mission à bien.

Je ferme un moment les paupières, la lumière se faisant enfin dans mon esprit.

— Qu'est-ce que je raconte à Larsson, en classe, demain ?

Burn secoue la tête.

— Ta couverture est compromise. Tu ne peux pas rentrer à la caserne.

Mon estomac se soulève.

— Il le faut, pourtant. Ça ira.

Je dois convaincre Burn, j'ignore comment. Je refuse d'admettre que je n'ai plus de rôle à jouer au Havre. Il reste beaucoup de Déviants à secourir, un attentat à la bombe à prévenir. Je peux encore sauver ma couverture.

— Non, dit-il en me saisissant par les épaules. Trop dangereux. Je te ferai sortir du Havre dès que j'aurai mis au point un itinéraire. On se retrouve demain soir.

Je me dégage en me demandant s'il a raison. Démasquée, je ne peux plus rien pour personne. Je risque l'arrestation.

— Tu dois sauver Tobin et Jayma.

Il jure.

— Je viendrai les chercher lorsque tu seras en sécurité.

Je recule d'un pas.

— Non. Pas question. Je ne quitte pas le Havre sans eux et sans Scout... et sans Cal.

J'ai ajouté le dernier nom sans réfléchir. Bien que Cal ne coure pas de danger immédiat, il me semble impensable de partir sans lui.

— Cal?

Burn prononce le nom comme s'il avait mauvais goût.

Mon cœur s'emballe.

— C'est mon partenaire attitré. Si je disparais, on le soupçonnera. Je ne peux pas l'abandonner.

Je brandis mon bracelet de fréquentation, et il a un mouvement de recul, comme si je lui avais décoché un coup de poing en plein visage.

— Je croyais que tu feignais seulement d'être avec lui.

Sur les tempes de Burn, les veines palpitent.

— Je pensais que c'était un élément de ta couverture. Tu as dit que c'était terminé, entre vous.

— Je...

Le visage brûlant, je carre les épaules.

— C'est plutôt toi qui m'as annoncé que c'était fini entre nous. Et Zina, au moment où je croyais qu'elle était toi, m'a raconté des horreurs.

— Je n'ai rien dit, moi. C'était elle, seulement elle.

— Je sais bien, mais je l'ignorais, à cet instant-là. Et Cal m'a soutenue, s'est montré compréhensif. Depuis mon retour, c'est le seul ami sur qui je peux compter.

Mon estomac exécute des sauts périlleux, et j'ai une sensation cuisante dans les joues. Malgré les circonstances de notre séparation, malgré la déclaration de Burn selon laquelle nous ne pourrions jamais être ensemble, lui et moi, je ne me serais peut-être pas liée de nouveau à Cal sans les atrocités proférées par Zina. Mais c'est fait, maintenant. Reste à savoir si Cal voudra encore de moi.

— Tu es parti, dis-je, la bouche sèche. Tu m'as dit que c'était impossible entre nous. À quoi t'attendais-tu ?

Il serre les poings.

— Je me suis trompé. Tu n'es pas loyale.

— Tu veux parler de loyauté ? dis-je en sentant la colère monter dans ma poitrine. Tu prétends mieux te maîtriser.

Comment le sais-tu, à moins d'avoir vérifié auprès d'autres filles ?

Même si Zina a menti en affirmant que Burn avait une petite amie, l'idée ne lui est pas venue comme ça, au hasard. Il n'y a pas de fumée sans feu.

— Ta nouvelle petite amie a rencontré le monstre ?

Il redresse la tête. Je m'étais pourtant juré de ne plus jamais utiliser ce mot et je donnerais n'importe quoi pour le ravaler, mais il est trop tard.

Il baisse la tête.

— Tu aimes Cal ?

Sa voix est un grondement bas.

— Je…

Je ne sais pas comment répondre. Ma tête est pleine de brouillard.

— Je ne quitterai pas le Havre sans lui.

Burn fixe le plafond. Je me concentre sur ses poings. Ils grandissent. Tout son corps grandit, en fait.

Manifestement, il ne maîtrise pas sa Déviance. Je devrais m'enfuir, car il risque de me tuer, mais je ne peux pas le laisser dans cet état. Et s'il décidait de s'attaquer à Cal ?

— Je suis désolée, Burn, dis-je en m'avançant avec prudence. Calme-toi. Je n'avais pas l'intention de te faire du mal. Et Cal n'y est pour rien. Ne sois pas fâché contre lui à cause de moi.

Il se tourne vers moi, et ses yeux se teintent de rouge. Son manteau pourtant énorme le serre, se déchire à l'épaule droite. Des muscles d'une puissance improbable tendent le tissu, et l'ourlet, qui s'arrêtait juste en haut de ses bottes, monte jusqu'à ses genoux. Ses cuisses gonflent, se transforment en monticules durs. Si je ne parviens pas à le calmer, il risque de tuer quelqu'un… moi peut-être.

Secouant la tête, il arpente d'un pas lourd le toit, qui vibre sous mes pieds, et il frappe à poing fermé dans sa paume, encore et encore, si fort que le son résonne dans mes tympans. Il va se casser la main.

— Je suis désolée, Burn. Calme-toi. Ne sois pas jaloux de Cal.

En entendant le nom, Burn fonce vers moi.

Je me penche. Avant de m'atteindre, il bondit et frappe le ciel de ses poings, cinq mètres au-dessus de nos têtes.

Il troue le métal, qui grince fortement. Les panneaux du ciel se gauchissent, et le métal déchiré laisse voir des bords inégaux. Les matériaux d'isolation pleuvent, déferlent sur moi en rafales, poussés par l'air qui s'engouffre de l'Extérieur.

Burn disparaît. Il court, et ses pas, qui résonnent sur la surface du dôme, ébranlent le ciel. Le bruit s'estompe rapidement avant de s'éteindre. J'espère qu'il a pu s'enfuir sans être abattu par un Conf en patrouille. Je n'ai pas entendu de coup de feu, mais je ne peux jurer de rien.

De cet angle, j'aperçois une toute petite section du vrai ciel noir d'encre, et c'est suffisant pour me donner envie de suivre Burn. Pourtant, je ne peux pas rester là, abandonnée au plaisir de la nostalgie. Je ne serai pas seule ici très longtemps et je ne saurais expliquer ce qui s'est passé. En principe, je ne devrais pas quitter la caserne et je ne devrais certainement pas me trouver sur un toit, à proximité d'un trou béant.

Quelqu'un bouge derrière moi et je me retourne.

Larsson court sur le toit, et je pars dans l'autre sens, prête à sauter. J'espère qu'un toit amortira ma chute.

— Halte! crie-t-il. Il n'y a rien, de ce côté! Tu vas te tuer!

Je n'ai pas confiance en lui, mais je ne veux pas mourir. Je m'arrête donc en dérapant. Mes bras décrivent des moulinets, tandis que je vacille au bord du toit. Il n'a pas menti. En bas, des amas de ferraille se dressent, attendent de me trouer la peau.

Larsson m'agrippe par la taille et m'éloigne du bord.

Je lutte pour me dégager.

— File, me glisse-t-il à l'oreille. Les Confs sont en route.

Son regard et sa voix me semblent sincères.

— Le trou dans le ciel... Quoi? Comment?

Je ne parviens pas à formuler des pensées cohérentes.

Me libérant, il lève les yeux sur le trou et époussette l'isolant et la poussière des manches de sa chemise.

— C'est déjà arrivé.

— Quoi?

— Des Déchiqueteurs ont déjà franchi le dôme, sans parler du mur autour du Havre.

— Le mur?

Je ne veux pas que Larsson sache que j'ai vu le mur, mais j'ai du mal à croire que quelque chose, un char d'assaut même, et encore moins des Déchiqueteurs, puisse franchir cette barrière colossale.

— Le jour où ta classe a assisté à une liquidation, une explosion a fait tomber tout un pan du mur. On ne l'a toujours pas réparé.

Je tressaille. Le bruit retentissant. L'afflux de poussière. Les escouades de Confs en marche au loin. Je recule d'un pas. Larsson croit-il vraiment que c'est un Déchiqueteur qui est responsable de ce trou dans le ciel ?

Croit-il que Burn est un Déchiqueteur ? L'accusation de Zina persiste dans mon esprit.

Larsson me saisit par les épaules et m'oblige à me retourner.

— File. Tout de suite. Rentre à la caserne. Je m'occupe de ce gâchis.

Je hoche la tête, ébahie, mais reconnaissante. En ce moment, je ne dois pas perdre de vue l'essentiel. Même si j'ai fini de secourir des Déviants, je dois encore sauver mes amis. Sans pouvoir compter sur l'aide de Burn.

CHAPITRE
TRENTE - DEUX

Le lendemain, Cal m'évite. Il refuse même de me regarder dans les yeux. Jamais je ne me suis sentie aussi seule. Lorsque les cours prennent fin, plus de seize heures se sont écoulées depuis que Burn a crevé le ciel, et je n'ai toujours rien entendu à ce sujet. Pas de signal d'alarme, pas de rumeur, pas de bulletin spécial. Comme si, en somme, il ne s'était rien passé.

Au moins, Larsson était absent, aujourd'hui, et je n'ai pas eu à croiser son regard. Dans la salle de loisirs, je suis adossée au mur. L'Anniversaire du Président sera célébré demain, et j'ignore si les rebelles projettent toujours de poser des bombes.

En regardant Cal et les autres jouer à des jeux, j'appuie les mains sur mes genoux pour empêcher mon corps de trembler. Je n'ai plus beaucoup d'options et, pendant un moment, j'envisage de me rendre chez M. Belando pour livrer Sahid. Ainsi, au moins, je préviendrais l'attentat à la bombe. Ensuite, je devrai trouver un moyen de faire sortir Tobin, Jayma et Scout du Havre.

L'entrepôt de vêtements où Burn m'a conduite donne sûrement accès à un tunnel. Une fois le mur franchi, je suis convaincue de pouvoir retrouver le chemin de la Colonie. Pourvu qu'on ne tombe pas sur des Déchiqueteurs.

Je ne sais trop comment je pourrai transporter Scout, à supposer qu'il soit toujours inconscient. Je me mords la lèvre. Il faut que Cal nous accompagne.

Je bondis et l'éloigne de sa partie.

— Il faut qu'on parle, toi et moi.

Il dégage son bras, mais hoche la tête.

— Laisse tomber, dit Stacy. Entre vous deux, c'est terminé.

Je l'ignore et j'entraîne Cal dans le couloir, assez loin pour que plus personne ne puisse nous entendre. Il se campe, les pieds écartés à la largeur des épaules, et regarde au-dessus de ma tête: la blessure que m'inflige cette attitude est insupportable. J'ignore si c'est parce qu'il me déteste ou parce qu'il a peur de me regarder dans les yeux, maintenant qu'il connaît la vérité.

— Où étais-tu, hier soir? demande-t-il. Stacy prétend que tu as été absente pendant la majeure partie de la nuit.

Je grimace en entendant le prénom de ma camarade de chambre.

— J'ai apporté à manger à Jayma.

— Et ça t'a pris toute la nuit?

Sa voix respire la méfiance.

— Tu m'as dénoncée? lui demandé-je à voix basse.

Vivement, il baisse ses yeux sur les miens. Puis il secoue lentement la tête.

— Tu as parlé de tout ça à quelqu'un?

Il s'appuie au mur et se frotte le visage à deux mains avant de répondre.

— Je n'ai rien fait du tout.

Une vague de soulagement déferle sur moi.

— Merci.

— Je n'ai pas dit que je n'allais rien faire. J'ai seulement dit que je n'avais encore rien fait.

Je l'examine, scrute ses yeux bleus à la recherche d'un soupçon de compassion ou d'affection, de vestiges de ce que j'observe normalement quand il me regarde, mais je n'y lis que de la déception. Au bout du couloir, une lumière clignote.

— C'est tout? demande-t-il. Parce que si tu as terminé, j'étais occupé.

— Désolé d'avoir interrompu ton *jeu*, dis-je d'un ton plus dur que je l'aurais voulu. Il s'agit seulement de ma vie. Rien d'important.

Ses yeux s'embrasent.

— Je ne sais pas ce que tu attends de moi, Glory. Tu me lâches mille bombes sur la tête et tu t'attends à ce que je me comporte comme si de rien n'était?

— Je n'ai pas changé, dis-je en lui saisissant le poignet. Qu'est-ce que je peux faire pour t'aider à comprendre?

Il reste silencieux et, en tendant la mâchoire, il me regarde d'un air blessé. La douleur vaut mieux que la haine. La douleur me donne de l'espoir.

— J'ai besoin de ton aide. Jayma a besoin de ton aide. Scout aussi.

À la mention du nom de son frère, sa tête se dresse.

— Qu'est-ce qui ne va pas avec Scout?

Je m'avance vers lui, soulagée de constater qu'il n'a pas de mouvement de recul.

— Je vais le faire sortir de l'hôpital.

— Pourquoi?

J'approche ma main de la sienne, sans la toucher.

— Je pense qu'il n'y est pas en sécurité.

— Laisse-le tranquille, dit-il en se dégageant. Qu'est-ce qui te prend? C'est toi-même qui m'as conseillé d'avoir confiance en Mme Kalin.

— Cal? crie Stacy en passant la tête par la porte de la salle de loisirs. Tu reviens? Tu m'as promis de me montrer à sauter plus haut avec la manette SIM.

Je tends la main vers Cal, mais déjà il s'éloigne de moi, les yeux remplis de doutes et d'interrogations.

Je suis bel et bien toute seule.

Je ne maîtrise pas tout à fait mes jambes, tandis que j'arpente les couloirs en essayant de me calmer, de réfléchir. Tout est embrouillé. Une chose est claire, cependant: je dois, dès ce soir, m'arranger pour que Jayma et Tobin quittent le toit et s'installent dans l'entrepôt de vêtements. Cal connaît cette cachette, et je ne suis plus certaine d'avoir confiance en lui. En plus, j'ignore où est passé Larsson et ce qu'il peut savoir d'autre.

Lorsque j'entre dans notre chambre, la couchette de Stacy est vide, et je sens se dissoudre la colle qui retient les morceaux de mon être. Je m'affaisse en tas sur le sol.

— Qu'est-ce que tu as? demande Stacy.

En me retournant, je l'aperçois dans l'embrasure de la porte.

— Rien.

Je pivote et m'adosse au bord de sa couchette.

— Je suis juste fatiguée.

— Ne me prends pas pour une idiote, dit-elle, un sourire entendu déformant son visage. Je suis au courant.

Aussitôt, l'inquiétude me gagne.

— Tu es au courant de quoi ?

Elle s'accroupit et pose sa main sur mon épaule.

— Pour Cal. Je sais qu'il t'a plaquée.

J'en ai le souffle coupé. Les lèvres de Stacy, quant à elles, trahissent sa satisfaction. Elle retire sa main. Elle bluffe. Cal ne m'a pas plaquée. Pas exactement. Pas officiellement. Pas encore.

— Je ne sais pas d'où te viennent ces commérages, Stacy, mais je te conseille de vérifier tes sources.

Je me lève et grimpe sur la couchette supérieure.

Elle me fixe, jubilante.

— Oh, je dirais que ma source est plutôt fiable.

— Ta mère ne t'a pas appris qu'il était impoli d'écouter les conversations privées ?

— Je n'ai rien écouté du tout, répond-elle en se fendant d'un large sourire.

Je me débarrasse d'une chaussure, puis de l'autre, et je garde le silence en m'efforçant de museler mes émotions. Je dois l'inciter à dormir pour pouvoir sortir, même si je me demande pourquoi je tente de faire comme si elle ignorait à quoi j'occupe mes nuits.

— C'est Cal lui-même qui me l'a dit, affirme-t-elle.

Ma tête se redresse, et je donnerais n'importe quoi pour effacer son petit sourire suffisant. Je m'allonge et m'étire comme si j'étais vraiment prête à dormir. Peut-être suivra-t-elle mon exemple et se mettra-t-elle au lit, elle aussi.

Elle s'appuie sur ma couchette et pose sa main sur la grossière couverture grise, son visage tout près du mien.

— Cal fait semblant d'être triste, mais je vois bien qu'il est soulagé. Et il a clairement précisé qu'il t'avait plaquée pour être avec moi.

— Menteuse.

Je m'assieds brusquement et me cogne la tête au plafond.

— Doucement, dit-elle. Perdre son partenaire attitré n'est pas une raison de s'estropier. Tu t'en remettras, va.

J'ai des élancements dans le crâne.

— Stacy, dis-je en me recouchant. J'ai vraiment besoin de dormir. Ferme-la et laisse-moi tranquille.

Elle reste silencieuse pendant quelques secondes. Je l'entends respirer à côté de moi.

— Comme tu veux, mais ne te vautre pas dans le malheur. Cal et moi, nous allons tenter de notre mieux de ne pas étaler notre relation devant tes yeux… Non pas que tu aies eu les mêmes égards pour moi, remarque. Sache seulement que, une fois votre permis arraché de son poignet, nous allons filer aux RH en demander un pour nous deux. J'espère que ça ne te dérange pas. Je n'ai pas besoin de ton autorisation, évidemment. Seulement, je sais que les RH interviewent parfois d'anciens partenaires attitrés pour s'assurer qu'il n'y a pas eu de harcèlement sexuel. J'espère que tu ne mentiras pas pour faire obstacle à notre bonheur.

Je ne réponds pas. Je perçois enfin le grincement que produit sa couchette lorsqu'elle se pose dessus.

La jalousie aiguillonne les millions d'infimes blessures que j'ai déjà. L'idée que Cal se soit confié à Stacy amplifie ma souffrance. En fermant les yeux, je l'imagine en train de rire avec les autres recrues, de raconter à tout le monde comment il m'a plantée là. Des larmes se forment derrière mes paupières, mais je les retiens.

Cal a beau être furieux contre moi, il ne me traiterait jamais de la sorte. Il ne se moquerait pas de moi. Il ne se moquerait de personne, d'ailleurs. Et je ne suis même pas certaine qu'il ait effectivement tenu les propos que lui prête Stacy.

Je ne me permettrai pas de la croire. J'ai d'autres chats à fouetter. Je prends de longues inspirations par le nez, laisse l'air s'échapper entre mes lèvres.

Détends-toi. Ignore Stacy, ignore la douleur. Détends-toi.

Je dois me concentrer sur une chose à la fois. La priorité, en ce moment, c'est sortir Tobin et Jayma du Havre et Scout de l'hôpital…

Je me réveille en sursaut. Dans le noir. Je me suis endormie et je n'ai aucune idée de l'heure qu'il est. Tandis que Stacy ronfle, je m'empare de la nourriture que j'ai piquée pendant le repas et je descends sans bruit de ma couchette. À tâtons, je cherche mes chaussures dans les ténèbres. Je les trouve le long du mur. Sans doute Stacy les a-t-elle poussées là d'un coup de pied.

Consultant l'horloge, je grimace. J'avais l'intention de me mettre en route des heures plus tôt. J'espérais avoir le temps de passer à l'entrepôt pour chercher l'entrée d'un

tunnel avant d'y conduire Jayma et Tobin. Une petite partie de moi espérait aussi y trouver Burn, mais, après hier
soir, je sais que je ne peux plus compter sur lui. J'ignore
même s'il est encore vivant.

Je sors en douce et, sur le toit de l'immeuble de la Direction, je cours, en position accroupie, jusqu'à la boîte en
métal.

J'ouvre le panneau et jette un coup d'œil à l'intérieur.
Comme Jayma et Tobin n'ont pas de lumière, je remonte
ma torche en l'orientant de manière à ne pas les éblouir.

Une fois la torche allumée, je lève lentement le bras.
Bizarre. Je me serais attendue à voir Jayma endormie
contre le mur du fond. Je regarde de l'autre côté, mon
cœur de plus en plus affolé.

Je m'avance au centre de la boîte et pivote sur moi-
même en éclairant les quatre murs. La lumière, aussi vive
soit-elle, ne changera rien à l'affaire.

Ils ont disparu.

Je regagne ma couchette moins d'une heure avant la
cloche matinale. Cela dit, je ne réussirais pas à fermer
l'œil, même si j'avais des heures devant moi. Mon esprit
va dans tous les sens, échafaude une multitude de plans et
de scénarios, tandis que mon corps, lui, est prêt à bondir,
à courir, à se battre. J'ai passé la nuit à chercher Burn,
Tobin et Jayma. Je ne renoncerai que le jour où mes amis
seront en sécurité. Avant, pas de repos possible.

L'entrepôt où j'ai vu Burn était désert, au même titre
que l'endroit où j'avais rendez-vous autrefois avec Clay et
la minuscule plate-forme de Tobin. J'ai aussi vérifié le toit

de notre ancien immeuble des Mans. Ils sont partis. Volatilisés. À l'idée qu'on les ait livrés aux Confs, je suis prise de panique. J'ai manqué à mes promesses. Ils seront liquidés.

Qui aurait pu les dénoncer? L'autre nuit, j'ai cru entendre du bruit dans le conduit d'aération. M. Belando, Cal, Zina ou Larsson? Peut-être même Stacy. En ce moment, la question de savoir qui les a livrés est stérile. Si les Confs les détiennent, connaître l'identité des coupables n'aura pas pour effet de les ramener.

Incapable de dormir, je quitte mon lit et je sors marcher et réfléchir dans les couloirs. Pendant ma troisième boucle, je tombe sur Cal.

Je m'arrête, retiens mon souffle. Il baisse les yeux et entre dans sa chambre en feignant de ne pas m'avoir vue.

— Bravo! dis-je. C'est ça, sauve-toi. Ne m'adresse surtout pas la parole. Quel lâche!

Revenant dans le couloir, il s'avance vers moi à grandes enjambées.

— Je ne suis pas lâche. Je n'ai pas envie de te voir, c'est tout.

Mon cœur se fige.

— Que ça te plaise ou non, nous devons parler.

Je fonce vers la salle de loisirs, soulagée de constater qu'il me suit.

Dans la pièce plongée dans la pénombre, il me dévisage durement, la mâchoire frémissante.

— Qu'est-ce que tu me veux encore? Tu as d'autres secrets à me confier?

— Je pense que Jayma a été capturée, hier soir. Je dois savoir si tu as quelque chose à voir avec…

— Moi, en tout cas, je n'ai rien dit.

Je lis dans ses yeux une souffrance sincère, puis il détourne le regard et poursuit plus doucement.

— Mais je ne suis pas surpris qu'on l'ait découverte.

Ma poitrine s'affaisse.

— Comment peux-tu être si froid ? Si cruel ?

— Tu crois que c'est facile, pour moi ? demande-t-il. Avec tout ce que tu m'as raconté…

Il baisse les paupières.

— Tu l'as cachée sur le toit de l'immeuble de la Direction. Pas étonnant qu'on l'ait prise…

Il secoue la tête.

— Ça vaut peut-être mieux.

— Comment peux-tu dire une chose pareille ? Il s'agit de Jayma. D'une personne que tu connais depuis toujours, de ma meilleure amie, de la fille que ton frère aime !

J'essaie de reprendre mon souffle.

— Elle risque d'être liquidée !

Son visage devient livide.

— Le plus probable, c'est qu'on l'amènera à l'hôpital pour traiter sa dépression. Elle va peut-être même pouvoir passer des moments auprès de Scout.

J'ouvre la bouche toute grande, puis je la referme. Cal est toujours convaincu que son frère ne risque rien.

La cloche matinale sonne et je sursaute.

Rien n'est résolu, mais nous n'avons plus de temps. Bien que je n'aie pas posé à Cal toutes les questions que je voulais, notre brève discussion a clarifié sa position : il ne m'a pas pardonné.

Avec tout ce qui arrive en ce moment, j'ai honte d'avouer que j'ai mal, que sa nouvelle façon de me regarder me tue. En plus de perdre un partenaire attitré, j'ai perdu un ami. Bref, je n'ai plus d'alliés.

La porte de la salle de loisirs s'ouvre. C'est Stacy. En me voyant avec Cal, elle plisse les yeux. Puis elle se fend d'un petit sourire suffisant. Enfin, elle se tourne vers le couloir.

— Je l'ai trouvée. Ici.

Un grondement de tonnerre retentit, le bruit caractéristique des bottes de Confs marchant en formation. Stacy s'écarte et tient la porte pour laisser le passage aux premiers hommes. Ils pointent leurs foudroyeurs vers moi.

Mes poumons se vident d'un coup.

Larsson entre dans la pièce à la suite des Confs.

— Que se passe-t-il, ici ? Vous venez arrêter une de mes recrues ?

L'un des Confs se tourne vers lui et remonte sa visière.

— C'est une terroriste.

— Vous avez des preuves de ce que vous avancez ? demande Larsson. Vous ne partirez pas avec une de mes recrues sans me fournir de preuves.

Il croise les bras sur sa poitrine et se campe plus fermement sur ses jambes.

J'ai beau mépriser Larsson, je pourrais le serrer dans mes bras, en ce moment. Si les Confs ont la preuve que j'ai caché Jayma et Tobin, son soutien ne me sera toutefois pas d'une grande utilité.

La porte s'ouvre, et M. Shaw entre, de grosses taches rouge vif sur les joues.

— On l'accuse de meurtre !

— Quoi?

Je n'arrive plus à respirer. Ils ne sont tout de même pas au courant, pour ma mère. Mes genoux veulent fléchir. Je les en empêche.

— S'il vous plaît… Expliquez ce que…

— Silence, beugle un des Confs.

— Qui a été assassiné? demande Larsson. Je veux tout savoir.

— La nuit dernière, cette recrue a trafiqué la nourriture destinée à la salle à manger de la Direction, raconte Shaw. Ce matin, sept membres de la Haute Direction ont été empoisonnés, et on vient de me confirmer le décès de M. Belando.

Un halètement collectif résonne dans la pièce, et ma terreur se transforme en douleur aiguë. M. Belando, mort? Je ne l'ai jamais aimé, je n'ai jamais eu confiance en lui, mais je suis horrifiée à l'idée qu'il ait été empoisonné. Et on me croit coupable de ce crime.

Je lève la tête. Larsson m'observe, les yeux exorbités, l'air de se demander si c'est moi qui ai fait le coup. Mon estomac se tortille.

— Ce n'est pas moi. Je n'ai rien fait. Je le jure.

— La ferme!

Le gros Conf me frappe l'épaule avec la crosse de son pistolet et me force à m'asseoir sur une chaise. Une douleur cuisante descend et remonte de mon bras à mon cou.

— Hé! s'écrie Cal.

Un autre Conf le maîtrise.

— Pourquoi soupçonnez-vous ma recrue? Les recrues n'ont pas le droit de sortir de la caserne la nuit.

Larsson me défend, même s'il sait très bien que je n'ai pas toujours suivi la consigne. Il y a peut-être une personne en qui je puisse avoir confiance, en fin de compte, à supposer qu'il ne soit pas trop tard.

— Nous avons la preuve.

Le Conf allume l'écran de la salle de loisirs et, après une brève série de menus et de mots de passe, l'image granuleuse d'une cuisine apparaît. L'heure et la date figurent dans le coin inférieur. Il est environ deux heures et demie du matin.

Une personne menue avec ma taille et ma silhouette s'avance vers un bol de gruau et y vide le contenu d'une fiole. Elle se tourne et je tressaille. L'image est de mauvaise qualité et on voit mal, mais on dirait que c'est moi.

Zina. C'est forcément Zina. Je n'ai pas tué un VP, ainsi qu'elle me l'avait ordonné. Elle a donc décidé de s'en charger elle-même.

La terreur me serre la gorge, le cœur, le ventre. Zina a trouvé le moyen non seulement de mener à bien la mission, mais aussi de mettre à exécution sa menace en me tuant, ni plus ni moins. Elle ne tient pas le couteau, d'accord, mais c'est comme si j'étais morte.

— Cette image…, commence Cal qui s'avance en montrant l'écran. La fille lui ressemble un peu, mais ce n'est pas elle. D'ailleurs, c'est impossible.

— Comment le sais-tu ? demande Larsson.

— Je le sais parce que Glory a passé la nuit avec moi. Toute la nuit. Dans le gymnase.

— Tu jures qu'elle était avec toi ? insiste Larsson. Si tu mens, tu seras arrêté, toi aussi.

Dans sa voix, l'avertissement est on ne peut plus clair : Cal ne doit pas se mêler de cette histoire.

— Glory a passé la nuit avec moi, répète Cal d'une voix forte. L'image est floue. Ça pourrait être n'importe qui. Mais pas Glory. Elle était avec moi.

— Non ! s'écrie Stacy. Vous n'étiez pas ensemble ! Vous vous êtes séparés !

Cal s'approche de moi, s'accroupit et prend ma main dans la sienne.

— La nuit dernière, j'ai supplié Glory de se remettre avec moi. Je l'aime. Nous avons passé la nuit ensemble. Toute la nuit.

Je jette un coup d'œil à Stacy, mais elle s'est retirée dans un coin, et je ne vois pas son visage.

Un Conf m'agrippe par le bras et m'oblige à me lever.

— Nous vérifierons cet alibi. En attendant, j'ai reçu l'ordre de t'arrêter.

CHAPITRE
TRENTE - TROIS

— À ce train, tu vas creuser un sentier dans le sol.

Me retournant vivement, je vois Larsson devant la petite fenêtre grillagée de ma cellule d'un peu plus d'un mètre sur un mètre. Elle est minuscule, mais pas beaucoup plus que l'appartement que j'ai partagé avec mon frère pendant trois ans après le départ de nos parents.

J'entends le déclic du verrou, la porte s'ouvre, et Larsson entre.

— Nous n'avons que quelques minutes. Ensuite, ils s'apercevront que j'ai désactivé la caméra et le micro de ta cellule.

— Savez-vous ce qui est arrivé à mes amis ? lui demandé-je.

S'il n'est pas déjà au courant, je n'ai d'autre choix que de lui parler de ce qui me préoccupe.

— Quels amis ?

Il s'appuie contre le mur en béton grossier.

— Ont-ils été trouvés par un des membres du groupe de rebelles ? Sont-ils en sécurité ? A-t-on liquidé quelqu'un ?

— Personne n'a été liquidé, mais, franchement, je ne vois pas de qui tu veux parler.

— Je cachais un jeune Déviant et une amie fausse-
ment accusée de sabotage.

Il secoue la tête.

— Ils sont sans doute là où tu les as laissés.

Ils n'y sont pas, mais je ne crois pas que Larsson
mente. Et j'ai tant de questions à poser, tant de problèmes
à résoudre. Aujourd'hui, c'est l'Anniversaire du Président.
Je dois sortir d'ici. Je dois empêcher l'explosion.

— Pourquoi as-tu empoisonné Belando? demande-
t-il. C'était un sale type, d'accord, mais pourquoi le cibler,
lui?

— Ce n'est pas moi.

Mes genoux tremblent si fort que je recommence à
tourner en rond.

— Qu'est-il arrivé au trou dans le ciel? Pourquoi
m'avez-vous aidée? Pourquoi assistiez-vous à la réunion
des rebelles? Qui êtes-vous, vraiment?

J'ai un million d'autres questions en tête, mais c'est
déjà un bon début.

— Calme-toi, ordonne-t-il en me saisissant par le
bras.

Je me dégage.

— Me calmer? Vous voulez rire?

— Tu n'arrangeras rien en t'énervant. Calme-toi,
parle-moi et je vais répondre à tes questions.

Je recule et m'assieds en me laissant glisser sur le mur.

Larsson prend place à côté de moi.

— Tiens bon.

— Vous n'avez pas répondu à mes questions.

— J'ai signalé la présence du trou dans le mur. La brèche a été colmatée par une équipe d'ouvriers en qui la Direction a toute confiance.

Il fait craquer ses jointures.

— À mon tour de poser des questions. Comment ce Déchiqueteur s'y est-il pris pour fracasser le ciel ? Tu l'as vu ? Pourquoi assistais-tu à cette réunion, toi ? Es-tu Déviante ?

Je hausse les sourcils.

— Vous posez beaucoup de questions.

— Commence par répondre à l'une d'elles.

— Laquelle ?

Mon cœur bat très fort. Larsson semble sincère, différent de l'homme que j'ai connu durant la formation. Tout de même, je me méfie de lui.

— Je sais que ton père était Déviant, dit-il. L'es-tu, toi aussi ?

— À votre avis ?

Il secoue la tête.

— Non. Si tu étais Déviante, j'aurais remarqué quelque chose pendant la formation. Nous vous soumettons à un énorme stress. Tu es favorable aux droits des Déviants en raison de ton père, j'imagine ?

Je hoche la tête, le cou raide.

— As-tu vraiment été enlevée ?

Je me tourne vers lui.

— Non. Burn m'a aidée à arracher mon frère aux griffes des Confs. À mon tour, maintenant.

Mais par où commencer ?

— Pourquoi vous en preniez-vous toujours à moi pendant la formation ?

Je n'arrive pas à le cerner. Cette réponse m'aidera peut-être à y voir plus clair.

Il fronce les sourcils.

— Tu es trop petite pour devenir Conf.

— Ça, vous l'avez déjà dit. Au moins un million de fois.

Il plie une jambe et y appuie son coude.

— Je ne voulais pas que tu te fasses descendre. Tu n'aurais pas survécu à ta première rotation à l'Extérieur. Te chasser, c'était te sauver la vie.

— Et Cal ?

— Pour te mettre encore plus de pression.

Je hoche la tête. Sa réponse me semble sincère. C'est d'ailleurs celle que j'attendais.

— À mon tour, dit-il. Que fabriquais-tu à la réunion des rebelles ? Travailles-tu pour l'Armée de libération ? Dans quelles conditions as-tu été recrutée ?

— C'est plus qu'une question.

Il arque un sourcil.

— J'ai croisé l'Armée de libération pendant qu'on me croyait enlevée. Je suis allée à la réunion des rebelles dans l'espoir de les empêcher de dynamiter le Centre.

Je me détache du mur et je m'assieds face à lui, en tailleur.

— Êtes-vous responsable du dernier attentat à la bombe dans le district industriel ?

Il fait signe que non, et le soulagement me submerge.

— Pourquoi cette question ? demande-t-il.

— M. Belando a dit qu'on avait trouvé des électrodes d'entraînement à l'endroit où les rebelles ont construit la bombe.

— Ah!

Il hoche la tête et souffle entre ses lèvres.

— J'y suis allé. J'ai essayé de convaincre les rebelles de renoncer à poser cette bombe.

Il secoue la tête.

— Je n'arrive pas à croire que j'ai laissé tomber des électrodes.

— Pourquoi les rebelles posent-ils des bombes? Pourquoi s'en prennent-ils à des innocents?

Larsson secoue une nouvelle fois la tête.

— Adele est derrière tout ça. Elle croit que la seule façon d'affaiblir la Direction consiste à saper son autorité en prouvant que le slogan «Le Havre est synonyme de sécurité» est mensonger. Elle pense ainsi pouvoir gagner des gens à leur cause.

Il fronce les sourcils.

— Quels étaient tes liens avec M. Belando? Pourquoi t'a-t-il imposée au PFAC?

J'étudie le visage de Larsson pendant un moment et je décide de lui dire la vérité.

— M. Belando m'a recrutée après mon enlèvement. Il s'est dit que je ne lui avais pas tout raconté ou que j'avais oublié des détails qui me reviendraient peu à peu. Il a exigé que je travaille clandestinement pour lui et que je trahisse des Déviants. Il croyait que je réussirais à prendre contact avec Burn, à le convaincre que j'étais devenue une sympathisante et que je le livrerais. Je n'aurais jamais…

Je m'interromps, toujours incertaine de ce que je peux confier au capitaine du PFAC.

— Je suis favorable aux droits des Déviants, moi aussi.

Il se penche vers moi.

— Mon petit frère était un bon garçon qui n'aurait pas fait de mal à une mouche, mais, dès que sa Déviance est apparue, ces salauds l'ont liquidé. À l'époque, j'étais une recrue au sein du PFAC. Pour éprouver ma loyauté, ils m'ont obligé à regarder ces monstres tailler mon petit frère en pièces.

Tremblant, il tape du poing sur le sol.

— Ce jour-là, je me suis juré de tout mettre en œuvre pour empêcher que d'autres soient tués simplement parce qu'ils sont différents.

— Mais vous êtes encore Conf.

— Il est parfois plus facile de changer les choses de l'intérieur.

Je hoche la tête. C'est ce que Mme Kalin prétend vouloir accomplir. Mais est-ce que je la crois ?

— Certains jours, poursuit Larsson, j'ai l'impression d'être un hypocrite dans mon uniforme de Conf. Dans le cadre du PFAC, je ne tue personne. C'est déjà ça. Et quand j'apprends que les Confs sont aux trousses de quelqu'un, j'informe Sahid, qui s'efforce de trouver la cible et de la mettre à l'abri.

— Vous êtes donc un rebelle ?

— Je suppose que oui. En quelque sorte.

— Vous pouvez les empêcher de faire sauter le Centre, aujourd'hui ?

Il secoue la tête.

Je bondis.

— Il faut au moins essayer. Je ne peux rien faire ici. Et surtout pas une fois qu'on m'aura liquidée.

Ma voix tremble, et la tristesse me frappe de plein fouet.

Je me détourne pour cacher mon désespoir à Larsson. Il se lève et me touche l'épaule.

— Tu ne seras pas liquidée. Je ne sais pas comment tu t'y es prise, mais tu as des amis en haut lieu.

— Que voulez-vous dire ?

— Le Président lui-même exerce des pressions pour qu'on te sorte d'ici et qu'on te conduise à l'hôpital.

Il incline la tête.

— Comment se fait-il que tu connaisses le Président ?

— Je ne le connais pas.

Le moment de soulagement que j'ai ressenti se transforme en terreur. Au nom de quoi le Président interviendrait-il ?

— Pourquoi l'hôpital ?

Servirai-je de cobaye à Mme Kalin pour l'une de ses expériences ? Mes entrailles se nouent, et je lutte pour rester forte.

Larsson jette un coup d'œil à la porte.

— À cet instant même, le Président est dans le bureau du directeur du Centre de détention, où il s'occupe de ton transfèrement. Parce que M. Belando est mort tout de suite après la disparition de M. Singh, le Service de Vérification est un peu désorganisé, en ce moment.

— Je n'arrive toujours pas à croire qu'on l'ait tué.

Larsson pivote vers moi.

— Ce n'était vraiment pas toi ? demande-t-il en plissant les yeux.

— Ce n'était pas moi.

— Inutile de mentir. À moi, en tout cas.

Son visage trahit ses doutes.

— J'ai vu l'enregistrement, et Zina a parlé de ta mission aux rebelles. Il paraît que ton commandant t'a transmis des ordres directs.

Je m'efforce de maîtriser ma respiration et les battements de mon cœur. Je ne supporte pas d'être accusée d'un meurtre que je n'ai pas commis.

— Vous savez ce dont Zina est capable ? lui demandé-je. Vous connaissez la nature de sa Déviance ?

Il secoue la tête.

— C'était *elle* sur les images. Pas moi. Elle prend la place des gens en modifiant son apparence. Elle a trafiqué la nourriture en se faisant passer pour moi. C'est aussi elle qui a saboté l'échafaudage.

Il se penche en arrière et fronce les sourcils.

— Pourquoi monte-t-elle un coup contre toi ?

— Ce n'est pas personnel. Elle en veut à mon père et à Burn. D'ailleurs, je ne crois pas que les ordres qu'elle m'a transmis venaient de l'AL.

Larsson garde le silence pendant quelques minutes. Il se frotte le menton et dit :

— Dommage que Cal se soit mêlé de cette affaire.

— Cal ?

— Il a été arrêté.

La panique m'étreint la poitrine.

— Pourquoi ?

— L'alibi qu'il t'a donné n'a pas tenu. Stacy dit qu'elle lui a parlé dans la salle de loisirs, hier soir, au moment où il soutient avoir été avec toi.

Mon cœur se soulève et je serre les poings.

— Je pourrais la tuer.

— Attention à ce que tu dis.

Il jette un coup d'œil à la caméra.

Je lui agrippe le bras.

— Vous avez menti ? Elle fonctionne toujours ?

Toute cette conversation n'aura-t-elle donc été qu'une supercherie visant à obtenir des aveux de ma part ?

Il secoue la tête.

— Désolé. L'habitude.

Je me rapproche.

— Stacy me déteste. Elle a pris cette initiative dans le but de me nuire, mais elle se rétractera peut-être si elle croit que ça pourrait être utile à Cal. Parlez-lui. S'il vous plaît !

On frappe à la porte.

— Je vais voir ce que je peux faire.

Larsson me gratifie d'un sourire sinistre avant de sortir de ma cellule.

— Bonne chance.

Après, tout devient noir.

Une lumière vive m'éblouit. Je me réveille en sursaut et, en me levant avec effort, je recule dans un coin de la cellule.

— Du calme, commande une voix masculine. Si tu collabores, je ne te ferai aucun mal.

— Qui êtes-vous? demandé-je. Qu'est-ce que vous fabriquez?

Il braque sa lumière dans mes yeux. Je ne peux donc pas me servir de ma Déviance. Dès qu'il posera la main sur moi, j'aurai recours à mes techniques de combat pour le dominer. Puis je m'enfuirai.

— Attrapez-la, lance une autre voix.

La lumière s'écarte enfin de mon visage. Je plonge vers les jambes de l'homme qui brandit la torche et le désarçonne.

Nous tombons sur le sol. Avant que j'aie pu me relever, une botte atterrit sur mon dos et me coupe le souffle. D'autres mains me retiennent les jambes. Couchée sur le ventre, je me débats, tente d'agripper quelque chose, n'importe quoi. Une botte se pose sur mon bras tendu. Mon autre bras est replié sous moi.

J'éprouve une douleur aiguë au cou.

— Ça y est, dit l'un des hommes. Elle va être tranquille, maintenant.

La pression exercée par leurs corps disparaît, et je voudrais résister, sauf que mes muscles refusent de bouger. J'ai beau essayer, rien ne se produit. La pièce devient noire.

CHAPITRE
TRENTE-QUATRE

Je me réveille dans le noir et j'essaie de m'asseoir, mais j'ai les membres entravés, et quelque chose me retient le front. Je suis ligotée.

— Où suis-je? crié-je.

Ma voix rauque résonne en vain dans le vide.

— Au secours!

Les lumières s'allument, m'aveuglent. J'entends une porte, des talons qui claquent sur une surface dure.

— Tu es réveillée, dit une voix.

— Madame Kalin?

Mon esprit nage en pleine confusion. Sous les lumières vives, mes yeux picotent derrière mes paupières closes.

Une main tiède se pose sur mon bras. Je ne peux pas ouvrir les yeux, mais je sais que c'est elle. Un moteur ronronne, et mon corps s'incline jusqu'à un angle de quarante-cinq degrés. J'entrouvre les paupières, cille, et l'image de Mme Kalin, vêtue d'une blouse blanche ainsi que de son pantalon et de son chandail gris habituels, se précise.

— Où suis-je? demandé-je, bien que je sois relativement certaine d'être quelque part dans l'hôpital.

Ma bouche est si sèche que j'ai l'impression d'avoir avalé un seau de poussière.

— Tu es en sécurité.

Elle me regarde avec tant de bonté que je me sens aussitôt mieux.

— Pourquoi suis-je ici? Pourquoi suis-je attachée?

— Je t'ai emmenée ici pour que nous puissions parler.

Son regard est empreint d'une bienveillance telle que je n'arrive pas à croire que j'aie pu douter d'elle. Elle tient à moi.

— Pourquoi as-tu empoisonné ces aliments? demande-t-elle, sa main posée sur la courroie qui me ceinture le front. Que cherchais-tu à accomplir en t'attaquant à M. Belando?

Je ne réponds pas. Je n'ai aucune idée de ce qu'elle souhaite entendre et je veux lui plaire. Ma tête tourne toujours. Sans doute un effet secondaire des médicaments qu'on m'a administrés.

— N'aie pas peur, dit-elle. Je ne suis pas fâchée contre toi, ma puce. Je m'interroge juste sur tes motivations. Belando était facile à contrôler.

Mon estomac se noue. Que veut-elle dire? Quelle réponse attend-elle de moi?

Je la regarde droit dans les yeux. Si je suis vraiment capable de lire dans les pensées des autres, peut-être découvrirai-je ce qu'elle veut. Exploitant ma Déviance, je me concentre sur son esprit, mais c'est dangereux, improvisé. Je risque de lui faire du mal.

Cette fille est plus coriace que je le pensais, l'entends-je se dire. Simultanément, j'éprouve ma capacité de comprimer son cerveau, de le serrer comme avec une ceinture.

Les mains de Mme Kalin se portent à ses tempes, et je romps le contact visuel, relâche mon emprise.

— Ça va ? demandé-je, le ventre noué.

— J'ai mal à la tête, rien de plus.

Elle cligne des yeux à quelques reprises, puis, les plissant, me regarde d'un air soupçonneux.

— Rien d'inquiétant.

Je me tortille sur la table inclinée.

— Vous pouvez m'enlever ces liens ? Les courroies me font mal.

— Certainement, répond-elle avant de sourire et de se positionner derrière la table. À condition que tu me dises pourquoi tu as trafiqué cette nourriture. Que mijotait M. Belando ?

Ma confiance vacille.

— Vous réunissez des preuves pour les Confs ?

Par-derrière, elle pose sa main sur mon épaule.

— Je te jure de ne pas répéter ce que tu me diras. À personne.

Je balaie du regard la pièce stérile dominée par le blanc et l'acier inoxydable, du moins les parties que j'aperçois de la table.

— Il n'y a pas de caméra ici, dit-elle.

Des synapses, les siennes et les miennes, convergent. Quelque chose cloche. Quelque chose de bizarre.

Tu as confiance en moi, pense-t-elle. *Tu m'aimes. Tu feras tout ce que je te demande.*

Mon corps se crispe. Tous mes nerfs sont stimulés en même temps, et je lutte pour ne pas lui laisser voir mes émotions. Je m'efforce de ne pas faire de mal à Mme Kalin, maintenant que je comprends mieux pourquoi il m'a été si facile de me fier à elle, pourquoi je n'ai confiance en elle que quand je la regarde dans les yeux.

Mme Kalin est Déviante.

Et, comme la mienne, sa Déviance passe par son regard.

Sauf qu'elle n'a pas, comme moi, la faculté de lire dans les pensées. Du moins je l'espère. Non. La Déviance de Mme Kalin donne encore plus froid dans le dos. Elle a la capacité d'introduire des pensées dans la tête des autres.

Pas étonnant que Cal se soit laissé amadouer si rapidement après l'accident de Scout. Pas étonnant qu'elle ait réussi à nous convaincre que les expériences en cours à l'hôpital sont menées sans cruauté. Qu'elle m'ait persuadée qu'elle était digne de confiance.

Je prends de longues inspirations pour me calmer, me concentrer, garder mon sang-froid. Je sens sa présence dans mon esprit, et son influence jette un voile singulier qui a pour effet de modifier la réalité, sans toutefois la remplacer. Je m'efforce de m'accrocher à ce constat, à ce que je ressens quand elle est là.

Tant et aussi longtemps que je demeurerai consciente de son manège, je devrais pouvoir m'accrocher à mes vraies pensées. À cause des effets des médicaments, je ne suis toutefois pas certaine d'en être capable.

Mon corps se crispe.

— J'ai confiance en vous.

Je répète les réflexions qu'elle introduit dans ma tête.

— Vous m'aimez et vous n'avez que mon bien-être à cœur.

— Exactement.

Elle détache la courroie qui retient un de mes poignets.

— M. Belando représentait une menace, dis-je.

Tant et aussi longtemps que je pourrai la conduire sur de fausses pistes, je serai maîtresse de moi-même.

— M. Belando n'était pas comme vous. Il ne comprenait pas que des changements devaient être apportés au Havre. Il refusait de comprendre.

Un sourire se forme sur les lèvres de Mme Kalin, comme si elle venait de manger le plat le plus délicieux du monde. Elle libère mon autre poignet et se penche pour poser sur mon front un baiser tout en douceur.

— J'ai eu raison de faire de toi ma protégée. J'en étais sûre.

— Votre protégée?

Le lien est rompu. Je veux écouter ses pensées, mais la connexion entre nous, lorsque je l'intensifie, va dans les deux sens. Je dois limiter les contacts visuels, sinon elle risque de me dominer.

Elle se penche pour dénouer mes chevilles, puis les courroies qui me retiennent la poitrine et les hanches. Je descends de la table en me massant les jambes.

— Glory, dit-elle, il est temps que je me montre complètement honnête envers toi et que, de ton côté, tu fasses de même.

Elle me prend la main.

— Je sais ce que tu es. Une Élue, comme moi.

— Une Élue?

Le mot que les colons utilisent pour parler des Déviants me remplit d'espoir. Si elle est Déviante, comme moi, puis-je lui faire confiance ? Sait-elle qu'il existe une vie meilleure, à l'Extérieur ? Est-elle au courant de l'existence de la Colonie, de l'AL ?

— Oui, une Élue, confirme-t-elle. Ton esprit et le mien ont évolué, se sont adaptés. Nous sommes donc supérieures à la plupart des gens et en mesure d'accomplir des choses dont les Normaux sont incapables.

— Des Déviants.

— Non, répond-elle en plissant le nez d'un air dégoûté. Pas comme des Déviants. Les corps des Déviants ont subi de grossières déformations. Chez eux, la métamorphose est physique et non intellectuelle. Les Déviants sont des aberrations de la nature et de l'humanité, des erreurs de la nature.

Elle me serre le bras.

— Ils ne sont pas sans utilité pour autant. En fait, ils jouent un rôle important en m'aidant à comprendre comment exploiter la puissance de la poussière.

Elle me regarde droit dans les yeux.

— Ne l'oublie jamais, car c'est important : les Déviants ne sont pas comme nous. Ils sont inférieurs.

— Les Déviants sont inférieurs.

Je répète les mots sans réfléchir et je cligne les paupières, soudain étourdie, nauséeuse. Je l'ai laissée s'introduire dans ma tête. Tant que je resterai consciente que c'est elle qui sème ces réflexions dans mon esprit, je serai peut-être en mesure de me défendre contre elle.

— Les Élus se servent de leur esprit et non de leur corps.

— Exactement.

Le large sourire est de retour.

— À nous deux, nous sauverons l'humanité. Nous trouverons un moyen de vivre à l'Extérieur dans la poussière.

J'établis le contact visuel, et elle se détourne aussitôt. Je la soupçonne de savoir qu'elle réussit moins bien à influencer mon esprit que celui des autres. Je dois m'efforcer de séparer mes réflexions des siennes.

— Avant de t'accepter comme ma protégée ou ma fille, dit-elle en glissant mes cheveux derrière mon oreille, je veux être sûre de pouvoir te faire confiance.

— Vous pouvez.

Je fixe ses sourcils, partagée entre l'envie de recourir à ma Déviance pour lire dans ses pensées et la peur de me laisser influencer par les siennes.

Elle secoue la tête, et un côté de sa bouche se retrousse.

— Je me rends compte que mes dons fonctionnent moins bien avec toi qu'avec d'autres.

Estomaquée, je tente de me ressaisir.

— Que voulez-vous dire ?

— Glory, commence-t-elle en secouant la tête. Tu es une fille remplie de talents, mais je dois m'assurer que tu es bel et bien dans mon camp et que tu ne me trahiras pas. Je veux que tu me montres ce dont tu es capable.

— Ce dont je suis capable ?

Comme je n'ai toujours pas avoué ma Déviance, je dois redoubler de prudence.

Elle incline la tête.

— Je t'ai vue tuer des rats du regard sur des images captées par les caméras de surveillance de M. Belando.

Mon corps se raidit.

— Tu ne pensais quand même pas avoir été inscrite au PFAC par pure coïncidence ?

La panique bouillonne dans ma poitrine.

— Non, mais…

L'explication fournie par M. Belando ne m'a jamais paru convaincante.

— J'ai demandé à M. Belando d'être à l'affût de personnes comme toi, dit-elle en roulant des yeux. C'était un pion facile à manipuler. Il me relayait tous les cas d'employés qui semblaient utiliser leur esprit de façon extraordinaire, et il annulait toutes les enquêtes concernant les Élus possibles.

Elle pose la main sur mon épaule.

— Les autres candidats se sont révélés décevants. Toi, tu es dans ma mire depuis un bout de temps.

— Pourquoi ne pas m'avoir abordée directement ? Pourquoi toutes ces ruses ? Pourquoi le PFAC ?

Je pose trop de questions. Ses lèvres se pincent.

— C'était une manière d'éprouver ta loyauté, tes capacités, ta maîtrise.

Elle parle d'un ton sec en me regardant droit dans les yeux.

— Je fais ce qui vaut le mieux pour toi, que tu t'en rendes compte ou non.

J'essaie de sourire, mais mes lèvres vacillent, mes joues palpitent sous l'effort. Je la sens dans ma tête, où elle tente de gagner ma confiance. Malgré les efforts que je déploie pour la repousser, j'ai effectivement confiance en elle. Du moins, je crois ce qu'elle me dit en ce moment. Je pense qu'elle estime savoir ce qui vaut le mieux pour moi. Elle a veillé sur moi. Soudain, les trois années que nous avons passé ensemble sans être découverts, Drake et moi, prennent un éclairage tout nouveau.

— Je veux avoir confiance en toi, Glory, dit-elle. Mais d'abord, tu dois faire quelque chose pour moi.

— Quoi donc?

— Une simple démonstration de tes pouvoirs d'Élue.

Je hoche la tête.

— Vous avez un rat à portée de main?

— Ma puce…, dit-elle en secouant la tête. Tuer un rat ne constitue pas une preuve suffisante. Pour gagner ma confiance et me donner l'assurance que tu es bien celle dont j'ai besoin à mes côtés, je dois confirmer que tes pouvoirs ne se limitent pas aux rats. Je dois te voir tuer un humain.

Mon estomac se noue.

— Je… Une personne vivante?

— Oui, et j'ai le sujet idéal en tête.

— Qui?

J'essaie d'empêcher ma voix de trembler.

— Ton ami Scout.

Je tressaute.

— Non! m'écrié-je en reculant d'un pas. Comment pouvez-vous me demander une chose pareille? Je le connais depuis toujours. C'est le partenaire attitré de ma meilleure amie. Le frère de Cal. Je ne peux pas. C'est non.

Par inadvertance, j'ai fourni plus d'informations que je le voulais. Des munitions contre moi.

Je baisse les yeux. Ces munitions sont déjà à sa disposition.

Elle claque des doigts pour ravoir mon attention.

— Regarde-moi, commence-t-elle. C'est la meilleure solution. La vie de ce garçon est insignifiante. D'ailleurs, elle ne tient plus qu'à un fil; elle mérite tout juste d'être sacrifiée pour le bien de l'humanité. Tu abrégeras ses souffrances, voilà tout.

Une fois de plus, je sens mon esprit s'égarer, ma concentration fléchir. S'il souffre, peut-être Scout accueillera-t-il la mort à bras ouverts. Mme Kalin cherche des moyens d'aider les Normaux à vivre dans la poussière. Toutes les morts qui surviennent à l'hôpital servent la cause commune.

Non. Ça, ce sont ses pensées à elle.

Contre le vertige qui me menace, je tiens bon. Je ne peux ni la laisser introduire des pensées dans ma tête, ni lui donner la certitude qu'elle en est incapable. Si je refuse d'établir le contact visuel, elle saura que je me doute de quelque chose. Elle doit croire que je suis en son pouvoir. Le problème, c'est que je ne suis plus sûre de ne pas l'être.

Je hoche la tête.

— Je comprends. C'est d'accord. Où est-il?

CHAPITRE
TRENTE-CINQ

Mme Kalin m'entraîne dans une succession de couloirs déserts, tandis que je m'efforce d'élaborer un plan, de trouver un moyen de sauver Scout et de nous permettre à tous les deux de sortir d'ici vivants, mais les effets conjugués des médicaments et des efforts que j'ai déployés pour empêcher Mme Kalin d'influencer mon esprit m'ont laissée dans un état de stupeur.

Je ne me souviens ni du dernier repas que j'ai pris, ni du jour de la semaine, ni de la durée de ma période d'inconscience.

— Avons-nous manqué l'Anniversaire du Président?

Elle me frotte le bras.

— Non, ma puce, c'est ce soir. Ne t'inquiète surtout pas. Impressionne-moi maintenant et je t'emmène à la réception privée organisée pour les membres de la Haute Direction.

Au moins, je sais quel jour nous sommes. J'ignore en revanche si les rebelles ont renoncé à leur attentat. Peut-être Larsson a-t-il réussi à les rejoindre à temps; peut-être Burn a-t-il convaincu Rolph d'intervenir. Quoi qu'il en soit, je ne peux rien faire d'ici. Je dois sauver Scout ou, à tout le moins, éviter de le tuer moi-même.

Mme Kalin s'arrête devant une porte, pivote et me regarde droit dans les yeux.

— Tu vas être témoin d'expériences secrètes essentielles à notre cause. Nous ne pourrons pas sauver l'humanité sans sacrifices.

— Pas de progrès sans sacrifices, dis-je avant d'avaler avec difficulté et de ciller des yeux.

Je n'avais pas l'intention de proférer ces mots, mais, au moins, je m'en suis rendu compte après coup.

Elle s'immobilise et incline la tête d'un côté pour m'étudier. Le cœur battant, je conserve une expression neutre en fixant un point sous ses yeux.

Apparemment satisfaite, elle se retourne et tape un code d'accès, puis la porte s'ouvre. Je m'en veux de n'avoir ni observé le geste de Mme Kalin ni mémorisé le code. Je dois rester alerte, sur mes gardes. C'est difficile, en ce moment. L'empêcher d'exercer une maîtrise absolue sur mon cerveau exige déjà beaucoup d'effort.

Je ravale un cri.

Le long des murs s'alignent de hautes cages en métal à peine assez larges pour permettre aux cobayes de s'asseoir. À notre entrée, les cages s'entrechoquent, des cris fusent. La puanteur du sang et des déjections humaines est insupportable.

Certains occupants peuvent bouger ; d'autres ont les membres entravés par des fers et de lourdes chaînes métalliques attachées aux barreaux. Certains captifs ressemblent à des Déchiqueteurs plus qu'à des humains.

Devant chaque cage, je suis désespérée à l'idée de trouver Scout. J'espère qu'il n'est pas dans cette salle horrible. J'espère que le fait d'avoir accepté de le tuer suffira et que Mme Kalin ne m'obligera pas à aller jusqu'au bout. Peut-être a-t-elle d'autres raisons de me montrer cet endroit.

Le Déchiqueteur d'à côté ronge sa cage. Les épais barreaux causent plus de dommages à sa bouche que l'inverse.

Prise de haut-le-cœur, je regarde ailleurs.

— Quand cette salle a-t-elle été nettoyée la dernière fois ? demande Mme Kalin.

En me retournant, je constate que nous ne sommes pas seules. Un homme se tient là, vêtu lui aussi d'une blouse blanche, sauf que la sienne est éclaboussée de sang.

— Je m'en occupe tout de suite.

L'homme court vers un tuyau d'arrosage. Il tire sur un levier, et un fort jet d'eau jaillit, heurte un homme de plein fouet et le propulse contre les barreaux de sa cage. Une eau crasseuse coule dans une goulotte le long du mur et se déverse dans un drain.

Mme Kalin saisit mon visage dans sa main et me regarde droit dans les yeux.

— Nous ne sommes pas des barbares. Nous traitons nos volontaires le plus humainement possible. Ils ont même droit à des bains, tu vois ?

— Vous êtes très bons, dis-je.

Je réprime un frisson et je feins de mon mieux la sincérité. Puis je balaie une fois de plus les cages du regard. *Pourvu que Scout ne soit pas dans cette salle…*

Une des cages renferme un homme maigre aux cheveux gris, fins et clairsemés. Des habits sales et tachés de sang s'accrochent à sa silhouette squelettique ; des cicatrices inégales et des blessures fraîches parsèment sa peau mince, fine comme du papier. N'ayant plus la force de se lever, il est tenu debout, au fond de la cage, par une corde passée sous ses bras. Sa tête penche vers l'avant.

— Il est vivant ?

— Je n'en suis pas sûre, avoue Mme Kalin.

Je me rends alors compte que j'ai exprimé mes doutes à voix haute. D'un geste, elle ordonne à l'homme au tuyau de s'approcher. Il braque le jet impitoyable sur le corps du vieil homme.

Sous l'effet de la peur et de la stupeur, il lève la tête, et nos regards se croisent.

Son angoisse me transperce, et je baisse les yeux, incapable de maintenir le contact visuel, honteuse de ne pouvoir mettre un terme à cette boucherie.

— Ça, c'est très malheureux, dit Mme Kalin.

Je m'aperçois qu'elle est passée de l'autre côté de la salle et qu'elle se tient devant un corps affalé sur le sol… un corps qui, soumis au puissant jet d'eau, ne réagit pas.

Elle me fait signe d'approcher et, luttant contre la nausée, je traverse la pièce. Mes jambes tremblent à chaque pas.

Elle ouvre la cage. Je sens la bile monter dans ma gorge, puis les larmes, puis la colère. C'est Scout.

Me penchant, je le prends dans mes bras, mais il est froid et raide, son cadavre couvert d'ecchymoses, de lacérations et de brûlures.

— Non ! crié-je. C'est mal. C'est horrible. Aucune expérience ne justifie de telles atrocités. Vous torturez ces gens, vous les tuez !

Traversée de part en part par la colère, je me tourne vers Mme Kalin.

— Vous êtes un monstre!

Elle me regarde dans les yeux.

— Bien sûr que non. Tu sais que c'est faux, dit-elle. Je suis ta nouvelle mère. Je t'aime. Je tiens à toi. Je te comprends. Tu n'as que moi.

Elle a raison. Je l'aime.

Je romps le contact visuel et, penchée, haletante, je reprends possession de mon esprit.

Je dois me battre. Je dois résister au confort qu'elle me propose, à ma volonté instinctive de lui plaire, à mon envie d'être aimée. Il est faux de prétendre que je n'ai qu'elle, mais je dois admettre qu'elle a été bien inspirée d'évoquer ma mère. Elle a failli réussir. Elle me manipule depuis notre première rencontre.

Elle me caresse le dos et je me relève, la laisse me prendre dans ses bras réconfortants. Pourtant, je ne céderai pas. Je dois refouler le chagrin que me cause la mort de Scout. En ce moment, je ne peux pas me permettre d'émotions aussi fortes. Je dois rester ferme.

— Je sais que ton ami te manquera, dit-elle. Mais vois le bon côté des choses: tu n'as plus à le tuer, maintenant.

Je me cramponne à elle. Je dois l'empêcher de me regarder dans les yeux. Sinon elle saura la vérité. Elle saura combien je la hais.

— Laissez-nous, ordonne-t-elle à l'homme.

Il arrête l'eau qui sort de son tuyau impitoyable et quitte la pièce.

Ayant réussi à mettre mes émotions en veilleuse, je lâche Mme Kalin et m'écarte en évitant son regard.

— Ça vaut mieux, dis-je. Scout a donné sa vie à la science. C'est une noble mort. Pour le bien du Havre tout entier.

— Exactement, confirme Mme Kalin, tout sourire. Je savais bien que je ne m'étais pas trompée à ton sujet.

— Vous avez autre chose à me montrer? lui demandé-je. Je veux tout savoir.

— Pas si vite, dit-elle en agitant l'index. Tu n'as pas encore mené ta tâche à bien.

Je recule de quelques pas et je regarde à gauche et à droite pour cacher ma réaction. Après tout cela, après que j'ai tenu dans mes bras le cadavre de Scout, elle s'attend toujours à ce que j'exécute quelqu'un?

Elle plisse les yeux.

— Je croyais que tu avais bien saisi l'importance de l'enjeu.

Elle s'avance vers moi en décrivant lentement un cercle.

— Si tu préfères, je peux ordonner aux Confs de procéder à ta liquidation…

Ma poitrine se serre. Je ne peux pas justifier la mise à mort d'un innocent, même si c'est pour sauver ma propre vie. Mais je ne veux pas mourir.

— Je ne suis pas sans-cœur, poursuit Mme Kalin. Je vais te faciliter la tâche. Pour ta démonstration, tu peux choisir qui tu veux. Regarde autour de toi, ajoute-t-elle en balayant les cages d'un geste de la main, et décide. Montre-moi de quoi tu es capable.

Le vieil homme gémit. Je me tourne vers lui. Il me fixe d'un air implorant, et je n'ai aucun mal à deviner qu'il me demande de l'achever, m'en donne sa permission, mais je dois m'en assurer. Si j'arrive à entendre ses pensées, je saurai ce qu'il veut.

Je m'approche de sa cage et je remarque que du sang imbibe son t-shirt. Sans doute a-t-il une plaie béante à l'abdomen. Ses yeux sont vitreux. J'ai beau ne pas être une experte, il me semble à deux doigts de la mort.

— Allez. Montre-moi.

Mme Kalin se campe à côté de moi, son impatience palpable.

— Prouve-moi que tu es une Élue et je te garderai à mes côtés. Je te protégerai. Je te traiterai comme ma fille.

Au mot «fille», ma colère et mon désir de vivre se raffermissent. Je suis déjà la fille de quelqu'un. Mon père et mon frère ont beau vivre loin de moi, ils m'attendent à l'Extérieur. Je ne peux renoncer à l'espoir de les revoir un jour.

Rares sont ceux qui sauront résister aux dons de Mme Kalin. Elle peut forcer n'importe qui à avoir confiance en elle, à la suivre. Pendant un certain temps, j'ai moi-même cru que Scout était en sécurité à l'hôpital. Je ne peux pas lui permettre de s'emparer de tous les esprits du Havre.

Je dois lui faire croire que je suis avec elle… jusqu'au moment où je trouverai le moyen de l'arrêter. Moi morte, sa victoire est assurée.

Puisqu'elle exige que je lui montre toute l'étendue de mon pouvoir, je vais rompre la promesse que je me suis faite de ne plus recourir à ma Déviance pour tuer. Je n'ai pas le choix.

Regardant l'homme dans les yeux, j'établis aussitôt le contact.

Tue-moi, pense-t-il. *S'il te plaît. Maintenant. Je n'en peux plus.*

Je me concentre sur son cœur. Faible, il s'accélère à mesure que je serre. Je sens son sang couler. Une bonne pression, et il sera mort.

Je me détourne. Je ne peux pas. Je ne peux pas prendre une autre vie, en particulier celle d'un homme réduit à un tel état d'impuissance. Je veux venir en aide à cet homme, abréger ses souffrances, mais pas de cette façon. En le supprimant, je ne sauverais que ma vie. Rien ne justifie le meurtre. Non. Si je dois me résoudre à un acte aussi répugnant, c'est Mme Kalin que je tuerai.

Un fracas me tire de mes réflexions. Je me retourne.

Un Déchiqueteur s'est échappé de sa cage et fonce vers nous. Mme Kalin plonge vers un bouton rouge sur le mur, mais le Déchiqueteur la saisit et enfonce ses dents dans son épaule.

— Hé! crié-je.

Le Déchiqueteur lève la tête. Du sang dégouline de ses dents.

Mme Kalin me regarde en face.

— Aide-moi!

La douleur dans ses yeux, sa supplication, me comprime la poitrine. Je ne peux pas laisser le Déchiqueteur lui faire du mal.

J'établis le contact visuel avec lui. Puis, en me concentrant sur son cerveau, je serre et tords. Le Déchiqueteur pousse un cri, et le son, horrible, rappelle celui du métal qui grince contre du métal. Il lâche Mme Kalin, qui tombe par terre.

Maintenant le lien, je me concentre sur le cœur du Déchiqueteur et je sens le sang s'épaissir, le cœur ralentir. Mme Kalin voulait une démonstration ? Je vais lui en donner une. Ce monstre s'en est pris à elle. Il s'en est pris à ma nouvelle mère. Je vise les vaisseaux sanguins de son cœur, puis je le gorge de sang et ensuite je bloque la sortie. En serrant fort, je pousse plus de sang vers le cœur et le Déchiqueteur ouvre grands les yeux. Je sens son cœur se dilater, se remplir de la vase épaisse qui lui tient lieu de sang.

La bête hurle de nouveau, se tient la poitrine, déchire sa chair et découvre sa cage thoracique. Je comprime, comprime.

Le cœur du Déchiqueteur explose.

Un sang aussi foncé que du goudron jaillit de son torse. La créature s'écroule, et Mme Kalin pousse un cri quand le cadavre s'abat sur elle.

Je repousse le monstre. Son sang recouvre Mme Kalin, défigurée par la terreur. À genoux, elle tend les bras vers moi et me presse fort contre elle.

— Tu m'as sauvé la vie.

Des préposés entrent en trombe. Des bruits me bombardent les oreilles. Quelqu'un arrache Mme Kalin à mon étreinte et lui donne un masque qu'elle pose sur son visage. De la poussière. Elle en respire pour guérir sa blessure à l'épaule. Grâce au ciel, elle est tirée d'affaire.

Un homme en blouse blanche m'aide à me relever. Ses lèvres bougent. Je saisis des sons, mais pas les mots. Je n'entends que le sang qui afflue à mes oreilles. Je suis étourdie. Malgré cela, je ne peux pas perdre connaissance. Je ne le permettrai pas. Je me laisse tomber par terre où, assise, j'essaie de comprendre ce qui vient d'arriver, ce que j'ai fait. J'ai tué un Déchiqueteur pour sauver Mme Kalin.

Quelques instants plus tôt, j'étais décidée à la supprimer. Et pourtant, tout ce que je me demande, en ce moment, c'est si j'ai réussi son test.

CHAPITRE
TRENTE-SIX

Mme Kalin hoche la tête d'un air approbateur en me voyant entrer dans la pièce principale de son appartement, toute propre après un bain et vêtue de la robe qu'elle m'a achetée la semaine dernière. Je croyais alors qu'elle se montrait simplement gentille. Maintenant, je pense plutôt qu'elle préparait la journée d'aujourd'hui.

Elle-même porte une robe grise lustrée. Elle a aussi fait sa toilette, ce qui signifie qu'elle a chez elle plus d'une salle de bains. Dans les Mans, des centaines de locataires partagent une seule pièce dotée d'eau courante. Mme Kalin, quant à elle, semble vivre sans partenaire de mariage, dans cet énorme appartement comptant de multiples pièces.

— Où est M. Kalin ? demandé-je.

— Il n'y a pas de M. Kalin.

Elle déplace un objet pointu en verre posé sur une table en bois. S'agit-il d'une simple décoration ?

— Je croyais que le titre de « Madame » était réservé aux femmes mariées ?

— Ce titre confère de l'autorité. C'est pour cette raison que je l'ai adopté.

Elle désigne le canapé. Un riche tissu orange foncé recouvre des coussins rebondis aussi épais que des poutres en métal. La comparaison avec les poutres s'arrête toutefois là. Je m'assieds et je m'enfonce dans la douceur. Les coussins m'absorbent, m'enveloppent, me caressent, apaisent tous mes maux.

Je ne peux cependant pas baisser ma garde.

Depuis que nous sommes parties de l'hôpital, Mme Kalin ne m'a pratiquement pas quittée des yeux. En même temps, elle a évité tout contact visuel. Pour un peu, son dilemme m'arracherait un sourire : en effet, elle doit, avant de tenter d'influencer mes pensées, songer que je risque de faire exploser son cœur comme celui du Déchiqueteur.

D'ailleurs, je ne devrais pas hésiter. Jamais l'adage selon lequel la fin justifie les moyens n'a été plus vrai. Mme Kalin est dangereuse.

Je n'ai qu'à trouver le bon endroit et le bon moment. Si j'agis ici, le Conf posté derrière la porte saura que c'est moi qui l'ai tuée. Plus important encore, je dois, avant de l'éliminer, obtenir quelque chose d'elle. Scout est mort, mais je dois tout mettre en œuvre pour m'assurer que mes autres amis sont en sécurité, à supposer qu'ils soient toujours en vie.

— Ce soir, après l'Anniversaire du Président, dit-elle, tu t'installeras dans ma chambre d'amis. Tu veux un verre de limonade ?

— Vous voulez que je m'installe ici ?

Elle a une chambre d'amis ?

— Évidemment.

Elle ouvre une petite boîte luisante et verse un liquide pâle et translucide dans deux verres identiques.

— Tu n'es plus orpheline. Aux RH, j'ai déjà rempli les papiers d'adoption. Je suis ta mère, à présent.

Elle sourit, établit le contact visuel.

— À titre de mère et de mentor, je tiens par-dessus tout à ce que tu réalises ton plein potentiel. Et je ne permettrai plus qu'on te fasse du mal. Jamais.

Mon esprit bourdonne, et je ne trouve rien à répondre. En réalité, l'idée d'avoir de nouveau une mère me réconforte. Comment ai-je pu croire qu'elle était dangereuse? Je cligne des yeux. Je m'en souviens. Elle n'est pas ma mère. Ces pensées ne sont pas les miennes.

— Je… J'ai besoin de votre aide.

— Pour quoi, ma puce? demande-t-elle en refermant la boîte luisante.

— C'est Cal… Il a été arrêté. Et deux de mes amis ont disparu. Je dois savoir s'ils sont en sécurité.

Elle me tend un des verres et s'assied, près de moi, dans un fauteuil qui a l'air beaucoup moins confortable que le canapé où j'ai pris place, bien que, pour ma part, je n'aie jamais vu de fauteuil plus luxueux. Même ses accoudoirs sont capitonnés.

Tenant son verre à deux mains, elle se penche et pose ses coudes sur ses genoux serrés l'un contre l'autre. Sa robe brille comme du métal.

— Tu m'as sauvé la vie, Glory. Je vais t'aider du mieux que je peux. Qu'est-ce qui te laisse croire que tes amis ne sont pas en sécurité?

Ma bouche s'assèche d'un coup. Je prends une gorgée du liquide et j'écarquille les yeux.

— Qu'est-ce que c'est ?

— Ta première limonade, répond-elle en me gratifiant d'un clin d'œil. Simplement du citron pressé dans de l'eau avec un peu de sucre.

J'ai entendu parler du citron, mais je n'y avais encore jamais goûté.

— Et le sucre, qu'est-ce que c'est ?

Elle se cale dans son fauteuil en produisant un petit bruit avec la langue.

— J'ai hâte de t'initier à certains des plaisirs les plus rares offerts par le Havre.

La limonade est aigre et douce en même temps, et j'en bois une autre gorgée en constatant avec émerveillement qu'une chose peut être à la fois saisissante et rafraîchissante. C'est délicieux. Je souris à Mme Kalin, puis je baisse les yeux. Je dois me montrer plus prudente. J'ai encore un semblant de conscience, même si je n'arrive plus à distinguer avec certitude mes propres pensées des siennes. Je dois mettre de l'ordre dans mes priorités.

— Raconte-moi ce qui ne va pas.

Sa voix est réconfortante. Et tant pis si le prix à payer pour son aide est qu'elle m'influence.

— Une de mes amies, qui s'appelle Jayma, est soupçonnée de sabotage. Elle est innocente. L'autre est un jeune Déviant… sur qui je suis tombée par hasard. Je les ai cachés dans l'espoir de les aider. Ils ont disparu.

— Je ne savais pas que ces enfants étaient tes amis, dit-elle.

Elle glisse les mains sur les accoudoirs de son fauteuil. Puis elle me regarde dans les yeux.

— Je suis navrée. Il est trop tard. Ils sont partis.

— Partis?

Ma gorge se contracte. J'essaie de m'accrocher à son regard pour lire dans ses pensées, mais elle se détourne.

— Partis où? demandé-je. S'il vous plaît. Il faut que je les aide. Si vous pouvez intervenir, madame Kalin…

— Appelle-moi «maman», commande-t-elle en me regardant dans les yeux. Je regrette, mais il est trop tard.

— Trop tard.

Mon cœur se serre, et mes yeux se gonflent de larmes. Elle s'avance vers moi, pose mon verre de limonade sur la table et me serre dans ses bras. Son câlin me donne envie de me laisser aller, de m'abandonner au réconfort qu'elle m'offre.

Hébétée, je cligne des paupières à quelques reprises pour repousser les larmes et je me ressaisis. Je ne dois pas lui permettre d'envahir mon esprit.

— Et Cal? Quand pourrai-je le voir?

Elle me saisit par les épaules et me regarde droit dans les yeux.

— Inutile de le revoir. Nous te trouverons un partenaire plus convenable.

— Mais…

Elle brandit sa main délicate.

— Tu crois l'aimer, mais c'est parce que tu es jeune. Ce n'est pas vrai. Tu t'en remettras. D'ailleurs, l'amour n'est pas la condition première d'un bon jumelage. Ce qui compte, c'est unir ton ADN à celui d'un autre et créer des enfants, de futurs employés du Havre. Et on ne doit pas gâcher une Élue en l'appariant à un partenaire aussi quelconque.

Ses mots me réconfortent. Mes épaules se détendent, et ma respiration s'apaise.

— Oui, je trouverai quelqu'un d'autre. Un garçon plus convenable, dis-je.

Pourtant, je suis encore assez moi-même pour savoir qu'elle a tort.

— Bien, dit-elle en retournant à sa place avant de boire une longue gorgée de limonade.

L'esprit brumeux, je prends à mon tour une rasade. Je joue un jeu dangereux. Je dois la laisser me regarder dans les yeux assez souvent et assez longtemps pour lui faire croire qu'elle influence mes pensées, mais pas suffisamment pour qu'elle y réussisse vraiment ou que son emprise persiste.

Je ne suis pas du tout certaine de pouvoir l'emporter. Je suis faible. Je suis triste. Je suis vaincue. Et j'ai honte de me sentir beaucoup mieux quand j'accepte l'influence rassurante de Mme Kalin. En ce moment, mes propres pensées me sont insupportables.

En la regardant dans les yeux, je dis d'une voix ferme :

— Même si Cal ne sera pas mon partenaire, j'aimerais le revoir. Pour lui dire adieu.

Elle secoue la tête.

— Je regrette, c'est impossible. Nous n'avons pas le temps. Si nous ne nous mettons pas bientôt en route, nous risquons d'arriver en retard aux célébrations. Il est important que tu assistes à la cérémonie d'aujourd'hui.

À la pensée de l'attentat terroriste projeté, je frissonne.

— Pourquoi ?

— Parce que tu mérites un traitement de faveur, évidemment. Tu mérites de t'amuser un peu.

Elle sourit, mais j'évite son regard en me détournant.

J'ai manqué à mes obligations envers Jayma et Tobin. Envers Scout aussi. Je dois tout mettre en œuvre pour sauver Cal.

— Je sais que vous me trouvez spéciale, mais...

— Élue. Tu es Élue.

— Ça veut dire que je ne peux pas parler à des non-Élus ?

Elle tambourine sur son verre du bout des doigts, un soupçon d'impatience sur le visage. Elle établit le contact visuel, puis elle regarde ailleurs, manifestement pleine d'appréhension.

— Bien sûr que tu peux parler à des non-Élus, car nous sommes d'une espèce plutôt rare, toi et moi, mais pas à Cal. C'est tout simplement impossible.

— Pourquoi ?

Dans son fauteuil, elle se penche vers l'avant et pose son bras sur le dossier.

— Parce que ce soir, dans le cadre des célébrations, il sera liquidé.

Je me lève d'un bond et me mets à genoux devant elle.

— Non, s'il vous plaît. Sauvez-le.

Elle passe une main dans mes cheveux.

— Si c'était en mon pouvoir, je n'hésiterais pas un instant, ma puce. Il a été reconnu coupable de fraude au terme d'une enquête menée par les Confs. J'ai les mains liées.

— Vous m'avez bien fait libérer, moi !

— C'est différent. Tu es Élue. Tu es ma fille.

— Mais si vous avez réussi à convaincre le Président de mon innocence, comment Cal peut-il être coupable d'avoir tenté de me disculper d'un crime que je n'ai pas commis ?

Elle secoue la tête.

— Ce n'est pas si simple.

Je lui prends les mains.

— Je vous ai sauvé la vie. Pourquoi me refusez-vous ce que je vous demande ?

Elle me regarde avec une expression glaciale.

— Je t'ai sauvé la vie, moi aussi, réplique-t-elle d'un ton cassant. Sans moi, tu aurais été liquidée. Je te conseille de t'en souvenir.

CHAPITRE
TRENTE - SEPT

Les genoux tremblants, je monte sur la passerelle d'observation qui domine le Centre, juste en face des plus grands écrans qui, vus d'ici, semblent cinq fois plus énormes. La pièce est peinte en rouge foncé, et les meubles, tout en chrome et en cuir noir lustré, scintillent. Mon regard se porte sur des objets beaux et somptueux dont je n'aurais même pas pu soupçonner l'existence, encore moins leur concentration dans un seul et même endroit. Mais je ne dois pas me laisser distraire.

La pièce s'ouvre sur le balcon présidentiel qui, d'un côté, surplombe le Centre.

Je me demande si, en m'entraînant ici, Mme Kalin me soumet à un autre test cruel. Je l'espère presque. En restant calme et en obéissant à ses ordres, j'obtiendrai peut-être qu'elle change d'idée et gracie Cal. Je dois garder mon sang-froid, préserver mes propres pensées, alors que mes défenses faiblissent. À force de l'empêcher d'entrer dans mon esprit, je suis fatiguée et j'ai mal à la tête.

— Tu devrais être honorée d'être ici, Glory, déclare Mme Kalin en me regardant droit dans les yeux. Je me rends compte que la journée a été éprouvante et que tu as appris quelques mauvaises nouvelles. En tout cas, je suis fière de ta résilience.

— Merci. Au fait, comment va votre épaule?

— Beaucoup mieux, ma chérie, merci, répond-elle en se rapprochant. La poussière m'a beaucoup aidée. La blessure est presque guérie.

Je hoche la tête, consternée de constater que je suis heureuse qu'elle se sente mieux, fière qu'elle ait assez confiance en moi pour me communiquer des informations ultrasecrètes.

Tous les membres de la Haute Direction s'entassent dans cette pièce. Avec la main de Mme Kalin dans mon dos, mes dernières défenses tombent, et je m'abandonne au sentiment que j'ai d'être la fille la plus chanceuse et la plus importante du Havre. Des Confs en uniforme sont postés aux quatre coins, et deux autres ont pris place sur le balcon, tenant leur foudroyeur.

Je suis spéciale. Je suis en sécurité. Je suis Élue.

— Je suis fière de toi, répète Mme Kalin, ses yeux étincelants empreints de bonté. J'ai besoin de toi, ce soir. Ce soir et tous les jours qui suivront.

— Vous avez besoin de moi.

Les moindres fibres de mon être aspirent à lui plaire. J'ai hâte qu'elle me redise qu'elle est fière de moi. Je vais tout faire pour me montrer digne d'elle.

— Aujourd'hui, ajoute-t-elle, tu as été habile et courageuse. Je sais que c'était difficile.

— Très difficile.

— Mais nous devons agir sans tarder. Pour le bien du bon peuple du Havre.

— Qu'attendez-vous de moi?

Mme Kalin m'entraîne d'un côté du balcon où on ne risque pas de nous entendre. Les lumières qui clignotent sur tous les écrans du Centre ne m'aident guère à me concentrer.

— Dans un instant, le Président s'avancera vers le micro pour saluer le Havre en cette journée d'anniversaire.

Je hoche la tête.

— Que voulez-vous que je fasse?

Un doux sourire se répand sur son visage et me réchauffe l'intérieur.

— Tu vas lui remettre un cadeau.

— Un cadeau? Je n'ai rien apporté.

Je panique. Elle va être déçue.

Elle pose sa main contre ma joue.

— N'aie pas peur, ma puce. Tu vas lui présenter un cadeau au nom de tous les employés du Havre.

— C'est un grand honneur.

De la musique monte, et je me tourne pour en repérer la source, mais elle tire doucement sur mon menton pour m'obliger à être attentive.

— C'est un honneur plus grand encore que tu le penses, car tu ne te contenteras pas de lui présenter le cadeau.

Je sens l'excitation croître en moi. Pour un peu, je trépignerais.

— Après avoir été témoin de ton pouvoir, aujourd'hui, à l'hôpital, je sais que le moment est enfin venu. Avec toi à mes côtés, je suis prête. Le Président doit partir.

— Partir?

— Oui, il est temps que je prenne les choses en main, me confie-t-elle en se penchant. Ce soir, je serai nommée Présidente.

— Ah bon ?

Je serre ses mains. J'ai l'impression que les lumières clignotantes et la musique solennelle contribuent à notre propre célébration.

— Oui. Le Havre se portera beaucoup mieux sous mon règne, même si une infime minorité résiste.

« Résiste. » Le mot déclenche une réaction en moi, et je me souviens de ce dont elle est capable, de l'effet qu'elle a sur les esprits. Je me sens engourdie. En pivotant vers elle, j'aperçois une image de Cal sur l'écran, de l'autre côté du Centre. Des Confs le tiennent devant ce que je sais être la porte utilisée pour les liquidations.

Je cligne des yeux. Je dois lui plaire pour sauver Cal, peu importe ce qu'elle me fait subir. Et tant pis si elle joue dans ma tête.

Mme Kalin se tourne vers moi. Je veux lui plaire ; elle est ma mère, désormais. Ma décision n'est pas influencée par elle. Ou l'est-elle ? Je ne sais plus.

— Fais-le pour moi, et ton Cal aura la vie sauve.

Mes poumons se gonflent d'air et d'espoir.

— Tout ce que vous voulez.

Elle pose ses mains sur mes épaules et me regarde droit dans les yeux.

— L'avenir du Havre est entre nos mains. Les tiennes et les miennes. Quelques êtres à l'intellect inférieur opposeront de la résistance, c'est inévitable, mais nous éliminerons les plus simples d'esprit, comme l'ex-VP de la Conformité.

— M. Belando.

— Non, répond-elle avec une moue. Je n'ai observé chez lui aucun signe de résistance. Je voulais parler de son prédécesseur, M. Singh.

Mon esprit bourdonne. Je me suis déjà demandé si c'était M. Belando qui avait assassiné son ancien patron. En réalité, c'était Mme Kalin. Elle est puissante, elle est forte. Et c'est ma nouvelle mère. J'ai de la chance.

— Il devait partir, dit-elle.

— Il devait partir, répété-je. Pour le plus grand bien de tous.

Son visage se fend d'un très grand sourire.

— Oui. Je savais que tu comprendrais. J'ai réussi à convaincre le Président de te laisser sortir de prison, mais il donne des signes de pensée réfractaire. Je ne peux pas lui permettre de nous faire du mal, de te faire du mal, de compromettre l'avenir du Havre.

— Avec vous, je serai en sécurité ; avec vous, nous serons tous en sécurité.

— Toujours, confirme-t-elle en souriant et en pressant mes épaules. Une fois le Président éliminé, nous réformerons le Havre, toi et moi. Dès que j'aurai accès à l'ensemble des écrans du Service des Communications et que j'aurai la mainmise sur le Système, j'expliquerai notre pensée à tous les employés du Havre. Les résistants…

Elle se penche un peu plus.

— Tu supprimeras ceux qui nous menacent.

— Je supprimerai ceux qui nous menacent.

Mon esprit cède et résiste à sa volonté. Ses propos semblent parfaitement raisonnables. Pourquoi ne pas éliminer les menaces ? Puis je cligne des yeux à quelques reprises et je comprends sa proposition. Elle veut que je tue tous ceux dont l'esprit refuse de se soumettre au sien. Elle veut que je me serve de ma Déviance pour tuer, à commencer par le Président. Ce soir.

— Le moment est venu pour nous deux de régner sur le Havre, déclare-t-elle. Ensemble, nous améliorerons le niveau de vie. Grâce à nous, le Havre réalisera son plein potentiel, deviendra un endroit où il fait bon vivre, où les récompenses sont accordées en fonction des talents des employés et non de leurs contacts ou de leurs antécédents familiaux.

Ce programme vaut assurément mieux que le statu quo. Mme Kalin n'a donc pas été sourde à mes idées.

— Dites-moi ce que vous attendez de moi.

Je ferme les paupières, et un brouillard passe devant mes yeux, voilant mes pensées.

Mme Kalin est ma mère, désormais. C'est la femme la plus brillante et la plus extraordinaire que j'aie rencontrée.

— Dites-moi, commencé-je en me penchant vers elle, dites-moi ce que vous attendez de moi.

Elle pose la main sur ma joue.

— En remettant son cadeau au Président, tu feras la démonstration de ton talent unique. Tu prouveras à mes yeux que tu es vraiment une Élue. Tu t'arrangeras pour qu'on le croie mort de causes naturelles. Crise cardiaque. Personne ne se doutera de notre rôle.

— Personne ne se doutera de rien.

— Tu comprends ce que j'attends de toi, Glory?

— Oui.

Si c'était mal d'agir ainsi, elle ne me le demanderait pas. Je désire par-dessus tout lui plaire. J'ai été privée de mère pendant trois ans. Je n'ai pas l'intention de décevoir ma nouvelle maman.

Elle approche ses lèvres de mon oreille.

— Le moment est venu de te montrer à la hauteur de ton nom, de réussir un exploit glorieux. Le moment est venu de mettre un terme au règne du Président.

Elle me guide vers l'un des hommes réunis au fond de la pièce. À côté de lui se tient un garçon d'environ dix ans.

— Monsieur Alast, commence Mme Kalin, je vous présente ma fille, Glory. Glory, voici le VP principal des Ressources humaines, M. Alast.

L'homme tend la main, et je la serre.

— Enchantée, monsieur.

— Monsieur Alast, poursuit Mme Kalin en commandant son attention, c'est Glory qui, au nom des employés du Havre, offrira le cadeau au Président

Le garçon se tourne vers M. Alast.

— Mais c'est moi qu'on a choisi!

Mme Kalin se penche sur le garçon et pose un doigt sous son menton pour l'obliger à la regarder dans les yeux. Je ressens un pincement de jalousie.

— Tu auras ta chance un autre jour, lui dit-elle. Aujourd'hui, l'honneur revient à cette fille.

Le garçon sourit.

— Oui, l'honneur revient à cette fille.

Il me tend la boîte. Ma jalousie se dissipe. Je ne me suis jamais sentie si heureuse et si spéciale, si aimée et si valorisée, même quand j'étais petite. Le visage de ma première mère me traverse l'esprit à la façon d'un éclair.

Dans ma tête, il y a un déclic, un glissement. Vacillante, je perds l'équilibre.

— Ça va? me demande Mme Kalin.

— Oui, ça va.

Je lutte pour mettre de l'ordre dans mes idées. Je viens d'accepter de tuer le Président.

Je perds la raison. Quand j'écoute Mme Kalin, je me sens sûre de moi, heureuse, forte et en sécurité, mais elle *n'est pas* ma mère. Ma mère est morte. Morte à cause de mon incapacité à maîtriser ma Déviance. Et maintenant, Mme Kalin exige que je m'en serve pour tuer.

Si ma mère avait survécu à mon agression, elle m'aurait pardonné plus facilement que je me suis pardonné. Ma mère m'aimait inconditionnellement, même quand je me comportais comme une enfant gâtée. En plus, j'ai un père qui m'aime, en dépit du mal que j'ai fait.

Je ne dois plus laisser Mme Kalin s'insinuer dans ma tête. Je ne dois plus permettre à quiconque de s'immiscer dans les replis les plus précieux de mon esprit, où sont stockées les émotions réservées à ma famille.

Mme Kalin *ne fait pas partie* de ma famille, et elle utilise contre moi mes souvenirs les plus chers, mes émotions les plus sacrées. Je la déteste.

Des acclamations fusent dans le Centre, tout en bas. Je constate que le Président s'est avancé au bord du balcon.

— C'est le moment, dit Mme Kalin en me poussant doucement dans le dos.

— C'est le moment, répété-je.

Elle doit croire que je suis encore en son pouvoir.

— Tu sais ce que tu as à faire, dit-elle.

— Je sais ce que j'ai à faire.

— Bonne fille, dit-elle en me serrant la taille pendant que nous marchons. Je suis si fière de toi.

Je m'avance vers le Président, à l'avant du balcon, les yeux rivés devant moi. La foule pousse de nouvelles acclamations. Mon image, agrandie plusieurs fois, est projetée sur tous les écrans du Centre.

— Et voici maintenant Jonathan qui, au nom des loyaux employés du Président, va offrir à ce dernier un...

L'annonceur hésite.

— Sans doute a-t-on apporté un changement de dernière minute. Je suis sûr que cette jeune femme, qui qu'elle soit, est ravie de représenter les autres employés.

La foule rugit, et je peux presque sentir le bruit qui s'élève vers les hauteurs du Centre, jusqu'au balcon.

Mme Kalin s'avance vers le micro. À voir la tête du Président, je devine que cette intervention n'était pas prévue au programme.

— Chers employés, commence-t-elle.

La caméra zoome sur son visage. Tous les employés réunis dans le Centre fixent les yeux de Mme Kalin sur l'un des écrans.

— C'est une grande journée, aujourd'hui, et j'ai choisi une jeune femme exceptionnelle pour nous représenter tous : ma fille, Glory.

D'un geste, elle m'invite à m'avancer. J'obéis, et la foule se déchaîne de nouveau.

Savourant l'adoration et la liesse populaires, je jette un coup d'œil à l'image de Mme Kalin sur l'un des écrans. Elle me sourit avec tant d'amour et de fierté que mon esprit bascule presque, mais je m'accroche à mon vrai moi. Je ne laisserai pas cette sensation, aussi délicieuse soit-elle, me monter à la tête.

Les habitants de la Colonie emploient le mot «Élus» pour désigner les Déviants. Mme Kalin, elle, l'entend dans un autre sens. Elle se croit supérieure à tous les autres et veut régner sans partage sur le Havre en misant sur sa capacité à laver les cerveaux. D'après mes observations, elle y réussira, surtout si elle peut compter sur moi pour éliminer les récalcitrants. Moi-même, je lui résiste de plus en plus difficilement.

Si elle parvient à ses fins, personne ne sera en sécurité dans le Havre. Ou serons-nous tous plus en sécurité? Je n'arrive pas à trancher. Quel serait le prix de la sécurité offerte par cette femme? La sécurité vaut-elle que nous renoncions à notre capacité à penser par nous-mêmes, à notre libre arbitre?

— Maintenant, chuchote Mme Kalin.

Je me tourne vers le Président. En le regardant, je me souviens de l'avoir vu jubiler, le jour où mon père a été liquidé, et des émotions assez fortes pour tuer affleurent à mon esprit. Le Président a beau être répugnant, le fait de l'éliminer ne réglera ni mes problèmes ni ceux du Havre. En obéissant aux ordres de Mme Kalin, je ne ferai que créer de nouveaux problèmes.

Le Président est le moindre de deux maux.

Je me tourne vers le micro et je me hisse sur le bout des orteils.

— Au nom des employés du Havre, je vous prie de bien vouloir accepter ce cadeau.

Je lui tends la boîte, et il me sourit en me regardant dans les yeux.

Ma Déviance se déclenche, mais je me concentre sur son front, beaucoup trop lisse pour un homme de son âge.

— Merci, jeune demoiselle.

Le Président accepte la boîte, et la foule entonne un chant pour lui souhaiter joyeux anniversaire.

Un bang attire mon attention… Une explosion aux abords du Centre. De la fumée s'élève des trois chemins qui y conduisent.

Une foule nombreuse surgit au milieu des nuages de poussière. Les armes et les habits de ces gens indiquent clairement que certains d'entre eux, à tout le moins, viennent de l'Extérieur. J'aperçois sur un drapeau ce qui m'a tout l'air d'être l'insigne de l'AL.

Mme Kalin m'agrippe par le bras.

— Tue-le. Maintenant. Pendant que tout le monde est distrait.

Le Président parle dans le micro, tente de calmer la foule. Mais, dans la clameur venue d'en bas, on a du mal à l'entendre. À l'aide d'un porte-voix, quelqu'un appelle les employés à se soulever, affirme que plus rien ne les oblige à vivre sous le joug de la Direction.

— Joignez-vous à nous ! crie l'homme. Révoltez-vous !

Il est trop loin pour que je le reconnaisse.

— Le Havre n'est pas synonyme de sécurité. Pas avec la Direction aux commandes.

L'homme au mégaphone est atteint par les électrodes d'un foudroyeur et, sur le sol, se tord de douleur. Un autre le remplace et continue à scander des slogans. Cet homme-là est abattu à son tour. Des Confs convergent vers les nouveaux venus.

La caméra zoome sur le balcon, qu'on voit sur tous les écrans du Centre, puis sur l'immeuble en contrebas.

Je tressaille. Burn grimpe à l'échafaudage sous le balcon présidentiel. Il n'arrivera jamais jusqu'en haut. Il sera sûrement abattu avant. S'il n'a pas déjà été repéré, il le sera sous peu.

À côté de moi, Mme Kalin observe la mêlée. Sur mon épaule, ses doigts pincent, pétrissent ma chair.

— Maintenant! ordonne-t-elle, les dents serrées. Maintenant! Je dois maîtriser cette foule. Tu ne vois pas que le Président est inefficace? Si je ne réagis pas rapidement, le Havre tombera aux mains des Déchiqueteurs.

Je me tourne vers elle sans me donner la peine de cacher ma peur, mes doutes.

— Tu peux y arriver, dit-elle, ses yeux s'arrimant aux miens. N'aie pas peur. Je crois en toi. Je suis fière de toi.

Je sens le calme monter en moi, suivi de la détermination. Elle a raison. Le Président a perdu la confiance des employés. Il n'a pas l'étoffe d'un commandant. Il doit partir. Seule Mme Kalin, ma nouvelle mère, saura rétablir l'ordre au sein du Havre.

— Je suis fière, moi aussi, dis-je. Fière d'être Élue. Fière de vous avoir comme mère.

Je la serre dans mes bras, puis je m'avance vers le Président.

Burn enjambe la balustrade du côté opposé du balcon. Dans la confusion, personne ne semble l'avoir remarqué. À l'instant où je l'aperçois, je vois clair dans ma tête.

Je me rappelle qui je suis, quelles pensées sont les miennes.

En revenant au Havre, je me suis juré de ne pas utiliser ma Déviance pour tuer. À cause de ce que j'ai fait à ma mère, je me suis juré de ne plus utiliser mes pouvoirs. Mais Burn a raison. Parfois, la fin justifie les moyens. Le nier équivaut à nier qui je suis. Je m'appelle Glory. La fille dont les émotions tuent.

C'est ma chance. Je dois tuer une dernière fois. Je dois éliminer Mme Kalin.

Je me tourne vers elle et, ma Déviance activée, je la regarde dans les yeux.

— Le Président, dit-elle d'une voix forte et vibrante. Tue-le. C'est la meilleure solution pour nous deux et pour le Havre.

— La meilleure solution pour le Havre, répété-je dans l'espoir de lui faire croire qu'elle maîtrise mon cerveau.

En même temps, je garde ma concentration et je fixe ses yeux. Sous le poids des efforts que je déploie pour ne pas me laisser distraire, mon corps tout entier tremble. Je dois m'accrocher à quelque chose. Son cœur s'accélère, et j'entends le flux du sang. C'est comme si son cœur était à moi. Je serre.

Son expression se transforme. Elle comprend ce que je fais. Elle sait que ses techniques de lavage de cerveau ne fonctionnent plus sur moi. Elle sait que je suis en voie de l'emporter.

Tu ne veux pas me tuer. Ses pensées m'envahissent. *Tu m'aimes. Tu ne veux pas tuer ta mère. Pas cette fois.*

Pas cette fois. Les mots m'atteignent à la façon d'un coup de poignard à l'abdomen. Des pensées contradictoires défilent dans ma tête, comme dans un stroboscope. Je ne dois pas tuer ma mère une seconde fois. Je ne veux pas tuer Mme Kalin. Je l'aime.

Non. Elle s'infiltre dans mon esprit. Je la déteste. Elle est dangereuse.

La pression monte dans mon crâne, et je porte mes mains à mes tempes dans l'espoir d'apaiser la douleur cuisante. Je dois tenir bon. Je ne dois pas la laisser gagner. Elle est trop forte.

Je romps le contact visuel; je suis pantelante, ma tête m'élance horriblement.

— Gardes! crie Mme Kalin. On m'a trahie. Cette fille n'est pas la mienne. C'est un imposteur. Une terroriste déviante qui veut assassiner le Président.

Les Confs postés sur le balcon pivotent et me font face, l'arme au poing. Touchée par plusieurs électrodes à la puissance maximale, je mourrai.

Mme Kalin s'empare du micro et, en regardant droit dans la caméra, s'écrie:

— Cette fille est dangereuse. Nous ne pouvons pas attendre une liquidation. Nous devons la supprimer maintenant; sinon c'est elle qui nous supprimera tous!

Elle se tourne vers le Président.

— Maintenant!

— À mort! À mort! scande la foule en contrebas.

Le Président fronce les sourcils.

D'un côté du balcon, Burn s'avance. Je lui fais signe de s'en aller. Rien ne l'oblige à se mêler de ce gâchis.

Je regarde les écrans, envahis par mon image. Il y a un énorme point rouge sur mon front, à l'endroit où convergent les visées laser d'au moins six pistolets. Ça y est. Cette fois, mon compte est bon. Je réussirais peut-être à désarmer l'un des Confs grâce à mon don, mais il en resterait cinq. Même si le Président n'ordonne pas mon exécution immédiate, Mme Kalin n'aura aucun mal à utiliser ses pouvoirs pour convaincre l'un d'eux d'obéir à ses ordres à elle.

— Monsieur le Président !

À en juger par l'expression de l'homme, elle a pris possession de son esprit.

— La Déviante doit mourir, lance-t-elle. Maintenant.

Le Président m'attrape par le bras.

— Je vais la tuer moi-même, dit-il en m'entraînant vers le bord du balcon.

— Non !

Burn charge, fou de rage. Presque aussitôt, il se transforme, atteint une taille de plus de deux mètres dix. Son manteau parvient à peine à contenir ses muscles.

Le Président me lâche et s'accroupit, la tête enfouie dans les bras.

Le Conf le plus rapproché pointe son foudroyeur sur Burn. Avant qu'il ait le temps d'appuyer sur la gâchette, Burn le soulève et le lance du haut du balcon. Éberluée, je regarde l'homme tomber vers une mort certaine.

Un autre Conf tire et les électrodes atteignent Burn au bras. L'électricité le traverse de part en part, et Burn rugit, de plus en plus furieux. Il les arrache de son manteau, où il fait un accroc.

Fou de rage à présent, Burn est énorme, effrayant et déchaîné. Dans cet état, il ressemble effectivement à un

Déchiqueteur, moins par son apparence que par sa volonté de tuer.

Il balance les bras, écrase des gens comme des mouches. Les Confs battent en retraite, et les VP abandonnent le balcon pour se réfugier dans l'immeuble. Seuls deux Confs demeurent.

Le Président est encore accroupi près de la rampe. Burn s'élance et le soulève aussi facilement qu'un enfant saisit une balle.

— Non ! crié-je au moment où Burn projette le Président par-dessus la rampe du balcon.

En bas, la foule rugit. De joie ou d'horreur ? Difficile à dire. Les deux à la fois, sans doute. Je me rends compte que Mme Kalin a eu ce qu'elle voulait. Le Président n'est plus. Et elle, où est-elle ?

Burn rugit à son tour devant les quelques personnes qui restent, cachées derrière les décorations déployées pour l'Anniversaire. J'aperçois alors Mme Kalin qui, tassée contre le mur, attend, observe. Burn s'avance. Si je ne l'arrête pas, il tuera tout le monde.

— Ça suffit, Burn.

J'agrippe son bras et, en se retournant, il me regarde dans les yeux.

— S'il te plaît ! crié-je. Ce n'est pas toi.

Sa poitrine s'abaisse et se soulève. Ses yeux sont rouges, furieux. Je sens la peur monter en moi. Il m'a déjà fait du mal. Je n'ai aucune idée de la maîtrise qu'il exerce sur lui-même, une fois qu'il s'est transformé. Me reconnaît-il seulement ? Serai-je la prochaine à être projetée du haut de ce balcon ? Ou écrasée à coups de poing ?

Tout ce que je sais, c'est que, redevenu lui-même, il ne se souviendra de rien. Je dois m'arranger pour qu'il m'écoute. Je dois l'empêcher de continuer à tuer.

— Ce n'est pas la solution, dis-je, cramponnée à son énorme bras. Ce n'est pas toi. Tu ne veux tuer personne.

Dans son regard, où s'opère un glissement, l'entendement revient. Du moins je l'espère.

Une explosion retentit en bas, et je me retourne. Des gens sortent du Centre en courant, jouent des coudes et se bousculent, piétinent ceux qui sont tombés. C'est la cohue.

Burn me saisit par la taille et bondit.

Sur le balcon, Mme Kalin, bouche bée, lève les yeux, une expression de stupeur sur le visage.

Je suis heureuse d'avoir empêché Burn de commettre d'autres meurtres inutiles. En revanche, j'ai laissé passer l'occasion de régler son compte à Mme Kalin.

CHAPITRE
TRENTE-HUIT

Burn m'installe sur son dos et grimpe, d'un rebord de fenêtre au suivant. J'ai peine à fermer les bras autour du cou de ce Burn format géant, et je sens sa force palpiter sous mes doigts.

En me cramponnant à lui, je baisse les yeux. Quarante étages plus bas, le Centre nage en plein chaos.

Au sommet de l'immeuble, Burn nous hisse sur le toit. Descendant de son dos, je me laisse tomber.

Deux Confs courent vers nous, pistolet au poing.

Burn me pousse derrière lui et charge. L'un des Confs tire et rate la cible. D'un geste de la main, Burn lui arrache l'arme et catapulte l'homme à l'autre bout du toit, comme s'il était aussi léger qu'une plume.

— Attention! crié-je.

Trop tard. Le second Conf a tiré à son tour et mieux visé. Les électrodes s'ancrent dans le cou de Burn. Pris de convulsions, il tombe à genoux.

Le Conf court vers Burn en intensifiant le courant électrique. Je me précipite et, attaquant le Conf par-derrière, lui cloue les bras le long du corps. Il est trop fort, cependant, et se dégage facilement. Ayant prévu ce résultat, je me laisse glisser et me mets en position de combat.

Il se retourne. J'attaque et, saisissant un de ses bras, je le fais tomber sur le dos. Il heurte le sol avec un bruit sourd et, à cheval sur sa poitrine, je remonte sa visière afin de découvrir ses yeux.

C'est Williams, un Conf qui donnait un coup de main à Larsson pour les leçons de combat.

J'active ma Déviance en m'efforçant de me rappeler comment je suis parvenue à endormir ce rat. Suis-je capable de récidiver ? De neutraliser cet homme sans le tuer ? Je me concentre sur son cerveau, m'emploie à le plonger dans un profond sommeil. Son corps se détend. J'ai réussi, du moins je l'espère. Glissant ma main sous son casque, je cherche son pouls. Il est encore vivant.

Burn, à environ cinq mètres de moi, a retrouvé sa taille normale, mais il se tord de douleur à cause des électrodes. Furieuse contre moi-même de ne pas l'avoir secouru plus tôt, je me précipite sur le foudroyeur de Williams et je coupe le courant. Je cours vers Burn et détache les électrodes, qui laissent une vilaine marque rouge dans son cou.

— Glory…

Sa voix est faible. Il porte la main à sa tête.

— Que s'est-il produit ?

— Il faut que tu te lèves, dis-je. D'autres Confs vont débarquer d'une seconde à l'autre.

Il se met debout, manifestement ébranlé. Je n'ai pas l'habitude de voir Burn dans cet état. Je passe donc son bras autour de mes épaules, son corps pesant lourdement sur le mien. Nous atteignons le bord du toit. L'immeuble voisin n'est pas loin : à peine un peu plus de trois mètres de distance, environ sept mètres plus bas.

— Tu peux y arriver?

Il hoche la tête. Je saute la première et j'atterris en roulant. Il m'imite, mais il se relève avec lenteur et marche en boitant. Nous devons trouver une cachette.

— Par ici, lance une voix, celle d'un homme qui, de l'autre côté, a passé la tête par une trappe. Venez vous cacher.

Entendant un bruit, je me retourne et j'en cherche la source sans rien voir. S'ils ne savent pas déjà où nous sommes, les Confs nous découvriront sous peu. Burn a besoin d'un peu de temps pour se remettre. Mais si l'homme tentait de nous attirer dans un piège? Burn titube, tombe presque. Nous n'avons pas le choix.

— Viens, lui dis-je.

Nous courons vers la trappe. Plus près, je reconnais Larsson.

Burn et moi le suivons par l'ouverture.

L'espace est exigu. Nous y tenons à peine, tous les trois. Une fois la trappe refermée, Larsson remonte sa petite lanterne.

Il nous intime le silence en portant l'index à ses lèvres.

Le martèlement des bottes des Confs envahit l'espace, se répercute sur les murs. Je me demande si ce cagibi a une issue, si nous ne devrions pas nous mettre en route. Larsson, cependant, reste immobile. Burn tient sa tête entre ses mains. Nous attendons. La trappe risque de s'ouvrir à tout moment, et nous serons découverts. La lueur de la lanterne s'éteint peu à peu.

Au bout de ce qui me semble une vingtaine de minutes, Larsson remonte la lanterne, et la lumière inonde l'espace.

— Je pense qu'ils sont passés. Je vais vérifier.

— Merci, dis-je.

— Nous devons rejoindre le quadrant ouest, dit Burn. Savez-vous par où il faut aller ?

Larsson hoche la tête.

— Pourquoi ce quadrant-là ? demandé-je.

— C'est la meilleure porte de sortie. À cause de l'invasion et de la liquidation, les Confs ont envahi tout le secteur nord du dôme.

Au mot « liquidation », je sens la panique monter en moi. Des Déchiqueteurs taillent-ils Cal en pièces, en ce moment même ?

Larsson entrouvre la trappe et jette un coup d'œil.

— Ne bougez pas. Je reviens dès que je me serai assuré que la voie est libre.

Il sort et referme la trappe au-dessus de nous.

— Il faut que je retrouve Cal.

J'observe Burn avec attention. J'ai peut-être commis une énorme erreur en mentionnant ce nom (et s'il se métamorphosait de nouveau ?), mais je suis très sérieuse. Je ne quitterai pas le Havre sans Cal, du moins tant que j'aurai l'espoir qu'il est toujours en vie.

— Tu arrives trop tard, dit Burn. Il a été liquidé.

— Tu n'en sais rien. Nous n'avons pas vu la porte s'ouvrir. Je refuse de laisser un autre de mes amis mourir.

— Un autre ? s'étonne Burn.

Je hoche la tête, des larmes brûlantes dans les yeux.

— Scout est mort. On l'a achevé à l'hôpital. En plus, Jayma et Tobin ont été liquidés.

— Qui t'a dit ça ? demande-t-il.

— Mme Kalin.

Il secoue la tête.

— Elle a menti. Jayma et le petit sont dans l'entrepôt où nous nous sommes vus, toi et moi.

— Non. J'ai vérifié. Ils n'y étaient pas.

— Je les ai cachés dans un tunnel. Le temps de te retrouver.

La joie chasse ma peur et mon angoisse.

— J'ai cherché l'entrée d'un tunnel dans cette pièce. Je n'ai rien trouvé.

— Tant mieux. Ça signifie qu'elle est bien cachée.

La trappe s'ouvre.

— Venez, ordonne Larsson. Vite, pendant que les Confs se concentrent sur l'émeute dans le Centre. Nous avons peut-être une chance de leur échapper, mais nous n'avons pas un instant à perdre.

Nous grimpons, puis, sur le toit, Larsson et Burn mettent le cap vers l'ouest. Je ne bouge pas.

Burn revient sur ses pas.

— Tout de suite, Glory.

Je secoue la tête.

— Je dois retrouver Cal.

— Il est trop tard, dit-il en carrant les épaules.

La bouche de Larsson se tortille. Il sait quelque chose.

— Est-il vraiment trop tard ? lui demandé-je en l'agrippant par le bras. Cal a-t-il été liquidé ?

Larsson porte une main à son oreille et règle son communicateur.

— Cal est encore à l'intérieur du dôme. Les Confs qui le détiennent près de la porte attendent de nouvelles instructions. Dans tout ce chaos, ils ne savent pas quoi faire.

Je redresse mes épaules.

— Dans ce cas, nous devons aller le chercher.

— Non, répond Burn en secouant la tête. Le Centre se trouve dans la direction opposée. Il faut choisir : c'est lui ou les deux autres.

Je recule d'un pas.

— Je ne peux pas abandonner Cal. C'est exclu. Promets-moi de mettre Jayma et Tobin à l'abri.

Sans lui laisser le temps de réagir, je détale vers le nord et saute du haut du toit.

CHAPITRE
TRENTE - NEUF

De toit en toit, je fonce vers la limite nord du Havre. Si je peux atteindre le tunnel d'où notre classe a assisté à la liquidation, je suis certaine de savoir retrouver la porte du dôme.

Des faisceaux lumineux balaient le ciel, des sirènes et de la fumée saturent l'air. Toutes les routes que j'emprunte sont bloquées, mais je ne peux pas m'arrêter pour me rendre compte de la situation, vérifier quelle faction l'emporte. Pas le temps non plus d'être prudente.

Je bondis sur des immeubles toujours plus bas, et le ciel se rapproche au fur et à mesure que le dôme s'incline vers le sol. J'aperçois enfin l'immeuble d'où on accède au tunnel.

Trouvant une corde, je descends jusqu'à la rue, quatre étages plus bas. Je franchis neuf ou dix pâtés de maisons, mes poumons sur le point d'exploser, un goût de cuivre dans la bouche.

Sur la porte est écrit: «Danger. Entrée interdite.» Comme je traînais à l'arrière du groupe, ce jour-là, je n'ai pas vu la porte avant qu'elle soit ouverte, mais je suis sûre que c'est celle par où nous sommes entrés à la suite de Larsson. Relativement sûre, en tout cas.

Derrière, je découvre un couloir plongé dans la pénombre. J'ai parcouru moins de deux mètres lorsque les lumières s'allument. Pendant que je cours, d'autres lumières semblent me poursuivre.

J'ouvre la porte au bout du couloir et je suis certaine d'être au bon endroit. C'est bien par là que nous sommes passés pour assister à la liquidation. En entrant dans la salle où nous avions pris place, j'entends des voix dans le couloir suivant, celui qui devrait se trouver près de la porte de l'Extérieur. Je m'arrête, puis je m'avance précautionneusement.

— Qu'est-ce qui te dit que la situation ne serait pas meilleure ? demande une voix masculine.

— Le Havre est synonyme de sécurité, réplique une autre. Sans la Direction, sans les P et P, le Havre sombrera dans le chaos, les Déchiqueteurs nous envahiront, on fera des trous dans le dôme et nous mourrons noyés dans la poussière.

— On mangerait peut-être mieux, dit l'autre homme. Peut-être que le peu que nous avons serait réparti plus équitablement. Tu as entendu le type au mégaphone.

Je risque un coup d'œil. Cal est assis contre le mur, les mains et les pieds attachés, un bâillon sur la bouche. Deux Confs en tenue complète s'appuient sur le mur opposé, leur visière remontée.

Le plus gros des deux se tourne et m'aperçoit.

— Qu'est-ce que tu viens faire ici ? demande-t-il en pointant son arme.

C'est un Aut chargé de vraies balles. À sa voix, je reconnais le type qui s'est interrogé sur la nourriture. Le plus petit des deux, lui, a cité la propagande du Havre. Peut-être réussirai-je à diviser pour mieux régner.

Je lève les mains en signe de reddition.

— Je suis une recrue du PFAC. Le capitaine m'envoie assister à la liquidation.

Cal ouvre les yeux tout grands et se débat, mais ses liens le retiennent fermement.

— On ne nous a rien dit, répond le gros. Personne ne nous a informés de la présence d'une recrue.

— Tu n'es même pas en tenue, constate le petit en fronçant les sourcils. À moins que les robes rouges déchirées soient le nouvel uniforme du PFAC.

Il rit.

— C'est elle! s'écrie le gros en fonçant vers moi. La fille qui a tenté de tuer le Président! On a tout vu sur l'écran.

Il montre un appareil accroché au mur.

— Tu es la fille de Mme Kalin. Elle te fait chercher partout.

— Elle a aussi calmé le Déchiqueteur qui a tué le Président, réplique le petit. Elle a sauvé des vies. Cette créature aurait massacré tout le monde.

Il se tourne vers moi.

— Comment y es-tu arrivée?

Il prend Burn pour un Déchiqueteur. Je ne le corrige pas.

Le plus petit des Confs dégaine son arme. Cal balance ses jambes attachées, et l'homme chute. Le gros allume son communicateur.

— Besoin de renfort. Alerte rouge. Secteur QN15.

Le Conf désarçonné par Cal ne bouge pas et, sous son casque, du sang s'écoule de son front. Je dois agir. Malgré le chaos, d'autres Confs répondront à l'Alerte rouge. Des Confs en trop grand nombre.

— Hé !

Ayant attiré l'attention de l'homme, je me concentre aussitôt sur ses yeux vert foncé. Je déclenche ma Déviance sans même prendre le temps de mobiliser mes émotions.

Cette étape n'est plus nécessaire. Décidément, recourir à ma Déviance devient trop facile.

Je suis un monstre, d'accord, mais je n'ai pas le temps de m'appesantir sur les conséquences. Si je dois tuer ces Confs pour sauver la vie de Cal, qu'il en soit ainsi. J'aurais dû éliminer Mme Kalin quand l'occasion s'en est présentée. Je n'hésiterai plus.

Fixant le Conf, je m'efforce de ralentir son rythme cardiaque et de le plonger dans le sommeil. Titubant, il s'appuie contre le mur.

— Qu'est-ce que…

Il tombe par terre.

— Qu'est-ce que tu as fait à mon partenaire ? Qu'es-tu donc ?

L'autre Conf a repris connaissance.

— Tu ne l'as même pas touché !

Je me tourne vers le Conf que Cal a renversé, et il lève les mains. Il a retiré son casque et frotte son front qui saigne.

— Ne me fais pas de mal.

Il pose son Aut.

Je ramasse l'arme et la glisse sous la ceinture de ma robe, derrière mon dos.

— Donnez-moi votre couteau.

Il sort la lame du fourreau sur sa cuisse et la pousse vers moi sur le sol. M'en emparant, je tranche les liens qui retiennent les mains de Cal. Il retire son bâillon pendant que je libère ses chevilles.

Le plus petit des Confs rampe jusqu'à son collègue et l'ausculte.

— Il est vivant.

— Il s'en tirera, dis-je, bien que je n'en sois pas certaine. La sortie, c'est par là?

Je désigne la porte surmontée d'une lumière rouge vif.

— Non, répond le Conf. Celle-là s'ouvre sur l'Extérieur.

— Parfait.

Je tends le bras vers la poignée.

Cal pose sa main sur la mienne.

— Qu'est-ce que tu fabriques? Tu as perdu la tête?

— Nous devons sortir. Il n'y a pas d'autre solution. Fais-moi confiance.

Il est trop tard pour rejoindre Burn dans les tunnels. Survivrons-nous à notre autoliquidation, Cal et moi? En tout cas, nous devons tenter le coup. Nous ne sommes plus en sécurité dans le Havre.

— Vous allez mourir, dehors, sans masque, me prévient le Conf.

Je braque l'Aut sur lui.

— Donnez-lui le vôtre.

Je sais que je suis capable de respirer un peu de poussière sans suffoquer ni devenir folle. Cal, lui, risque de mourir.

— Partez si vous voulez, propose le Conf. Je ne vais pas essayer de vous retenir.

Je n'abaisse pas mon arme.

— Votre masque.

— Il y en a d'autres là-bas, explique-t-il en montrant le couloir.

— Prends-en deux, dis-je à Cal avant de me tourner de nouveau vers le Conf.

— Pourquoi nous laissez-vous partir? demandé-je à l'homme, pendant que Cal s'exécute.

— J'ai vu tes agissements là-haut, sur le balcon.

— Vous avez peur de moi?

— Je ne sais pas, avoue-t-il en épongeant le sang sur son front. Tout est sens dessus dessous. J'ai entendu ce qu'ont dit les gens qui ont fait irruption dans le Centre à propos du contrôle que la Direction exerce sur notre vie. Je n'ai pas pu m'empêcher de penser qu'ils ont peut-être raison et qu'il faudrait obliger la Direction à rendre des comptes. Peut-être faudrait-il que les choses changent.

Il hausse les épaules.

— Si tu appartiens à ce groupe, je ne suis pas certain d'avoir envie de t'arrêter.

Cal est de retour avec les masques.

— Tu es sûre?

Je hoche la tête.

— Mets-le.

Le Conf que j'ai assommé remue.

Celui qui nous aide s'empare de l'arme de son partenaire et la tend à Cal.

— Bonne chance.

J'enfile mon masque et j'ouvre la porte.

La lumière est aveuglante. Je saisis la main de Cal et je m'avance en plaçant mon autre main en visière. Le vent souffle, et la poussière me pique les joues à la façon de milliers d'aiguilles infimes. Je me félicite d'avoir pris les masques.

— La lumière est violente, constate Cal. Et il fait très chaud.

— C'est à cause du soleil.

Je regrette de ne pas avoir le temps de lui expliquer ou de le laisser découvrir par lui-même le miracle du monde, mais la poussière est dense, ici, et je ne sais pas très bien où nous allons. Comme une liquidation était prévue, je suis certaine que des Déchiqueteurs rôdent dans les parages. En général, les Confs les informent afin que les victimes soient capturées peu après avoir franchi la porte. Ainsi, on assure un bon spectacle aux curieux réunis dans le Centre.

Mes yeux s'acclimatent peu à peu. Nous progressons péniblement, et l'air commence à se dégager. On entend sur la droite un grondement sonore. J'ignore ce que c'est. Cal tire sur mon bras.

— Glory, dit-il d'une voix basse, tendue.

À une quinzaine de mètres devant nous se trouve une meute d'au moins dix Déchiqueteurs. Ils nous ont aperçus et poussent des hurlements.

— Cours!

Sans lâcher la main de Cal, je fonce vers la droite, en diagonale. Nous devons nous éloigner du dôme et des Déchiqueteurs. Au loin, des ruines, vestiges d'un ancien immeuble d'ALP, émergent de la poussière. Nous pourrons peut-être nous y cacher, à condition de semer les Déchiqueteurs.

Un objet siffle à mon oreille, et un long éclat métallique atterrit dans la poussière. Trente centimètres plus à gauche et il m'aurait atteinte au dos… ou à la tête.

Le bruit de tonnerre s'intensifie.

— Que se passe-t-il? crie Cal.

Je secoue la tête avant de me retourner.

Le char d'assaut. En tout cas, on jurerait qu'il s'agit du char d'assaut dans lequel nous avons été conduits au Fort Huron, Burn et moi. Mais c'est impossible. Burn l'a fait exploser. Je m'immobilise. Quelle est la pire des deux éventualités? Les Déchiqueteurs ou les cannibales du Fort Huron? Je change de cap. Qu'allons-nous devenir? Les Déchiqueteurs d'un côté, les militaires de l'autre.

Cal s'arrête, et ma main s'échappe de la sienne.

— Attends, crie-t-il. Quelqu'un nous fait signe du haut de cet énorme truc en métal. Pour attirer notre attention.

Je freine et je me retourne. En jetant un coup d'œil par-dessus mon épaule, je constate que les Déchiqueteurs, sans doute effrayés par le char d'assaut, ont renoncé à nous poursuivre. Puis je distingue l'insigne de l'AL sur le flanc de l'engin. L'espoir me serait-il donc permis?

Le tank s'immobilise, et un corps massif se faufile par l'écoutille. C'est Burn. Je cours vers lui.

— Montez! crie-t-il. Nous n'avons pas beaucoup de temps!

J'oblige Cal à passer le premier. Burn me tend la main. Il me soulève, et mon corps heurte violemment le sien.

Il me serre contre lui.

— Tu as réussi.

— Jayma et Tobin?

Il hoche la tête.

— À l'intérieur.

Je mets les bras autour de son cou.

— Merci.

Dans ses bras, je me sens en sécurité. Je ne veux pas le lâcher.

— Entre, ordonne-t-il. Les Confs.

Du côté du Havre, on entend un bang retentissant, et un obus explose à un peu plus de trois mètres du char d'assaut.

Je descends l'échelle en vitesse, et nous nous mettons en marche avant même que Burn ait refermé l'écoutille.

Sur le sol, je suis aussitôt projetée vers l'arrière. Cal se précipite pour amortir ma chute, puis il me prend sur ses genoux.

— Tu es venue me chercher, dit-il. Tu m'as sauvé la vie.

Il m'embrasse.

L'adrénaline, l'angoisse et le stress me quittent, et c'est comme si Cal, par son baiser et ses caresses, apaisait mes souffrances, mes craintes et mes maux. Le monde et mes tribulations disparaissent, et c'est comme si nous étions seuls, Cal et moi. Il sait qui je suis, et il m'aime malgré tout. Nous avons fui le Havre. Je crois bien n'avoir jamais été aussi heureuse de toute ma vie.

Le char d'assaut, secoué par un dos d'âne, nous sépare.

Et la réalité revient au galop. Nous ne sommes pas seuls.

Mes joues, mon corps tout entier, sont écarlates. Je me laisse glisser sur le banc à côté de Cal. Je regarde les autres. En face de moi, à côté de Tobin qui a du mal à contenir ses ailes, Jayma arbore un large sourire. Je me tourne vers Burn.

Il regarde par terre, les poings serrés sur ses genoux.

Qu'ai-je donc fait? Si sa Déviance se déclenche dans cet engin, aucun de nous n'en sortira vivant.

— Burn?

Ma voix est enterrée par le vacarme ambiant.

Je vais m'asseoir à côté de lui, pose doucement la main sur l'un de ses poings. Il lève la tête et me regarde. Il a la mâchoire rigide, les dents serrées, les yeux sombres et tristes.

— Excuse-moi.

Je ne trouve pas les mots.

Il secoue la tête.

— Je… Nous nous sommes laissé emporter par la passion du moment.

Il secoue de nouveau la tête.

— Il n'y a rien à expliquer. Tu es avec Cal. J'ai compris. Je l'accepte.

Il baisse les yeux.

— Ce n'est pas comme si nous pourrions un jour… Tu sais…

Il retire sa main et se détourne.

Je me sens accablée. Je n'ai jamais eu l'intention de blesser Burn. Cal non plus, d'ailleurs. Je ne sais pas lequel des deux je choisirais, si j'avais le choix. En ce moment, je ne suis pas en état de mettre de l'ordre dans mes sentiments.

Nous franchissons un autre obstacle, et Jayma pousse un cri strident. Les ailes de Tobin apparaissent une fois de plus, et elle l'aide à les replier. Cal observe la scène, impressionné. Je me tourne vers Burn, qui s'empresse de regarder ailleurs. Je suis atterrée. Je sais pourtant que ce n'est pas le moment de tenter de réparer les pots cassés.

Dans la zone critique qui entoure le Havre, le chemin est pour le moins raboteux, et je ne peux m'empêcher de penser que tous ces écueils symbolisent ma vie. Si j'ai réussi à m'échapper du Havre, j'ai encore beaucoup de travail à faire, de nombreux obstacles à surmonter.

L'AL et les rebelles combattent les Confs à l'intérieur du dôme, mais Mme Kalin vit toujours. Si elle devient Présidente et diffuse des messages quotidiens aux employés, combien de temps mettra-t-elle à subjuguer tous les occupants du Havre, y compris les soldats de l'AL et les rebelles ?

Elle m'a confié que certaines personnes résistaient à ses pouvoirs, moi la première. Tout de même, je me suis laissé ensorceler.

Je dois prévenir les autres. Je dois retourner là-bas. Je dois arrêter Mme Kalin.

— Tenez-vous bien ! crie le pilote, à l'avant. Nous allons traverser le mur !

Je m'accroche à une poignée qui pend au-dessus de ma tête et me prépare à affronter la suite.

REMERCIEMENTS

Le deuxième tome d'une série représente toujours un défi : répondre aux attentes des lecteurs qui ont aimé le premier et divertir ceux qui découvrent notre univers. Je suis profondément reconnaissante à tous ceux et celles qui ont contribué à faire de *Conformité* une réalité.

Je tiens d'abord à remercier les lecteurs qui ont aimé le premier tome et ont eu la gentillesse de me le faire savoir. C'est vous qui donnez un sens à mon travail.

Comme toujours, je serai éternellement reconnaissante à mes partenaires critiques, Molly O'Keefe et Ripley Vaughn, sans qui mes livres n'auraient peut-être pas été écrits. Ils seraient moins bons, en tout cas. Merci de ne m'avoir rien passé et d'avoir rendu la démarche plus passionnante et plus amusante. Merci aussi à Stephanie Doyle, qui a lu une version préliminaire du roman avant de lire *Déviants*, ainsi qu'à Mary Sullivan et à Michele Young.

Je dois aussi remercier le grand collectif d'écrivains très diversifiés dont je fais partie, y compris les membres de RWA, de la SCBWI, de la CANSCAIP, de Backspace, de #torkidlit et de Monthtowrite. Des mercis tout particuliers à Danielle Younge-Ullman, Bev Katz Rosenbaum, Claudia Osmond, Debbie Ridpath Ohi, Nelsa Roberto,

Megan Crewe, Chevy Stevens, Diana Peterfreund, Eileen Cook, Eileen Rendahl, Barrie Summy, Kwana Jackson, Misty Simon, Alli Sinclair, Danita Cahill, Marilyn Brant et des dizaines d'autres. Je vais m'en vouloir de ne pas avoir dressé une liste au fur et à mesure. Ceux de TRW : vous vous connaissez.

Merci aussi à tous ceux du «bureau», c'est-à-dire F'Coffee et Broadview Espresso, d'avoir enduré la drôle de femme aux cheveux roses qui passe des heures penchée sur son ordinateur et monopolise la prise de courant.

Merci infiniment à Charlie Olsen, mon agent enthousiaste. Ta confiance m'est indispensable. Merci à tous les artisans d'InkWell Management, en particulier Alexis Hurley pour les efforts qu'elle a déployés pour faire traduire la série. Un merci tout particulier à une élève de huitième année, Kirsten Traudt, qui a lu *Conformité* et produit un rapport de lecture des plus perspicaces pendant un stage à InkWell.

Mes derniers remerciements, mais non les moindres, s'adressent à Lindsay Guzzardo, qui m'a aidée à dénouer et à renouer les multiples fils narratifs du roman. Et merci à tous les artisans d'Amazon Children's Publishing, notamment Margery Cuyler, Deborah Bass, Amy Hosford, Jenny Parnow, Erick Pullen, Timoney Korbar et Katrina Damkoehler. Bravo, l'équipe !

Photo: © Marti Corn

MAUREEN McGOWAN

Élevée dans différentes villes canadiennes, Maureen McGowan vit actuellement à Toronto. Son cœur l'a emporté sur sa raison quand elle a finalement mis de côté une carrière en finances l'ayant conduite de Palo Alto à Philadelphie pour se consacrer à sa passion, la littérature. La science-fiction la séduit particulièrement, et il lui a fallu trois ans et demi pour rédiger la totalité de la trilogie *Après la poussière*.

MARQUIS

Québec, Canada